GOLDMANN

D0774633

Buch

In der amerikanischen Kleinstadt Janus scheint die Welt noch in
Ordnung. Bis eines Tages Nora Silk mit roten Stöckelschuhen, einem
klapprigen VW und einem Baby unter dem Arm in die Nachbarschaft
einzieht und die Gemüter in Aufregung versetzt. Nach und nach
haucht sie mit der Magie ihrer Ausstrahlung der spießigen und ver-
knöcherten Umgebung ein neues Leben ein. Da ist zum Beispiel Joe
Hennessy, Polizist und moralisches Rückgrat der Siedlung und glücklich verheiratet, der sich plötzlich dabei ertappt, wie er die neue
Nachbarin schmerzlich begehrt. Oder Donna Durgin, vorbildliche
Ehefrau und Mutter, die auf einmal entdeckt, daß sie unter all den
häuslichen Pflichten sich selbst verloren hat, und die ohne Vorwar-
nung auf einmal verschwindet. Und schließlich Ace McCarthy, der
siebzehnjährige Junge des Tankstellenbesitzers, den eine unerklärli-
che, geheime, verbotene und ungestüme Liebe zu Nora hinzieht.
Der siebte Himmel – das ist ein Roman über eine Frau von seltener
Magie und Ausstrahlungskraft und über den Einbruch verdrängter
Leidenschaften und verborgener Träume in eine Welt falscher
Harmonie und Friedlichkeit.
Mit diesem Buch hat sich Alice Hoffman endgültig als eine der
»besten Autorinnen ihrer Generation« (Newsweek) erwiesen.

Autorin

Alice Hoffman wurde in New York geboren. Sie ist Autorin von mitt-
lerweile neun Romanen und zahlreichen Erzählungen und lebt mit
ihrem Mann und zwei Söhnen in der Nähe von Boston.

Außerdem ist von Alice Hoffman im Goldmann Verlag erschienen:

Die Nacht der tausend Lichter. Roman (9378)
Wo bleiben Vögel im Regen. Roman (9379/Großschrift 7269)
Das erste Kind. Roman (9784)
Das halbe und das ganze Leben. Roman (41349)
Herzensbrecher. Roman (42181)
Der siebte Himmel. Roman (Hardcover 30407)
Zaubermond. Roman (Hardcover 30445)

ALICE HOFFMAN

Der siebte Himmel

Roman

Aus dem Amerikanischen
von Elke vom Scheidt

GOLDMANN VERLAG

Die Originalausgabe erschien unter dem Titel
»Seventh Heaven«
bei G. P. Putnam's Sons, New York

Der Goldmann Verlag
ist ein Unternehmen der Verlagsgruppe Bertelsmann

Made in Germany · 1. Auflage dieser Ausgabe · 9/93
Copyright © 1990 by Alice Hoffman
Copyright © der deutschsprachigen Ausgabe 1991
by Wilhelm Goldmann Verlag, München
Umschlaggestaltung: Design Team München
Druck: Elsnerdruck, Berlin
Verlagsnummer: 42348
AR · Herstellung: sc
ISBN 3-442-42348-1

Für Jake und Zachary,
für Ross und Jo Ann,
für Carol DeKnight,
für Sherry Hoffman,
für meinen Großvater,
Michael Hoffman,

in Liebe

Im Andenken
an Houdini

1959

ERSTES KAPITEL

Im Land des Königs

Ende August bezogen drei Krähen Quartier im Kamin des Eckhauses in der Hemlock Street. Morgens veranstalteten sie einen Spektakel, der Tote aufwecken konnte. Sie pickten mit den Schnäbeln Steine auf und warfen sie gegen die Fensterscheiben; sie rupften an ihrem Gefieder, so daß man den ganzen Tag über an den merkwürdigsten Stellen schwarze Federn fand: in Schüsseln mit Frühstücksflocken, in den Taschen von Hemden, die zum Trocknen auf der Wäscheleine hingen, in Milchflaschen, die in der Morgendämmerung geliefert worden waren.

Alle Bewohner der Siedlung waren vor sechs Jahren eingezogen. Damals hatte man die Kartoffelfelder parzelliert, und bevor die Bauarbeiter ihre Arbeit aufgenommen hatten, war Janus nur ein Postamt oben am Harvey's Turnpike gewesen, umgeben von Farmland. Während des ersten Frühjahrs stießen die Männer der Hemlock Street immer wieder auf versprengte Kartoffeln, wenn sie ihre Rasenflächen anlegten oder Mimosen und Pappeln pflanzten; an dem Tag, an dem die Müllabfuhr kam, lagen Haufen von Kartoffeln neben den silbern glänzenden Mülltonnen. Alles war neu in Janus: die Grundschule, die High School, das A&P-Kaufhaus, das Polizeirevier oben am Turnpike. Selbst die Luft schien neu; war man nicht daran gewöhnt, so fühlte man sich benommen, und Verwandte, die aus Brooklyn oder Queens zu Besuch kamen, mußten sich manchmal auf die Couch legen, ein feuchtes Taschentuch an die Schläfen gepreßt. Alle Häuser der Siedlung waren gleich, und lange Zeit fuhren Ehemänner nach der Arbeit in die falschen Einfahrten, Kinder wanderten zu Keksen und Milch in die falschen Häuser, und junge Mütter, die ihre Kinder in neuen Kinderwagen ausfuhren, verirrten sich in identischen Straßen zwischen identischen Häusern.

Für Außenstehende mochten die Häuser noch immer so aussehen wie vor sechs Jahren, aber diejenigen, die hier wohnten, konnten sie nun mühelos an der Farbe des Putzes auf den Ziegelmauern, den Blumenkästen oder den Hecken neben den Einfahrten unterscheiden. Wenn die Kinder jetzt an Sommerabenden Fußball spielten, wußten sie genau, welche Drahtgittertür zur Küche sie öffnen mußten und in welchem Schlafzimmer sie ihre feuchten, verschwitzten Kleider auszuziehen hatten. Die Mütter banden ihren Kleinkindern keine Adreßschildchen mehr um die Handgelenke, wenn sie sie zum Spielen in die Hintergärten schickten, und selbst die Hunde, die im ersten Jahr so verwirrt gewesen waren, daß sie sich mittags an Straßenecken versammelt und geheult hatten, wußten nun genau, wo ihre Knochen vergraben waren und wo sie sich für die Nacht ausstrecken würden.

Um Frieden mit den Nachbarn zu haben, brauchte man sich nur an zwei unausgesprochene Regeln zu halten: Kümmern Sie sich um Ihre eigenen Angelegenheiten und Halten Sie Ihren Rasen in Ordnung. Und weil alle in der Nachbarschaft aus den gleichen Verhältnissen kamen, und weil dies das erste Haus war, das sie oder die anderen Mitglieder ihrer Familie je besessen hatten, wurde diese Übereinkunft gehalten, bis Mr. Olivera den Pakt brach, indem er starb. An einem

Tag im vergangenen November, als der Himmel um halb fünf dunkel wurde und die Kinder beim ersten Anzeichen von Schnee ihre Schlitten hinüber zum Dead Man's Hill auf der anderen Seite der Allee zogen, legte sich Mr. Olivera unter zwei wollenen Decken ins Bett, drehte sich auf die Seite, atmete dreimal tief durch, dachte daran, Frostschutzmittel in den Kühler seines Chrysler zu geben, schlief ein und wachte nie wieder auf.

Oliveras Frau, die altmodisch war und Marmelade aus den Trauben kochte, die ihr Mann neben dem Haus angepflanzt hatte, zog sofort nach Virginia zu ihrer verheirateten Tochter. Während Mrs. Olivera sich noch überlegte, ob sie bei ihrer Tochter bleiben oder zurück in eine Siedlung gehen sollte, in der sie die einzige Frau über Sechzig sein würde, begann aus unbegreiflichen Gründen das Haus zu zerfallen. Weihnachten waren die Fensterläden geborsten und aus den Angeln gerutscht. Im Februar zerbröckelte der Zement an der vorderen Veranda, und am Ende des Frühlings stand das Gras im Vorgarten so hoch, daß die Leute schworen, dort brüteten Moskitos; wenn sie daran vorbeikamen, wechselten sie auf die andere Straßenseite. Joe Hennessy, der seit fünf Jahren bei der Nassau County Police war und sich ein bißchen um das Haus kümmern sollte, holte schließlich seinen neuen Motorrasenmäher heraus und machte sich an die Arbeit. Hennessy war einssiebenundachtzig groß und kräftig gebaut, aber nachdem er die Hälfte des Vorgartens gemäht hatte, war er so erschöpft, daß er sich auf die Vortreppe setzen mußte, um wieder zu Atem zu kommen. Bis Mrs. Olivera beschlossen hatte, das Haus zu verkaufen, war es bereits zu spät. Ein eigenartiger, süßlicher Geruch ging von dem Haus aus, obwohl die Fenster geschlossen und verriegelt waren, und brachte die Leute in der Nachbarschaft auf den Gedanken, ein Topf Marmelade sei zu lange gekocht und dann auf dem hinteren Brenner des Herdes vergessen worden.

Den ganzen Sommer über blieb der Geruch bestehen und vertrieb potentielle Käufer. Die Frauen in der Straße kauften Frischluftsprays und putzten ihre Fußböden mit Lysol, aber der Geruch drang durch die drahtvergitterten Fenster und schien ihnen ins Gesicht zu schlagen. Ace McCarthy, der siebzehn war und sich vor sehr wenigen Dingen dieser Welt fürchtete, wohnte direkt neben dem Haus der Oliveras, und obwohl er das nie jemandem gesagt hätte, gab es Zeiten spät in der Nacht, wo er hätte schwören können, jemanden stöhnen zu hören. Irgendein Spaßvogel aus einer anderen Straße setzte das Gerücht in Umlauf, in dem Haus spuke es, und samstags abends parkten Autos voller Teenager davor. Die Jungen drückten auf die Hupen und forderten einander heraus, die Nacht im Haus der Oliveras zu verbringen, nannten einander Feiglinge und küßten ihre Freundinnen, und sie wichen nicht von der Stelle, bis Joe Hennessy herauskam, die Tür seines Streifenwagens öffnete und die Sirene einschaltete.

Niemand wußte, wieso das ausgerechnet in ihrer Straße passieren mußte. Hatten sie nicht alle jeden Oktober die welken Blätter zu Haufen zusammengefegt, um sie am Randstein zu verbrennen? Hatten sie nicht Zitronenkuchen und Schokoladenkekse für die Grundschulbasare gebacken? Ihre Kinder waren ruppig, aber gutartig, und ihre Töchter im Teenageralter ließen schlimmstenfalls im Drugstore einen Lippenstift mitgehen oder aßen beim Babysitten eine ganze Tüte Chips leer. Die Nachbarn suchten nach einer Erklärung. Irgendwie war eine Strafe über sie verhängt worden, aber gegen wen richtete sie sich? Sicher nicht gegen John McCarthy, dem die Texaco-Tankstelle oben am Harvey's Turnpike gehörte, obwohl er der logischste Kandidat gewesen wäre, weil sein Haus direkt neben dem der Oliveras stand; vielleicht richtete sich der Fluch gegen seine beiden wilden Söhne, Jackie und Ace, die ihren Vater hinter seinem Rücken den Heiligen nannten. Die Shapiros auf der anderen Seite der McCarthys verdienten eher etwas, das sie von ihrem hohen Roß herunterholte. Sie hatten mit ihren Kindern verdächtiges Glück: Danny war klüger, als gut für ihn war, und Rickie liebte es, sich direkt vor der Nase der Leute ihr rotes Haar zu kämmen, um damit anzugeben. Es war unwahrscheinlich, daß die Strafe sich gegen die Durgins – Donna Durgins Haus war so sauber, daß sie alle anderen Frauen beschämte – oder die Winemans richtete, und Joe Hennessy war ganz bestimmt nicht gemeint; schon bei seinem Anblick wußte man, daß er ein guter Ehemann und Vater war. Man konnte von Glück sagen, mit jemandem wie Joe in der gleichen Straße zu leben.

Aber trotzdem war die Strafe über sie gekommen, und niemand war im geringsten überrascht, als aus dem Süden die Krähen erschienen. Die Leute schalteten ihre Radios und Fernseher aus und gingen nach draußen, um sie zu beobachten. Es waren große Vögel mit Augen wie Rubine, und sie waren mutig genug, Cockerspaniels und Irish Setters aus dem Garten der Oliveras zu verjagen. Als der Sohn der Hennessys, Stevie, mit seinem Luftgewehr auf eine der Krähen schoß, packte die größte das Luftgewehr mit dem Schnabel und jagte dann Stevie über die Straße, nachdem es ihr gelungen war, einen Fetzen aus seiner Bluejeans zu reißen, ehe er in das Haus fliehen und nach seiner Mutter rufen konnte. Ellen Hennessy schloß Stevie in die Arme, und nachdem sie sich vergewissert hatte, daß er nicht verletzt war, rannte sie auf die Straße und versuchte, den Angriff der Krähe durch Schwenken ihrer Schürze zu parieren, aber der Vogel ignorierte sie einfach und flog zurück auf den Schornstein der Oliveras.

Es mußte etwas geschehen. An einem Freitagabend trafen sich Phil Shapiro und John McCarthy in Hennessys Partykeller. Hennessys Frau hatte Chips in eine Schüssel gefüllt und einen Dip aus saurer Sahne und Zwiebeln bereitet, den sie auf die Bartheke aus Resopal stellte. Phil Shapiro und John McCarthy versuchten, es sich auf der schwarzen Plastikcouch bequem zu machen. Hennessy nahm das Tischhockeyspiel vom Couchtisch und setzte sich ihnen gegenüber. In den sechs Jahren seit dem Einzug war keiner der Männer in den Häusern der anderen gewesen. Ihre Frauen hatten ihnen natürlich alles über die genaue Anordnung der Möbel in den identischen Wohnzimmern der Nachbarn erzählt. Trotzdem war ihnen nicht sonderlich wohl dabei, nun Hennessy gegenüber zu sitzen und ein Bier von ihm anzunehmen. Hinter der mit Fichtenbrettern verkleideten Wand hörte man die Waschmaschine rumpeln. Phil Shapiro hatte das Treffen vorgeschlagen, denn er hatte herausgefunden, daß der Makler sich nicht einmal mehr die Mühe machte, das Haus möglichen Käufern zu zeigen. Phil war direkt von A&P gekommen, wo er Chef der Buchhaltung war, und obwohl er sich nicht die Zeit zum Abendessen genommen hatte, wünschte er, er hätte zumindest seinen Anzug ausgezogen, da John McCarthy seine Texaco-Uniform und Hennessy alte Baumwollhosen und ein kurzärmeliges Sporthemd trug.

»Gott, ist das heiß«, sagte Phil. Er nahm die Krawatte ab und steckte sie in die Tasche. Um höflich zu sein, trank er ein Budweiser.

»Heiß«, stimmte John McCarthy zu.

Die drei Männer bedachten dies und schlürften schweigend ihr Bier. Sie konnten noch immer den überreifen Geruch des Olivera-Hauses riechen, selbst hier im Partykeller auf der anderen Straßenseite.

»Ich bin der Meinung«, sagte Phil Shapiro, »daß unsere Grundstücke gewaltig an Wert verlieren, wenn wir nichts unternehmen.«

»Der Meinung bin ich auch«, stimmte Hennessy zu.

»Jedesmal, wenn ich das Haus anschaue, habe ich Angst, ein Kind könnte in die Kellerschächte fallen oder sich in Oliveras Garage einsperren«, sagte John McCarthy.

Hennessy und Phil Shapiro schwiegen einen Augenblick lang betreten über ihre scheinbare Geldgier. Hennessy hatte gehört, wie die McCarthy-Kinder sich über ihren Vater lustig machten und ihn den Heiligen nannten, und es stimmte: Unter seinem Blick fühlte man sich schuldig, auch wenn man ein noch so reines Gewissen hatte.

»Ja, stimmt«, sagte Phil Shapiro endlich. »Genau. Jemand könnte zu Schaden kommen. Diese Krähen könnten eine Schachtel Streichhölzer finden, sich damit zu schaffen machen, und, puff, geht das Haus in Flammen auf.«

»Daran habe ich noch nie gedacht«, sagte John McCarthy besorgt. »Und vergeßt nicht, jemand könnte über den Rasen gehen, sich im Unkraut verheddern, fallen und sich das Bein brechen.«

»Ja«, sagte Phil Shapiro. »Wir müssen da was unternehmen.«

Ellen Hennessy öffnete oben die Tür und rief herunter: »Soll ich euch Männern ein Sandwich machen?«

»Schon gut, Ellen, wir haben alles«, rief Hennessy. »Oder vielleicht doch?« fragte er seine Nachbarn. »Schinken und Käse?«

Beide Männer schüttelten höflich den Kopf; sie zogen es vor, zu Hause zu essen.

»Alles da«, rief Hennessy nach oben. »Nun?« sagte er zu seinen Nachbarn.

»Wir könnten eine Anzeige in der Zeitung aufgeben«, sagte Phil Shapiro. »Und der Käufer soll sich dann mit Mrs. Olivera in Verbindung setzen.«

»Wer wird sich die Bruchbude schon anschauen?« sagte Hennessy. »Ob wir den dann in unserer Straße haben wollen?«

»Wir brauchen einen Heimwerker«, sagte John McCarthy. »Einen, der das Haus selbst instand setzen kann.«

Hennessy stand auf, holte die Schüssel mit den Chips und nahm sich eine Handvoll. Es schien irgendwie nicht richtig, sich in fremde Angelegenheiten einzumischen, aber nach einer Stunde war alles entschieden. Phil Shapiro würde sich mit der alten Mrs. Olivera in Verbindung setzen und ihr Einverständnis einholen, Hennessy würde Anzeigen im Immobilienteil von drei Zeitungen aufgeben, und John McCarthy würde abends das Haus zeigen.

Von der anderen Straßenseite sah man das gelbe Licht im Partykeller der Hennessys. Für Danny Shapiro und Ace McCarthy, die auf dem Kotflügel von Jackie McCarthys blauem Chevy saßen, war das ein wirklich erstaunlicher Anblick. Was in aller Welt hatten sich ihre Väter und Hennessy wohl über eine Stunde lang zu sagen? Keiner der Väter sprach pro Tag mehr als ein paar Sätze mit den Kindern, außer in Notfällen, und nun blieben die Männer bis halb neun; dann wurde endlich das Licht ausgeschaltet. Die Männer kamen die Kellertreppe herauf und drückten sich verlegen an Ellen Hennessy vorbei.

»Na, hoffentlich ist euch etwas eingefallen«, sagte Ellen zu Hennessy, nachdem er seine Nachbarn zur Haustür begleitet hatte... als würden sie in ihren Häusern nicht tagtäglich den gleichen Weg zurücklegen. Hennessy sah zu, wie seine Frau die mit Resopal belegte Arbeitsfläche in der Küche mit einem rosa Schwamm abwischte. Sie trug karierte Bermudashorts und eine weiße Bluse mit rundem Kragen; ihr Haar war kurz geschnitten, so daß er ihren Nacken sehen konnte.

»Klar«, sagte Hennessy. Er hatte die Schüssel Chips mit nach oben gebracht, hielt sie noch in der Hand und bediente sich daraus.

Sie konnten das Krächzen der Krähen hören, die sich für die Nacht niederließen. John McCarthy hatte den anderen Männern erzählt, daß er wegen dem Lärm im Bett Ohrenschützer trage.

»Wir sprengen das Ding mit Dynamit in die Luft.«

»Ha«, sagte Ellen. »Gute Idee.«

In der Nacht störten Ellen die Krähen nicht besonders. Abends drehte sie ihr Haar auf große Drahtwickler, und ehe sie das Haarnetz darüber band, legte sie sich Wattebäusche auf die Ohren.

»Ich mag dein Haar glatt«, sagte Hennessy immer wieder zu ihr. »Laß es einfach herunterhängen.«

»Bitte«, sagte Ellen dann. »Laß mich zufrieden.«

Hennessy ging zu ihr und legte einen Arm um ihre Taille. Das Haus war klein, aber bei solchen Anlässen konnte Hennessy fast vergessen, daß die Kinder noch nicht wieder in ihren Zimmern waren. »Laß uns früh zu Bett gehen«, sagte er.

»Hu, hu«, sagte Ellen. Mit gleichmäßigen Bewegungen wischte sie die Kochplatten des Elektroherdes sauber.

Hennessy ließ sie los und wartete, ob sie sich umdrehen würde. Als sie es nicht tat, ging er in den kleinen Flur, der in die Garage führte. Er betrat die Garage, schaltete das schwache Licht ein und drückte das Tor hoch. Drinnen war es kühler; einige Falter sammelten sich um die Birne, die von der Decke hing. Hennessy war nicht einmal mehr ärgerlich, wenn sie nein sagte. Er bückte sich und suchte hinter seiner Werkbank nach einem Kanister Benzin, und als Ellen kam und in der Tür stehenblieb, konnte sie ihn nicht sehen.

»Joe?« rief sie.

Hennessy nahm den Benzinkanister und zog seinen neuen Rasenmäher aus der Ecke.

»Ich mache den Rasen bei den Oliveras fertig«, sagte er.

Er rollte den Mäher an ihrem in der Einfahrt geparkten Auto vorbei und schob ihn dann über die Straße. Ace und Danny Shapiro sahen ihn näher kommen; von seinem Sohn Stevie wußten sie, daß Hennessy seine Pistole oft auch noch außerhalb seines Dienstes trug.

»Langweilig, Jungs?« fragte Hennessy, als er den Rasenmäher an ihnen vorbeischob.

»Nein, Sir«, antwortete Danny Shapiro prompt.

»Ihr könntet nämlich einen Rasen mähen«, sagte Hennessy.

»Oh, nein, Sir«, sagte Ace so leichthin, daß man niemals erraten hätte, wie schwer es ihm fiel. »Heute ist Freitagabend, und da haben wir viel, viel bessere Sachen zu tun.«

»Kann ich mir vorstellen«, sagte Hennessy, der argwöhnte, daß Ace in die Fußstapfen seines Bruders treten würde, der die Taschen voll falscher Papiere hatte und diese spitzen schwarzen Stiefel trug. Vermutlich hatte er eine Sechserpackung Bier in dem Flüßchen hinter der High School kalt gestellt.

Die Rasenhälfte, die Hennessy gemäht hatte, war schon fast wieder so hoch gewachsen wie die ungemähte Hälfte. Er blieb in der Einfahrt der Oliveras stehen und schaute zum Schornstein auf. Die Krähen beugten sich aus dem Nest und spähten auf ihn herunter. Hennessy mußte den Anlasser des Rasenmähers dreimal ziehen, bis der Motor ansprang; als er es schließlich tat, startete die Maschine mit einem Brüllen, das die Krähen kreischend aufflattern ließ. Hennessy brauchte fast eine Stunde, um den Rasen im Vorgarten fertig zu mähen, und die ganze Zeit warfen die Krähen Steine nach ihm. Schließlich gaben sie es auf und flogen zum Schornstein zurück, beobachteten aber aufmerksam, wie er sich abmühte.

Als Hennessy fertig war, war der Rasen zwar stellenweise noch ungleichmäßig, aber McCarthy würde das Haus abends besichtigen lassen, und in der Dunkelheit kam es nicht so genau darauf an. Hennessy schwitzte stark; er wischte sich das Gesicht mit dem Hemd ab. Dann schleppte er den Mäher in den hinteren Garten. Er blieb nur einen Augenblick stehen, neben den Traubenranken. Im August färbten sich die Trauben immer rot; weil niemand sie geerntet hatte, waren sie überreif zu Boden gefallen. Es wurde dunkler. Man sah schon schlechter, und Hennessy mußte sich beeilen. Obwohl er ohne Pause arbeitete, schliefen die Kinder der Hemlock Street bereits, als er endlich fertig war. Auf allen Seiten des verlassenen Hauses konnten die Nachbarn nun ihre Fenster aufreißen, dankbar, daß der verstörende Geruch zumindest zeitweilig durch einen anderen ersetzt worden war: durch den Geruch von frisch gemähtem Gras, einem Geruch, der die Kehle verengte und alle daran erinnerte, wie gut es war, hier zu leben.

An Sommerabenden wie diesen, wenn die Kinder gut zugedeckt in ihren Betten schliefen, war Geborgenheit fast mit den Händen greifbar. Niemand verschloß die Fenster, niemand sperrte seine Türen ab. Die Kühlschränke summten, und die Sterne waren strahlend weiß. Am Morgen würde der Verkehr auf der Southern State-Schnellstraße laut genug sein, um die Schläfer in ihren Betten zu wecken, aber spät abends war er nicht mehr als ein Flüstern, der die Kinder unter ihren weißen Laken und ihren mit Schaukelpferden gemusterten Decken einlullte.

Im Mondlicht konnte man sehen, wie sauber alles war: Lunchdosen und Fahrräder, Sofas und Schlafzimmereinrichtungen, Autos und Hollywoodschaukeln. Es gab nicht einmal Risse im Zement. Dieses Jahr waren die Glühwürmchen endlich zurückgekehrt. Als damals die Bulldozer den sandigen Boden durchpflügten, waren die Glühwürmchen so verwirrt, daß sie eines Nachts in einer leuchtenden Wolke davonflogen. Doch jetzt waren sie zurückgekommen und schwebten durch die Rosenbüsche und die Holzapfelbäume. Keines der Kinder aus der Siedlung hatte vorher je Glühwürmchen gesehen, aber trotzdem wußten alle instinktiv, was zu tun war: Sie rannten nach leeren Gurkengläsern und füllten sie mit den Glühwürmchen, die sie mit den Händen fingen. Unter den Betten dieser Kinder lagen grüne Lichtbirnen, die bis zum Morgen nicht erloschen. »Gute Nacht«, hatte man diesen Kindern gesagt, und sie glaubten immer daran. »Schlaft schön«, hatte man ihnen gesagt, und sie taten es. Wenn Ungeheuer in den Wandschränken oder unter den Trompetenbäumen erschienen, so behielten die Kinder das für sich. Sie erzählten es niemals ihren Eltern und tuschelten niemals darüber. Manchmal tauchten die Monster in der Schule auf dem Papier wieder auf, gezeichnet mit Bleistiften und Buntstiften; sie hatten purpurrotes Haar und gelbe Augen, und man sah ihnen an, daß sie nicht an »Gute Nacht« und »Schlaf schön« glaubten.

In einigen Häusern in der Hemlock Street schliefen brave Mädchen mit gekreuzten Fingern. Sie glaubten, es sei falsch, wenn Jungen ihre Brüste berühren wollten. Sie dachten nie daran, wie die Babys gemacht werden, und wenn sie es doch taten, dann hätten sie nicht einmal ihrer besten Freundin davon erzählt. Dennoch fühlten sie an Sommerabenden, daß sie weiche Knie hatten. Sie saßen auf der Tribüne der High

School und sahen den Jungen beim Baseball zu; sie kauten Kaugummi und kämmten ihr Haar und hatten plötzlich das Gefühl, aus Glas zu sein, als stünden sie am Rand von etwas, das sie in ihrem tiefsten Inneren als böse empfanden.

Wenn der Himmel sich verfärbte, in der späten, blauen Sommerdämmerung, stolperten Jungs von sechzehn und siebzehn Jahren in der herannahenden Dunkelheit auf dem Spielfeld herum. Jungs, die sich niemals über etwas Gedanken gemacht hatten, stellten fest, daß sie sich besiegt fühlten. Sie dachten an ihre Väter, dachten daran, wie sie die Mülltonnen an den Randstein stellten, wie man sie samstags abends immer am Küchentisch antraf, vor sich ihre Scheckbücher und Stapel von Rechnungen, Wasser, Strom, Hypothek. Die Jungs hatten keine Ahnung, warum sie stolperten, wenn sie an ihre Väter dachten, warum sie sich immer wieder fragten, wie der Mund eines Mädchens sein mochte, wie ihre Finger sich auf ihrer Haut anfühlten, wie blaß die Lider eines Mädchens aussahen, wenn sie die Augen schloß.

Die Väter dieser Jungs hatten auch einmal die schreckliche Freiheit einer Sommernacht gefühlt. Aber in letzter Zeit gefielen ihnen merkwürdige Dinge; sie ertappten sich beim Grinsen, wenn sie Rechnungen bezahlten, dachten »dies gehört mir«, und es machte ihnen nicht mehr viel aus, samstags abends zu Hause zu bleiben. Nun dachten sie an Pokerspiele und an Beförderungen im Beruf, sie hatten bonbonfarbene Autos mit langen Antennen in der Einfahrt. Warum wurden sie dann so unruhig, wenn sie sahen, daß ihre ältesten Söhne ihre weißen Hemden zuknöpften und sich mit Wasser die Haare zurückkämmten? Warum wurde ihnen vor Sehnsucht die Kehle eng, wenn sie die jüngsten ihrer Söhne sahen, die furchtlosen, die auf den Kletterstangen bis ganz oben kletterten und darum bettelten, länger aufbleiben zu dürfen?

An Augustabenden prüften die Frauen dieser Männer nicht mehr ihr Spiegelbild, wenn sie sich die Cold Cream vom Gesicht wischten. Viele von ihnen konnten noch immer nicht glauben, daß sie Kinder hatten; man hatte sie in Dämmerschlaf versetzt und ihnen ein Baby ausgehändigt, das sie kaum als ihr eigenes erkannten, und nun waren sie plötzlich viel älter, als sie je zu werden geglaubt hatten. Kurz vor Wintereinbruch nahmen sie jedes Jahr die roten Stiefel aus dem obersten Fach des Garderobenschrankes. Kurz vor Frühlingsbeginn holten sie leichte Jacken und Übergangsmäntel aus dem Keller, hängten sie zum Lüften in die Hintergärten. Sie besaßen Rezepte für Kokosnußkuchen; sie kochten Hühnersuppe mit Reis für die kleinsten Kinder, die mit Halsweh zu Hause geblieben waren; sie hatten neue Servierwagen mit laminierten Platten bestellt, die wie echtes Holz aussahen, sich aber nach dem Essen leicht abwischen ließen.

Im August dieses Jahres aber sahen die Frauen die zurückgekehrten Glühwürmchen, sahen Lichtblitze an ihren Fenstern, als sie gerade zu Bett gehen wollten. Die blaßgrünen Lichter zogen sich wie eine Sternenkette an den Hintergärten entlang. Wenn die Frauen ins Badezimmer gingen, konnten sie durch die dünnen Gipswände den gleichmäßigen Atem ihrer Kinder hören. Sie rauchten heimlich eine Zigarette, auf dem Rand der Badewanne sitzend, die sie früher am Tag mit Scheuerpulver geputzt hatten. Dann stellten sie sich vor den Spiegel, zogen die Haarnadeln aus dem Haar und kämmten die eingedrehten Locken aus, aber bis sie wieder ins Schlafzimmer zurückkamen, schliefen ihre Männer schon, und die Glühwürmchen versteckten sich zwischen den Grashalmen in den Vorgärten.

*

Es war so heiß, daß man die Straße im Auge behalten mußte, weil überall auf der Southern State der Asphalt Blasen geworfen hatte und dann geborsten war. Die Hitze hatte durch den Westwind noch zugenommen.

Nora Silk versuchte, den Möbelwagen nicht aus den Augen zu verlieren, aber jedesmal, wenn sie fest aufs Gaspedal trat und hundert Stundenkilometer erreichte, geriet der Volkswagen grundlos ins Flattern, und sie mußte das Steuerrad fest umklammern, um nicht die Kontrolle zu verlieren. Sie konzentrierte sich aufs Fahren, bis sie das Klicken des Zigarettenanzünders hörte.

»Laß das augenblicklich los«, sagte sie zu Billy.

Er war acht und konnte die Finger nicht vom Anzünder lassen. Am Ende, das wußte Nora, würde dieser herunterfallen, die Fußmatten würden Feuer fangen, und sie würde am Straßenrand anhalten müssen. Sobald sie das täte, würde das Baby vom Rücksitz rutschen und aufwachen, und Nora würde nach hinten klettern müssen, es trösten und anfangen, nach einer sauberen Windel zu suchen.

»Aber augenblicklich!« sagte Nora. »Und gib mir eine Zigarette.«

Billy nahm das neue Päckchen aus dem Handschuhfach und riß das Zellophanpapier ab. »Laß sie mich anzünden«, sagte er.

»Kommt nicht in Frage«, sagte Nora.

»Nur dieses eine Mal«, flehte Billy.

In manchen Dingen war er wirklich stur. Ständig mußte man mit ihm kämpfen, und wenn man nicht die Energie hatte, wenn die Hitze einem zusetzte und die Wimperntusche schmolz und der Asphalt platzte, dann mußte man ihm nachgeben.

»Dieses eine Mal«, sagte Nora düster.

Billy drückte rasch auf den Zigarettenanzünder und ließ die Zigarette zwischen seinen Lippen baumeln. Nora vergewisserte sich im Rückspiegel, daß James nicht vom Rücksitz gefallen war. Er war mit einer baumwollenen Babydecke zugedeckt und sah so niedlich aus. Nora blies ihren Pony hoch. Dann bemerkte sie, daß Billy inhalierte.

»Gib sie mir«, sagte sie.

Billy hielt die Zigarette hoch in die Luft. Er war ein schönes Kind, blond mit seidenweicher, heller Haut, aber wenn er seinen schrecklichen, spöttischen Blick bekam, dann mußten sogar völlig Fremde den Drang beherrschen, ihn zu ohrfeigen.

»Sofort«, sagte Nora.

Sie nahm ihrem Sohn die Zigarette aus der Hand und inhalierte. Immer, wenn sie Billy anschrie, zitterten ihre Hände. »Und dreh dein Fenster hoch«, fügte sie hinzu. »Willst du, daß Mr. Popper aus dem Wagen springt und überfahren wird?«

Der schwarze Kater, der so faul war, daß er sich nur selten die Mühe machte zu blinzeln, lag zusammengerollt auf dem Boden, den Kopf auf einen von Billys Turnschuhen gelehnt. Der Kater hatte gar nicht die Absicht zu fliehen, aber Billy ging es nicht gut, und so tat er ausnahmsweise einmal das, was man ihm gesagt hatte. Nora sah verstohlen zu ihm hinüber. Dann wandte sie sich wieder der Straße zu, zog an ihrer Zigarette und blies eine Rauchwolke aus. Sie wußte, daß Billy nach Weinen zumute war, aber vielleicht ging es ihr selbst genauso. Sie hatte einen Sohn, der gern mit Feuer spielte, ein Baby, das nicht die leiseste Ahnung hatte, was ein Vater war, und einen Kater, der ihr mit seinen Krallen über die Beine fuhr, sobald sie ein neues Paar Nylonstrümpfe anzog. Jedenfalls brauchte sie Billy nicht anzusehen, um zu wissen, was er tat.

»Und hör auf, an deinen Haaren zu ziehen«, sagte Nora.

Seit Rogers Auszug hatte Billy die Gewohnheit angenommen, sein Haar so fest zu zwirbeln, daß er sich ganze Büschel davon ausriß. Überall auf seiner rechten Kopfseite waren kahle Stellen.

»Das Haus wird dir gefallen«, sagte Nora. »Du bekommst ein eigenes Zimmer.«

»Es wird mir überhaupt nicht gefallen«, sagte Billy mit weinerlicher Stimme, die in Nora den Wunsch aufsteigen ließ, ihn zu erwürgen.

Nora trat fester auf das Gaspedal; der Wagen vibrierte, und der Motor gab ein helles Wimmern von sich. Sie hatte gewußt, daß sie aus ihrer Wohnung ausziehen mußte, als sie das Baby am Fenster fand, wo es in aller Ruhe abgeblätterte Farbe von der Fensterbank aß. Sie hatte letzten Winter zu suchen angefangen, unmittelbar nachdem Roger weggegangen und die Heizung ausgefallen war; sie hatte begonnen, Billy und das Baby abends zu sich ins Bett zu nehmen, damit keiner fror. Die ganze Nacht spürte sie die kleinen Füße wie Eiswürfel an ihrem Rücken, und immer, wenn es ihr gelang einzuschlafen, träumte sie von Häusern. Sie fingen an, jeden Sonntag auf Long Island zu suchen, und jeden Sonntag klebte Billy Kaugummireste unter die Küchenschränke der besichtigten Häuser und pinkelte in die Badewannen frisch gefliester Badezimmer, wohl wissend, daß Nora ihn in Gegenwart des Maklers nicht packen und ohrfeigen konnte. Sie konnte nur mit den Zähnen knirschen und sich das Baby über die Schulter legen, während sie durch Vorräume mit knorrigen Fichtenpaneelen und Wohnzimmer mit glänzendem Eichenparkett geführt wurden. Wenn die Besichtigungen beendet waren, blieb Nora in den Vorgärten von Häusern stehen, die sie sich nicht leisten konnte, und wollte nicht gehen.

Sie war im Begriff, die Hoffnung aufzugeben, als sie die Annonce für das Haus in der Hemlock Street entdeckte. Sie rief sofort die angegebene Nummer an, um sich zu vergewissern, daß der genannte Preis kein Irrtum war. Als sie feststellte, daß er stimmte, ließ sie die Kinder bei Mrs. Schneck – die gute Nudelsuppe kochte und für fünfzig Cents die Stunde die Kinder hütete – und fuhr hinaus nach Long Island. Die Ausfahrt der Southern State war ziemlich leicht zu finden, aber in der Siedlung verfuhr sie sich und irrte fast eine Stunde lang herum. Sie schaltete das Fernlicht ein und konnte trotzdem die identischen Häuser nicht voneinander unterscheiden. Verzweifelt und mit ihrem letzten Benzin bog sie rechts ab, und plötzlich war sie da, direkt vor dem Haus. Der Nachbar, mit dem sie am Telefon gesprochen hatte, erwartete sie in der Einfahrt. Er hatte sich Sorgen gemacht und hatte vorgehabt, ihr noch fünf Minuten zu geben und dann die Streife auf dem Highway anzurufen. Sie hätte ja einen Unfall haben können. Als er Nora durch die Seitentür einließ, entschuldigte er sich für den Zustand des Hauses. Vielleicht war es Dummheit, vielleicht lag es auch daran, daß der Strom abgeschaltet war und Nora nicht richtig sehen konnte – sie mußte sich im Dunkeln an den Wänden entlangtasten –, aber sie verliebte sich sofort in das Haus. Bei diesem Preis konnte sie sich das leisten.

Am nächsten Tag setzte sie sich mit Roger in Verbindung. Er arbeitete in Las Vegas und drängte ständig auf Scheidung. Jetzt rief Nora ihn an und willigte endlich ein, aber unter einer Bedingung: Roger mußte den Hypothekenvertrag ebenfalls unterschreiben, damit die Bank nicht merkte, daß sie keinen Ehemann mehr hatte. Roger war natürlich einverstanden. Er hatte so viele Kredite aufgenommen – darunter auch einen für den Volkswagen, den Noras Ansicht nach kein vernünftiger Mensch jemals gekauft hätte, weder auf Raten noch sonstwie –, daß ein weiterer nun auch keine Rolle mehr spielte. Sobald die Hypothek bewilligt war, unterzeichnete Nora die Scheidungspapiere, die Roger ihr zugeschickt hatte. Die Dokumente beschuldigten sie, die Ehe zerrüttet zu haben. Es war ihr egal. Zwei Wochen später schickte er ihr die Scheidungsurkunde, zusammen mit einem Foto von ihm und seinem Kaninchen vor einem Motel in der Wüste. Er war so begeistert, wieder ledig zu sein, daß er von einer roten Aura des Entzükkens umgeben war, obwohl es eine Schwarzweißaufnahme war. Das Kaninchen, das Happy hieß, war Teil von Rogers Nummer, aber Billy hatte es immer als Haustier betrachtet, und nach Rogers Abreise konnte Nora Billy nicht von der Stelle wegbringen, an der der Käfig des Kaninchens gestanden hatte.

»Es war schon immer falsch, hier bei Mr. Popper ein Kaninchen zu halten«, hatte sie zu Billy gesagt. »Du weißt doch, daß Happy ihn verrückt gemacht hat.«

Und das stimmte. Immer, wenn Happy nicht arbeitete, saß Mr. Popper oben auf seinem Käfig, und das Kaninchen pflegte übertrieben die Nase zu rümpfen, als wolle es Mr. Popper herausfordern. Ach Gott, wie schrecklich Nora sich damals gefühlt hatte! Sie hätte Roger mit einer echten 45er erschießen können, nicht mit der imitierten, die er für seine Nummer brauchte und aus der nur Konfetti und Luftschlangen kamen. Jedesmal, wenn sie Billy dabei ertappte, wie er sein Haar zusammenzwirbelte, fragte sich Nora, warum sie Roger überhaupt geheiratet hatte. Selbst als sie einander gerade kennengelernt hatten und nicht aufhören konnten, sich zu berühren, hatte Nora gespürt, daß er etwas Falsches an sich hatte. Sie wollte an ihn glauben, aber es schien täglich weniger an ihm zu geben, woran sie glauben konnte. Er war nicht mit dem Herzen dabei. Er war beispielsweise nicht die Art von

Zauberer, die man für eine Kinderparty engagieren würde, denn die Kinder merkten sofort, daß mit ihm etwas nicht stimmte. Sie waren kein bißchen überrascht, wenn er Seidenschals aus dem Ärmel zog oder eine Münze hinter ihren Ohren fand, sondern gähnten und verlangten nach Bonbons. Sie sahen mit einem Blick, daß sein Zauberstab nur aus Holz war. Erwachsene dagegen fanden Roger charmant. Er mochte nachlässig sein, wenn er das Kaninchen aus dem Hut zog, aber er hatte eine besondere Begabung, sein Publikum mit zynischen Einzeilern zu begeistern. Er war ein erfahrener Künstler mit eindeutiger Bühnenpräsenz, und trotzdem konnte Billy, wenn er sich seinen Vater vorzustellen versuchte, Roger immer nur bei seinem Blackout-Trick sehen, einer Täuschung, bei der Roger als körperloser Mann in Frack und Zylinder erschien, ohne Gesicht und ohne Hände.

Billy versuchte vergeblich, sich seinen Vater vorzustellen, als sie das Haus erreichten. Der Möbelwagen versperrte die Einfahrt, daher mußte Nora auf der Straße parken. Als sie den Schlüssel, den John McCarthy ihr zugeschickt hatte, aus ihrer Tasche kramte, fühlte er sich heiß an; Nora mußte ihn hochhalten und darauf blasen. Sie stieg aus dem Volkswagen und klappte die Rückenlehne um, damit sie das Baby herausnehmen konnte.

»Wir sind zu Hause«, raunte sie James zärtlich zu.

Billy saß steif auf dem Beifahrersitz, und er starrte vor sich hin. Sein Haar war eine Masse honigfarbener Knoten.

»Komm, du Spielverderber«, sagte Nora zu ihm. »Steig aus.«

Billy stieg aus und ging um den Wagen herum, um sich neben seine Mutter zu stellen. Er war schlank und hatte schmale Schultern, und in dieser Hinsicht ähnelte er Roger: Er hatte den perfekten Körper, um sich in Kisten und Truhen zu zwängen. Nora hielt das Baby im Arm. Der Rasen war ungleichmäßig gemäht, und überall an der Einfahrt wuchsen Büschel von Löwenzahn.

»Das bißchen Unkraut spielt keine Rolle«, sagte Nora zu Billy.

Sie gingen zur Vordertür; Billy folgte ihr so dicht, daß er gegen die Absätze von Noras hochhackigen Schuhen trat. Der Schlüssel paßte nicht, daher gingen sie zur Seitentür. Nora gab den drei Möbelpackern, die sich an einen Gartentisch aus Holz gesetzt hatten und aus ihren Thermosflaschen Kaffee tranken, ein Zeichen.

»Schaut euch alles gut an«, sagte Nora zu ihren Kindern, als die Möbelpacker sich daran machten, ihre Habseligkeiten aus dem Wagen zu tragen.

Sie hörten den Verkehr auf der Southern State und das Dröhnen eines niedrigfliegenden Flugzeugs. Das Haus hatte in der Dunkelheit entschieden einen besseren Eindruck gemacht.

»Macht euch nichts draus, wie es jetzt aussieht«, sagte Nora. »Denkt daran, wie es aussehen wird.«

James klatschte in die Hände und zeigte auf die Drahtgittertür, die in ihren Angeln vor- und zurückschwang. Aber Billy starrte nur seine Mutter an. Sie war hübscher als die Mütter der meisten anderen Kinder, obwohl sie heute kein Make-up trug und ihr glattes, schwarzes Haar nicht frisiert war. Nora ertappte Billy dabei, daß er sie betrachtete; sie hob James auf ihre Schultern, klopfte ihm auf den Rücken und biß sich auf die Lippen, als sie sah, daß der Anstrich des Hauses abblätterte. Sie sah so besorgt aus, daß Billy beinahe etwas Nettes gesagt hätte. Statt dessen rümpfte er die Nase.

»Hier stinkt's«, sagte er.

»Vielen herzlichen Dank«, sagte Nora, obwohl es stimmte.

»Ich wußte, ich kann mich darauf verlassen, daß du etwas Aufmunterndes sagst.«

Nora sperrte die Seitentür auf und trat ins Haus. Sobald die Möbelpacker James Laufstall gebracht hatten, stellte Nora ihn in der Küche auf und setzte das Baby hinein. Sie ging durchs Haus, um die Vordertür aufzuschließen, ging dann an der Couch und den Bettgestellen in der Einfahrt vorbei und holte aus dem Volkswagen die Tüte mit Lebensmitteln, die sie mitgebracht hatte. Sie ignorierte den entsetzlichen Geruch in der Küche und öffnete mit einem Messer einen großen braunen Umzugskarton. Sie fand ihre Backbleche auf Anhieb. Der Herd qualmte, als sie ihn einschaltete. Auf dem hinteren Brenner stand ein vergessener Topf mit irgend etwas undefinierbarem Roten darin, aber Nora packte einfach eine Rührschüssel aus und begann, Päckchen mit Backpulver und Vanille aufzureißen.

»Hmmm«, sagte Nora zu dem Baby, das aufgestanden war und sich an den Gittern des Laufstalls festhielt, um ihr zuzusehen.

Nora maß die Zutaten nie ab. Sie war keine gute Köchin, aber mit dem Backen hatte sie immer Glück. Roger, dieser eingebildete Bastard, war meist zu besorgt um sein Aussehen, um Kekse oder Kuchen zu essen. Er liebte die Art, wie Frauen ihn umschwärmten; er fuhr sich dann mit den Fingern durchs Haar und tat so, als bemerkte er es nicht, aber Nora war sicher, daß er eine ganze Menge bemerkte, wenn sie nicht anwesend war.

»Wer ist ein eingebildeter Bastard?« fragte Billy.

Er hatte sich nicht gerührt, seit sie das Haus betreten hatten, stand noch immer mit dem Rücken zur Drahtgittertür und zwirbelte sein Haar.

»Niemand«, sagte Nora. Sie drehte sich zu ihm um und

winkte mit der Kuchenform in seine Richtung. »Bastard darfst du nie sagen.«

Es war eine Spezialität von Billy, Leute zu durchschauen, als seien sie aus Glas. Gott sei Dank fing er niemals einen vollständigen Gedankengang auf, sondern immer nur Fetzen davon. Trotzdem war Nora nie ganz sicher, ob sie einen Gedanken laut ausgesprochen hatte oder ob Billys Antennen einen stummen Fluch oder Wunsch aufgefangen hatten.

»Such dir was zu tun«, sagte Nora. Sie hielt sich die Nase zu, nahm den Topf mit dem roten Zeug vom Herd und schüttete den Inhalt in den Ausguß.

»Es gibt nichts zu tun«, sagte Billy.

Nora sah, daß er nach einer Schachtel Streichhölzer schielte, die Mr. Olivera zurückgelassen hatte.

»Schlag sie dir aus dem Sinn«, sagte Nora. »Mach doch dein Zimmer sauber.«

Billy stöhnte, aber er ging ins Eßzimmer. Er hörte, wie Nora einen der Möbelpacker fragte, ob jemand ihre Elvis-Sammlung gesehen habe – neben ihrer abgenutzten Samtcouch vermutlich das Wertvollste, was sie besaßen. Das Wohnzimmer und das Eßzimmer waren eigentlich nur ein einziger, L-förmiger Raum. An der Decke hingen Spinnweben. Eine dünne weiße Staubschicht lag auf den Fensterbrettern und der Klimaanlage, die in ein Fenster eingebaut war. Am Ende des Flurs gab es ein Badezimmer und drei kleine Schlafzimmer. James' Bettchen stand zerlegt im kleinsten der Zimmer, und im größten waren Noras Koffer. Im dritten Schlafzimmer, das auf die Straße hinausging, fand Billy seine Cowboystiefel und seinen Globus, der im Dunkeln leuchtete, wenn man den Stecker in die Steckdose steckte. Vom Fenster aus konnte er die identischen Häuser auf der anderen Straßenseite sehen. Er sah auch den Volkswagen, der achtlos ge-

parkt war, mit einem Rad auf dem Randstein, und die Rhododendronbüsche, die Mr. Olivera gepflanzt hatte. Billy setzte
sich hin, den Rücken an die Wand gelehnt. Er hatte nicht gemerkt, wie müde er war. Kaum hatte er den Kopf nach vorn
geneigt, war er auch schon eingeschlafen. Während er schlief,
spann eine Spinne an der Decke einen langen, dünnen Faden,
ließ sich daran herunter und war im Nu in der Brusttasche
von Billys Hemd verschwunden.

Im Gegensatz zu den Müttern der meisten anderen Kinder
glaubte Billys Mutter, Spinnen brächten Glück. Sie mußte
immer die Augen schließen, ehe sie sich dazu durchringen
konnte, einen Besen zu nehmen, ihn mit einem Geschirrtuch
zu umwickeln und ein Spinnennetz zu entfernen. Da sie sehr
wenig davon gehabt hatte, wußte sie eine Menge über Glück.
Sie wußte, daß man eine Wunde mit einem Spinnennetz be-
decken und so die Blutung stillen konnte. Geister verschwanden, wenn man eine Untertasse mit Salz aufstellte. Drei reg-
nerische Tage hintereinander versprachen eine Ankunft, und
wenn ein Mann im Schlaf sprach, bedeutete das Untreue.
Auch das konnte Nora bestätigen.

Daher fiel es ihr leicht, das Durcheinander um sich herum
zu ignorieren und mit dem Backen fortzufahren. Sie unterbrach sich nur, um ein Fenster zu öffnen und das Haus zu lüften, und dann, um den Möbelpackern einen Scheck auszu-
schreiben. Die Männer standen an der Küchentheke und sahen ihr zu, stumm gemacht durch den Duft von Vanille und
die Art, wie Nora die Zunge leicht herausstreckte, während sie
ihren Namen schrieb. Als die Möbelpacker fort waren und das
erste Blech mit Plätzchen aus dem Ofen kam, klopfte Nora
sich das Mehl von den Händen und hob James aus seinem
Laufstall.

»Pa pa«, sagte James.

»Bitte«, sagte Nora. »Erwähn seinen Namen nicht.«

Nora wußte, daß sie bei Roger geblieben wäre, wenn er sie nicht verlassen hätte. Roger hätte sich darauf verstanden, ein undichtes Dach zu reparieren, er hätte gewußt, daß es Dinge wie Sicherungen gab. Und außerdem – wenn sie noch mit ihm verheiratet gewesen wäre, hätte Nora sich sagen können, sie sei nicht allein.

Das Baby griff nach ihren Brüsten, deshalb setzte sich Nora zum Stillen an den Küchentisch und streifte die hochhackigen Schuhe von den Füßen. Ihr war klar, daß sie James bald würde entwöhnen müssen, denn er wollte an den unpassendsten Orten – im Lebensmittelgeschäft oder auf der Post – und immer dann gestillt werden, wenn er verwirrt war, nur so zum Trost. Während das Baby trank, wurde es wärmer, wie immer, wenn es kurz vor dem Einschlafen war. Es war ein gutes Zeichen, wenn ein Baby in einem neuen Haus sofort einschlief, soviel stand fest.

Vorsichtig zog Nora James die gelben, gestrickten Babyschuhe aus; das Baby saugte heftiger und krümmte die Zehen. James war jetzt neun Monate alt und jedesmal, wenn er einen neuen Zahn bekam, rieb Nora sein Zahnfleisch mit Whisky ein und weinte, weil er immer weniger babyhaft wurde. Er schlief mit ausgestreckten Armen und offenem Mund ein. Nora legte ihn in den Laufstall und deckte ihn mit einem warmen Küchenhandtuch zu. Sie schob ein zweites Blech mit Plätzchen in den Backofen und schloß sorgfältig die Tür.

Irgendwo miaute Mr. Popper. Nora fand ihn im Wohnzimmer, wo er auf der Klimaanlage hockte. Der Kater sprang auf ihre Schulter und blieb dort sitzen, während Nora durchs Haus ging und über Kartons stieg, über Töpfe und Pfannen, die Schneestiefel, die Elvis-Sammlung und den Plattenspieler, der eine neue Nadel brauchte. Das Zimmer des Babys hatte einen Anstrich nötig, die Toilette rauschte, und Noras Bett schienen die Möbelpacker beschädigt zu haben. Nora hob die Hand und streichelte Mr. Popper. Dann trat sie in die Tür des dritten Schlafzimmers und sah, daß Billy schlief. Er hatte das Gesicht in den Armen verborgen, und sein Haar stand vom Kopf ab, elektrisiert durch all den Staub im Haus. Hier in Billys Zimmer hörte man ganz leise den Verkehr auf der Southern State.

Die Kinder waren vom Umzug so erschöpft, daß Nora sie schlafen ließ. Sie wischte den Boden des Badezimmers und hängte ihre Kleider und ihren Mantel in den Wandschrank. Später ging sie in den hinteren Garten, und dort rauchte sie eine Zigarette, als die Krähen zurückkamen. Sie machten sofort ein schreckliches Geschrei, krächzten und schüttelten ihr Gefieder und pickten Steine auf, die sie herunterwarfen, einen nach dem anderen, so daß Steine auf die Bretter des Gartentischs prasselten wie Hagelkörner. Nora rauchte ihre Zigarette zu Ende. Mit Vögeln mußte man vorsichtig sein; sie konnten ebensogut Glück wie Unglück bringen. Nora wartete also, und als sie ihrer Sache sicher war, ging sie auf die Seite des Hauses, wo die Trauben wuchsen. Große, dunkelrote Trauben lagen überall auf dem Boden, und Nora stieg vorsichtig über sie hinweg, als sie eine verrostete Leiter aufstellte, die Mr. Olivera nicht mehr hatte wegräumen können. Sie kehrte ins Haus zurück, und während das Baby sich im Schlaf den Daumen in den Mund schob, griff Nora in die Tüte mit den Lebensmitteln, nahm eine Packung Salz heraus und ging wieder nach draußen.

Um diese Zeit floß der Verkehr auf der Southern State gleichmäßig dahin. Nora stieg auf die Leiter, und als sie sich dem Dach näherte, sah sie, daß die Regenrinnen voller Fichtennadeln und welker Blätter waren. Vor dem Winter würde etwas mit ihnen geschehen müssen, ehe der Himmel gelb wurde und sich neues Laub ansammelte. Nora hielt sich mit einer Hand an der Regenrinne fest, um das Gleichgewicht zu bewahren, während sie Salz nach oben auf das Dach warf. Die Krähen duckten sich auf dem Schornstein aneinander und kreischten wie verrückt.

»Nur zu«, sagte Nora zu ihnen, weil sie schließlich an den Schlaf ihrer Kinder denken mußte.

Die Krähen krächzten ihr traurig zu. Dann erhoben sie sich mit weiß überpuderten Schwanzfedern vom Dach und flogen nach Süden in Richtung Parkway. Sie beschrieben Zickzacklinien, und von ihren Schwanzfedern fiel das Salz wie kleine, harte Steine auf den Asphalt. Nora war froh, sie losgeworden zu sein, und stieg von der Leiter. Sie probierte eine von Mr. Oliveras Trauben und war über die Süße überrascht. Sie spürte, wie ihr die Milch einschoß. Sie spürte das Ziehen des neuen Mondes, der in wenigen Stunden über ihrem Dach aufgehen würde. Nora leckte sich die Fingerspitzen ab und wußte, daß sie niemals imstande gewesen wäre, die Krähen zu vertreiben, wenn sie Eier in ihrem Nest gehabt hätten.

Während Billy träumte, er spiele in der Einfahrt Ball, und während das Baby sich umdrehte und unter seinem Geschirrtuch langsam erwachte, kam Nora in die Küche zurück. Sie wischte den Tisch sauber und bereitete für James eine Schüssel Reisflocken zu. Sobald sich die Gelegenheit bieten würde, würde sie Kochbücher kaufen und ihre Nachbarinnen nach Rezepten fragen, aber heute abend nahm sie zwei grüne Schalen für Billy und sich heraus und füllte sie mit gezuckerten Cornflakes und Milch. Später, nachdem die Kinder gegessen und die Plätzchen probiert hatten, nachdem die Wanne gesäubert und beide gebadet worden waren, bezog Nora ihre noch auf dem Boden liegende Matratze mit sauberen Laken.

Sie nahm beide Kinder zu sich ins Bett – wen das trösten sollte, hätte sie beim besten Willen nicht zu sagen vermocht. Weil noch keine Vorhänge aufgehängt waren, konnten sie durch das Schlafzimmerfenster die Sterne sehen. In nicht allzu ferner Zukunft würde Nora ihren Kindern zum Abendessen Nudeln mit Käse kochen; sie würde in ihrem Garten Chrysanthemen und Sonnenblumen pflanzen. Nora würde einen Babysitter für James und einen Baseballhandschuh für Billy auftreiben, und sie würde daran zu denken versuchen, jeden Tag um drei Uhr Äpfel und Milch herzurichten. Notfalls würde sie das Rezept für Reispudding so oft wiederholen, bis sie es auswendig könnte.

Zweites Kapitel

Schlaf schön

Ace McCarthy erwachte mit brennendem Körper und einem reißenden Gefühl mitten in der Brust. Er schwang die Füße auf den Boden und senkte den Kopf zwischen die Knie, und als das nicht half, ging er an seinen Kleiderschrank, nahm eine Zigarette aus dem im oberen Fach versteckten Päckchen und zündete sie an, obwohl seine Hände zitterten.

Im Nebenzimmer konnte er den Heiligen schnarchen hören. Er hörte den Verkehr in der Ferne und die raschelnden Blätter des Ahornbaumes. Ace stieß eine Rauchwolke aus und sah zu, wie sie durch das offene Fenster verschwand. Den ganzen Sommer lang hatte er mit seinem Vater und seinem Bruder Jackie gearbeitet, und der Ölrand unter seinen Fingernägeln ließ sich gar nicht mehr entfernen. Sein dunkles Haar war länger, als es seinem Vater gefiel, und seine Augen waren von einem tiefen, unveränderlichen Grün. Er hatte immer jedes Mädchen bekommen können, das er wollte, und er war mit ihnen wesentlich weiter gegangen, als er Danny Shapiro erzählt hatte. Trotz seiner Leidenschaft für schnelle Autos und schwarzes Leder war Ace kein Aufschneider. Der Heilige hatte ihm ein Gefühl der Religiosität beigebracht, etwas, das seinem Bruder Jackie völlig abging.

Noch in diesem Jahr würde Ace alles bekommen, was er

sich je gewünscht hatte. Er hatte schon fast genug Geld gespart, um sich das Auto anzuschaffen, das er wollte – einen bonbonroten Bel Air, den einer von Jackies Freunden verkaufen wollte. In der Schule würde es keine älteren Jungen mehr geben, die ihn ausstachen. Die Mädchen würden die Köpfe nach ihm wenden, und Lehrer, die ihn loswerden wollten, würden aufhören, an ihm herumzunörgeln, und ihn automatisch die Abschlußprüfung bestehen lassen.

Heute, als Ace an sein vor ihm liegendes letztes Schuljahr gedacht hatte, hatte er sich großartig gefühlt. Er und Danny waren nach Long Beach getrampt; sie hatten am Strand gesessen, Bier getrunken und Dannys Transistorradio gelauscht. Dann waren sie schwimmen gegangen, betrunken, bis die Wellen sie wieder nüchtern machten. Sie waren enge Freunde seit dem Tag, an dem Danny eingezogen war und sie sich auf dem Rasen der Shapiros einen Kampf geliefert hatten; sie waren wie Brüder, mehr als Jackie und Ace. Doch jetzt, allein in seinem Zimmer, empfand Ace nichts als Groll. Nach diesem letzten Schuljahr würde Danny aufs College gehen; selbst wenn er nicht intelligent genug gewesen wäre, um es auf jedes beliebige College zu schaffen, hätte er ein Sportstipendium bekommen können. Für Ace jedoch würde dies das letzte gute Jahr werden, und er wußte das. Alles, was folgte, konnte nur schlechter sein. Nächstes Jahr, wenn die Jungs der letzten Klasse in die Texaco-Tankstelle kommen und seinen Bel Air bewundern würden, würde Ace sie für Narren halten, denn schließlich würde er noch immer im Haus seiner Eltern wohnen, und die Mädchen, die alle so verrückt nach ihm waren, würden mehr wollen als Zungenküsse und Versprechungen, die Ace niemals würde halten können. Er hatte schon angefangen, in den Augen mancher Mädchen die Zukunft zu sehen: ein Haus, eine Familie, ein Bankkonto.

Ace rauchte eine weitere Zigarette. Als er damit fertig war, ging er in die Küche und trank drei Gläser kaltes Wasser, aber was immer in ihm brannte, das Wasser löschte es nicht. Eigentlich hätte er jetzt, da die Krähen fort waren, besser schlafen sollen, aber er schlief schlechter. Durch das Küchenfenster konnte Ace das Haus der Shapiros sehen; er schaute direkt in Rickies Fenster, und er sah auch, daß in Dannys Zimmer, wo vermutlich ganze Stapel von College-Prospekten lagen, das Rollo heruntergezogen war. Ace setzte sich an den Küchentisch und zündete Streichhölzer an. Er blies jedes mit einem einzigen Atemstoß aus. Er hörte, daß die Vordertür geöffnet und geschlossen wurde und jemand seine Stiefel auszog und auf den Boden fallen ließ. Jackie kam in die Küche; er öffnete den Kühlschrank und nahm Orangensaft heraus. Er stank nach Alkohol.

»Hallo, Kumpel«, sagte Jackie. »So spät noch auf?«

»Ja«, sagte Ace. »Eine richtige Nachteule.«

Jackie kramte nach seinen Zigaretten und seinem silbernen Feuerzeug. Er machte noch immer mit der gleichen Clique wie in der High School die Gegend unsicher; manchmal pflegten sie bei der Turnhalle herumzulungern und nach Mädchen Ausschau zu halten, die fünf Jahre jünger waren und es nicht besser wußten. Jackie setzte sich Ace gegenüber und lächelte. Er griff in die Tasche seiner Lederjacke und zog ein Päckchen Geldscheine heraus.

»Hau ab«, sagte Ace, der seinen Augen nicht traute. Er wußte, was Jackie in der Tankstelle verdiente. »Das gehört dir nicht«, sagte Ace. Er starrte weiter das Geld an.

»Die Corvette«, sagte Jackie.

Ace blickte zu seinem Bruder auf.

»Die zum Reparieren in der Werkstatt stand«, sagte Jackie. »Pete hat sie geklaut.«

»Oh, Scheiße«, sagte Ace. »Erzähl mir nichts davon.«

»Ich brauchte nur zu vergessen, das Garagentor abzuschließen. So leicht, wie einem Baby die Bonbons wegzunehmen.«

Eine Bettfeder quietschte, und die Brüder blickten in Richtung Flur. Der Heilige, der sich im Schlaf umdrehte.

»Du bist verrückt«, flüsterte Ace seinem Bruder zu.

»Ich werd doch nicht für den Rest meines Lebens Benzin zapfen«, flüsterte Jackie zurück. »Der Kerl mit der Corvette war versichert.«

»Vater«, sagte Ace.

»Vater«, sagte Jackie achselzuckend, »wird das nie erfahren.«

Jackie zupfte zwei Zwanziger aus dem Geldpäckchen und hielt sie Ace hin.

»Nee«, sagte Ace schnell.

»Komm schon«, drängte Jackie, und griff nach Aces Hand und stopfte ihm die Scheine hinein. Aces Hand fühlte sich heiß an; unwillkürlich schloß er die Finger um die Zwanziger.

»Mach dir einen schönen Tag damit«, sagte Jackie.

»Ja«, sagte Ace.

Nachdem Jackie zu Bett gegangen war, säuberte Ace den Aschenbecher und ging zurück in sein Zimmer. Er schob das Geld in die Wäschekommode unter seine sauberen Socken. Er lauschte auf den Atem des Heiligen im Nebenzimmer. Er fragte sich, wie er so blind hatte sein können: Danny stand ihm nicht näher als sein Bruder Jackie. Danny war bloß ein Junge, der zufällig im Nebenhaus wohnte. Ace fühlte eine neue Art von Schlechtigkeit in seiner Brust. Schlechtes Blut floß durch seine Arme und Beine. Es war der Anfang vom Ende von etwas, und Ace hatte nicht vor, auf seine eigene Zukunft zu warten. Er legte sich ins Bett, zog die Decke hoch und befahl sich, mit dem Denken aufzuhören. Er wollte nichts weiter als einschlafen, schnell, und um fünf vor zwölf schlief er ein.

Das war auch gut so, denn in der Hemlock Street war der Sommer immer am Labor Day um Mitternacht zu Ende. Das war die Stunde, in der ein Streifen weißes Licht am Himmel erschien und ein kalter Wind aufkam und die Holzäpfel von den Bäumen schüttelte und die Hunde die Ecken umkreisen ließ, in denen sie schliefen. Wenn der Wind aufkam, wehte eine feine Wolke Kreidestaub von den Schornsteinen der Schule. Beim genauen Hinschauen sah man, daß die Blätter der Pappeln und Weiden mit einer Art Puder überzogen waren, und daß sich auf den Blättern die Buchstaben des Alphabets bildeten, ehe sie sich in Rauch auflösten. Alle September waren gleich gewesen. Die Kinder kamen von einer Klasse in die nächste, ihre Beine wurden länger, und sie fingen an, die Zähne zusammenzubeißen und vor sich hin zu murmeln, wenn man ihnen sagte, sie sollten ihre Schränke aufräumen. Bald würden sie an der Ecke Hemlock und Oak Street statt nach links nach rechts abbiegen und auf die High School überwechseln. Aber dieses Jahr war der Kreidestaub auf dem Ahornbaum zwischen den Rasenflächen der McCarthys und der Shapiros so dünn, daß er nur die Adern der Blätter nachzeichnete.

Kurz vor der Morgendämmerung wachte Ace wieder auf. Als er eingeschlafen war, war Sommer gewesen; jetzt war es eiskalt. Die letzten Glühwürmchen zog es in die Wärme seines Zimmers. Sie sammelten sich am Fliegengitter vor dem Fenster, während ihr grünes Leuchten schwächer wurde. Ace stand auf und hüllte sich in eine Decke. Er ging ans Fenster und preßte beide Hände gegen das Gitter. Die Glühwürmchen drängten sich in die Mitte seiner Handflächen; als sie aufleuchteten, sahen seine Hände grün und wäßrig aus. Die letzten paar Sterne hingen über der Southern State. Es war noch immer so dunkel, daß es eine Weile dauerte, bis Ace merkte, daß das, was er sah, die neue Besitzerin des Olivera-Hauses war, die auf ihrem Dach hockte und mit einem Besen die welken Blätter aus ihrer Regenrinne entfernte.

Auf der anderen Straßenseite stand Joe Hennessy in seiner Einfahrt. Es war nicht ungewöhnlich, daß er zu merkwürdigen Zeiten auf den Beinen war; er konnte seit zwei Wochen, seit er zum Detective befördert worden war, nicht mehr schlafen. Obwohl sie in der Nachttischschublade lag, spürte er die Form seiner Pistole an der Brust, wie man angeblich einen verlorenen Körperteil immer fühlt.

Vielleicht war er krank, vielleicht war das der Grund, warum er immer, wenn er den Kopf auf das Kissen legte, Donner hörte. Seit der Beförderung brauchte auf dem Revier nur jemand mit Kleingeld in seiner Tasche zu klimpern, und schon griff Hennessy nach seiner Pistole. Über zwei Jahre hatte er darum gekämpft, daß er zu einer Gruppe versetzt wurde, die im Dienst nicht Uniform tragen mußte, aber kaum hatte er seine Uniform ausgezogen, da war etwas schiefgegangen. In den letzten paar Tagen hatte er vollkommen den Geschmackssinn verloren; er hatte vor dem Kühlschrank gestanden, ein halbes Glas vom Saft schwarzer Oliven getrunken und ihn für Traubensaft gehalten, bis er eine Olive in die Kehle bekam. Heute beim Abendessen hatte er bemerkt, daß er Pfeffer direkt aus der Hand essen konnte, ohne mit der Wimper zu zucken. Auch sein Gehör funktionierte nicht mehr richtig. Das Telefon läutete, und er öffnete die Haustür. Seine Tochter wollte huckepack getragen werden, und er mußte immer wieder nachfragen, was sie gesagt hatte, so, als spräche sie eine fremde Sprache.

Früher am Abend, als die Kinder vor dem Fernseher saßen und seine Frau in der Küche Kaffee kochte, hatte Hennessy an seiner eigenen Haustür gestanden. Er schwitzte und war kurz vor dem Explodieren. Er wußte, daß dauernd Männer durchdrehten, und zwar ohne jeden Grund. Samstag abends hatte er sie vor Bars aufgelesen, und sie waren immer völlig schockiert gewesen, wenn ihnen klar wurde, welchen Schaden sie angerichtet hatten. Ein Blick auf ihre eigenen blutigen Hände, und sie fielen fast in Ohnmacht. Aber Hennessy war nicht wie diese Männer. Er hatte immer Polizist sein wollen, nicht, weil er das Gesetz liebte, sondern aus Ordnungssucht. Es beruhigte ihn zu wissen, daß seine Hemden auf der linken Seite des Kleiderschranks hingen; es beruhigte ihn zu wissen, daß es jeden Freitag abend Fischstäbchen und Reis gab, obwohl er Steaks bevorzugte. Er war ausgeglichen und hatte das Selbstvertrauen eines großen, gutaussehenden Mannes, und die meisten Dinge nahm er nicht persönlich. Gewöhnlich war er derjenige, der in die Grundschule hinübergeschickt wurde, weil er aussah wie der sprichwörtliche Polizist. Er brauchte nur in die Aula zu kommen, und die Kinder verstummten.

In gewisser Weise hatte das die Dinge für ihn schwieriger gemacht; Hitzköpfe wurden leichter Detective. Sie waren aufbrausend, hielten nach Schwierigkeiten Ausschau. Aber auf Hennessy konnte man sich verlassen. Er flößte Vertrauen ein, und er freute sich über alles, was er erreicht hatte: ein eigenes Haus, zwei wohlgeratene Kinder und eine Frau, die in seinen Augen noch immer gut aussah.

Aber irgend etwas stimmte nicht, schon lange, schon vor der Beförderung. Es gab Zeiten, da wußte er, daß etwas passieren würde, bevor es passierte. Er bekam ein unheimliches Gefühl im Nacken, als sei er gerade durch ein Spinnennetz gegangen, und dann wußte er Bescheid. Er saß in seinem Streifenwagen, bekam dieses Gefühl, und dann passierte es. Keine Routinemeldung aus seinem Funkgerät über Geschwindigkeitsüberschreitung oder einen Feueralarm. Nein, es passierte immer, wenn die Luft schwer und still war, wenn er durch eine schattige Seitenstraße fuhr oder hinter dem Steuer einen Becher Kaffee trank, und dann mußte er den Becher aus dem Fenster werfen, damit er sich nicht mit Kaffee bespritzte, wenn er den Wagen startete. Es war ein paar Tage vor seiner Beförderung passiert, als eine Frau ihren Kinderwagen vor dem A&P stehen ließ. Der Wagen war vom Randstein auf den Parkplatz gerollt; ein zurücksetzendes Auto hätte das verdammte Ding erfaßt, wenn Hennessy nicht aus dem Streifenwagen gesprungen wäre und das fest schlafende Baby gepackt hätte. Schwitzend stand Hennessy da, während das Baby die Augen aufschlug und ihn voller Vertrauen ansah. Am nächsten Nachmittag war das Gefühl wieder über ihn gekommen, unten im Revier, und als Hennessy sich umdrehte, sah er zwei Polizisten, die im Begriff waren, sich zu prügeln, beide vollkommen außer sich wegen eines Irrtums im Dienstplan.

Dieses Gefühl, diese Vorahnung oder Erwartung oder was zum Teufel es auch sein mochte, überfiel Hennessy immer aus heiterem Himmel. Ab und zu war es auch falscher Alarm. Er würde sich in den Nacken greifen und nur darauf warten, daß etwas passierte, daß zum Beispiel eine Glühbirne explodierte oder ein Kampf ausbrach, und dann würde nichts geschehen. Die Kinder würden im Bett liegen, Ellen würde Radio hören und dann würde das Prickeln beginnen, und er müßte feststellen, daß er Todesangst hatte, hier in seinem eigenen Haus, in seiner eigenen Straße. Heute nacht hatte es nach Mitternacht angefangen. Er und Ellen hatten getrennte Betten, und Hennessy war viel zu groß für sein Bett; immer hingen seine Füße über den Rand. Als er aufgewacht war, hatte er sich unter den

Laken völlig verloren gefühlt. Er hatte die Beförderung gewollt, hatte darum gekämpft. Warum verursachte es ihm dann so ein hohles Gefühl, wenn er bekam, was er wollte? Warum stand er in der Morgendämmerung draußen in seiner Einfahrt und beobachtete, wie der Lieferwagen des Milchmanns in die Hemlock Street einbog? Jetzt, da er Detective war, hatte er Zugang zu Dingen, von denen er nie etwas gewußt hatte. Keine Staatsgeheimnisse; vieles davon hätte er auch erfahren können, als er noch Uniform trug, wenn er sich Klatsch angehört oder die Zeitung gelesen hätte, aber er erkannte, daß er von bestimmten Fällen nie etwas hatte wissen wollen. Jetzt ging es nicht mehr um Strafmandate über zehn Dollar wegen Geschwindigkeitsüberschreitung oder um Schulversammlungen; jetzt ging es um schmutzigere Sachen, und deswegen stand er hier draußen, während seine Nachbarn in ihren Betten lagen; er mußte sich überzeugen, daß die Leute bei unverschlossenen Türen und Fenstern noch immer ruhig schlafen konnten.

Diese Woche war er zu einem häuslichen Ehestreit gerufen worden. Seinem ersten. Die Streifenbeamten hatten ihn auf der Vordertreppe eines Hauses erwartet, das er nie zuvor bemerkt hatte. Es stand am Rande der Siedlung. Zwei Nachbarn hatten sich anonym beschwert, unmittelbar nach dem Abendessen, aber als die Streifenbeamten eintrafen, wollte keiner Auskunft geben. Hennessy stand mit den Polizisten, Sorensen und Brewer, draußen vor dem Haus, und sie alle rauchten Zigaretten, um dem Paar im Haus eine Chance zu geben, sich abzukühlen. Sorensen und Brewer waren heilfroh gewesen, gehen zu können. Hennessy hatte früher dasselbe empfunden, aber jetzt war er Detective; er war derjenige, der bleiben und an die Tür klopfen mußte.

Der Kerl, der schließlich öffnete, als Hennessy durch den

Türspalt seine Polizeimarke zeigte, war ein schwieriger Fall. Hennessy hatte Dutzende wie ihn gesehen, aber er hatte nie zuvor darauf bestehen müssen, daß sie ihn in ihre Häuser ließen. Von außen sah das Haus ordentlich aus, das Gras war gemäht, aber innen herrschte ein einziges Durcheinander. Das Wohnzimmer war dunkel, und die Kissen der Couch waren zerrissen. Man sah die gelbe Füllung, und auf dem Boden lagen ein paar fettigaussehende Bauklötze. In der Luft hing der Geruch nach Urin und Whisky.

»Sie haben kein Recht, in meinem Haus zu sein«, hatte der Bursche zu Hennessy gesagt und sich dabei in die Brust geworfen, als sei er tatsächlich stolz auf das stinkende Durcheinander ringsum.

Hennessy mußte ihn beruhigen und ihm dann mitteilen, daß zwei Beschwerden eingegangen seien. Einer der Beschwerdeführer habe geschworen, während eines Streites hätten die Wände des Hauses gewackelt.

»Ach, klar«, hatte der Bursche irgendwie zufrieden gesagt. »Tolle Nachbarn habe ich hier. Ich wette, keiner hatte den Mut, seinen Namen zu nennen.«

Das stimmte, aber eine Beschwerde war eine Beschwerde, und Hennessy mußte darauf bestehen, sich umsehen zu dürfen. Er fragte so höflich er konnte, aber, Gott, sein Herz hatte gepocht. Das Haus gab ihm das Gefühl, in einer Falle zu sein; die Verwahrlosung setzte ihm zu. Er fand die Frau in der Küche, wo sie einige Hamburger in eine Bratpfanne warf, obwohl es viel zu spät zum Abendessen war. Hennessy mußte erneut alles erklären, und zwar ihrem Rücken, denn sie weigerte sich, ihn anzusehen. Sie hatte blondes Haar und trug ein im Rücken geknöpftes Baumwollkleid. Hennessy schätzte sie nicht älter als fünfundzwanzig. Er erzählte wieder von den Beschwerden der Nachbarn, während der Kerl hinter ihm in der

Tür stand, für Hennessys Geschmack ein bißchen zu nah. Als Hennessy fertig war, sagte die Frau bloß: »Ich hab nichts zu sagen.« Ihr Ton war so flach, daß Hennessy ihr beinahe glaubte. Am liebsten hätte er sich davongemacht, aber dann fühlte er etwas im Nacken. Er schaute nach unten und sah, daß die Beine der Frau mit blauroten Flecken übersät waren.

Oh, Scheiße, dachte er. Verdammter Mist.

Das Fleisch in der Pfanne zischte und roch unangenehm.

»Könnten Sie sich bitte umdrehen, während wir sprechen?« sagte Hennessy.

Hennessy hatte recht gehabt; sie war nicht älter als fünfundzwanzig, vielleicht noch jünger. Ihre Lippe war geplatzt, und ihr Auge war blutunterlaufen. Aber was Hennessy betroffen machte, was ihn einen Schritt zurückweichen ließ, war die Art, wie sie ihn ansah: voller Haß, so, als habe er sie geschlagen.

»Was ist mit Ihnen passiert?« fragte Hennessy. Er spürte ihren Mann hinter sich. Halb rechnete er damit, daß die Frau ihm ins Gesicht lachen würde.

»Nichts«, sagte sie.

»Ich möchte gern mal wissen«, sagte der Mann hinter ihm, »was Ihnen das Recht gibt, hier einfach so hereinzuspazieren?«

Hennessy drehte sich zu dem Mann um und zog seinen Mantel zur Seite, um das Halfter zu zeigen.

»Das hier«, sagte er.

Der Mann wich sofort zurück. Hennessy hatte gewußt, daß eine Pistole in einem solchen Fall eine Rolle spielen würde. Er wußte, er hatte Glück, fast einsneunzig groß zu sein, denn einem Kerl wie diesem imponierte nur Kraft.

»Also, was ist passiert?« fragte Hennessy die Frau wieder.

»Ich bin hingefallen«, sagte sie, als hasse sie ihn jetzt noch mehr. »Gegen den Herd.«

»Ja«, sagte Hennessy. »Der Herd ist ja auch genau auf Augenhöhe.«

Die Frau starrte einfach durch ihn hindurch.

»Ich muß mir die übrigen Zimmer ansehen«, sagte Hennessy zu dem Mann.

»Himmelherrgottnochmal«, sagte der Mann. »In meinem eigenen verdammten Haus!«

Hennessy ging durch das Eß- und Wohnzimmer in den hinteren Flur. Er kannte sich hier aus, das Haus war genau das gleiche wie sein eigenes, also brauchte ihm niemand zu sagen, wo die Kinderzimmer lagen. Er öffnete die Tür zum ersten Schlafzimmer und langte in seiner Manteltasche nach seiner Taschenlampe. Ein Kleinkind schlief hier, ein Stofftier im Arm. Der Boden war übersät mit Spielsachen und Abfall, und in einer Ecke lag ein Haufen schmutziger Windeln. Hennessy schloß rasch die Tür. Er haßte den Gedanken, in einen Ehestreit verwickelt zu werden; das war privat, das war eine Sache zwischen Ehemann und Ehefrau.

Im Wohnzimmer hatte der Mann den Fernseher eingeschaltet. Es war Sonntag abend, und zu Hause sah Hennessys Sohn Stevie wahrscheinlich dasselbe Programm. Bonanza. Hennessy blieb in der Tür zum Badezimmer stehen. Jemand hatte ein blutbeflecktes Handtuch über den Duschvorhang geworfen; vermutlich hatte die Frau, als Brewer und Sorensen eingetroffen waren, ihr Gesicht gewaschen und ihre geplatzte Lippe gesäubert. Hennessy sagte sich, er brauche nichts weiter zu sehen als das Blut; es ging ihn nichts an, daß Badewanne und Toilette schmutzig waren, er brauchte sich nicht zu fragen, welche Frau ihr Haus wohl so verkommen ließ. Er mußte einen Blick in ihr Schlafzimmer werfen, mußte die zerknitterten Laken auf dem Bett sehen und die Stapel schmutziger Wäsche auf dem Boden, in der gleichen Ecke, in der er und

Ellen ihre Pinienkommode stehen hatten. Hennessy ging weiter zum letzten Schlafzimmer, wo zu Hause Suzanne, seine dreijährige Tochter, schlief. Es dauerte eine Weile, bis ihm klar wurde, was an diesem Raum so anders war. Er war sauber, das war es. Jemand kümmerte sich um dieses Zimmer. Das Spielzeug war in Kästen verstaut, und jemand hatte sorgfältig Bilder von Tieren – Pferde und Jagdhunde – aus Zeitschriften ausgeschnitten und an die Wände geheftet. Hennessy ließ den Strahl der Taschenlampe durch das Zimmer wandern und entdeckte unter einer abgenutzten Decke ein kleines Mädchen von sieben oder acht Jahren.

»Verdammt noch mal«, konnte er den Mann im Wohnzimmer zu seiner Frau sagen hören, »der Kerl braucht ja die ganze Nacht.«

Das kleine Mädchen, das sein Zimmer so sauber hielt, stellte sich schlafend, sicherlich besser, als Hennessys eigene Kinder das konnten, wenn er nach ihnen sah. Er hätte sich beinahe täuschen lassen, aber dann hörte er ihren schnellen Atem. Er ging zum Bett hinüber und kauerte sich daneben nieder.

»Hast du gesehen, was passiert ist?« flüsterte er.

»Nichts ist passiert«, flüsterte das kleine Mädchen zurück, und da wußte Hennessy, daß es alles gesehen hatte.

»Jemand war böse«, sagte Hennessy.

Das kleine Mädchen schüttelte den Kopf und kroch tiefer unter die Decke.

»Ein wirklich hübsches Zimmer hast du da«, sagte Hennessy. »Mir gefallen die Bilder an den Wänden. Meine kleine Tochter ist auch verrückt nach Pferden.«

Hennessy spürte, daß er sie gewann; es war so leicht, daß er am liebsten geweint hätte. Das kleine Mädchen stützte sich auf die Ellbogen, um ihn besser sehen zu können.

»Meine Tochter liebt diese gelben Pferde, die weiße Mähnen haben«, sagte Hennessy.

»Palominos«, sagte das kleine Mädchen.

»Ist er je gemein zu dir?« flüsterte Hennessy.

»Nein, nur zu ihr«, sagte das Mädchen.

Hennessy merkte, daß er die ganze Zeit die Hand unter der Jacke an der Pistole gehabt hatte.

»Hat Ihre Tochter ein eigenes Pferd?« fragte das Mädchen.

»Unser Garten ist zu klein«, sagte Hennessy. »Mit einem Pferd ginge das nicht.«

»Och«, sagte das Mädchen enttäuscht. »Aber wissen Sie, Sie könnten sie reiten lassen. Das würde ihr gefallen.«

Plötzlich wurde die Tür aufgestoßen, aber das kleine Mädchen war schneller. Es legte sich flach auf den Rücken, schloß die Augen, und sein Atem wurde schwer wie der einer Schlafenden. Die Mutter des Mädchens stand in der Tür; da sie das Licht aus dem Flur im Rücken hatte, konnte man ihre blauen Flecken nicht sehen. Sie sah aus wie irgendeine hübsche junge Frau, die keine Zeit gehabt hatte, ihr Haar zu kämmen.

»Wagen Sie es bloß nicht, meine Tochter zu wecken!«

Hennessy stand auf, und seine Knie knackten. Er ging hinüber zu der Frau. Er zwang sich, routiniert zu klingen, so, als mische er sich jeden Sonntagabend in das Leben anderer Menschen ein.

»Sie können jetzt gleich Anzeige erstatten«, sagte er.

Die Frau schnaubte. »Nie und nimmer«, sagte sie.

»Ich könnte ihn aus dem Haus bringen und mitnehmen«, sagte Hennessy zu ihr.

»Ach, ja?« flüsterte die Frau. »Und dann sitzen Sie wohl für den Rest Ihres Lebens auf meiner Vordertreppe, damit er nicht wiederkommen kann? Werden Sie morgen auch noch auf uns aufpassen?«

Hennessy fühlte sich wie ein Narr. Er wußte, daß das kleine Mädchen zuhörte. Was genau hatte er ihnen zu bieten?

»Sie können einen Gerichtsbeschluß erwirken«, sagte er.

»Hören Sie«, sagte die Frau. »Ich weiß nicht, wovon Sie reden.«

»Schon gut«, sagte Hennessy. Verdammt, das hatte er zu schnell gesagt. Er nahm eine seiner Karten heraus, die noch so neu war, daß man die Druckerschwärze roch, und reichte sie der Frau. »Wenn Sie es sich anders überlegen, können Sie mich jederzeit anrufen.«

Die Frau schnaubte wieder und gab ihm die Karte zurück. Hennessy folgte ihr aus dem Zimmer, aber zuvor schob er die Karte unter die Matratze des kleinen Mädchens. Der Mann wartete im Wohnzimmer auf ihn. Er tat so, als sehe er fern, tat so, als sei er vollkommen unbeteiligt, aber Hennessy wußte, daß er wartete. Der Mann stand langsam von der Couch auf, sehr mit sich zufrieden, als er sah, daß Hennessy nichts gegen ihn in der Hand hatte.

»Sagen Sie meinen Nachbarn, sie könnten mich mal«, sagte der Mann herausfordernd. »Das hier ist mein Haus, klar?«

»Klar«, sagte Hennessy. »Aber wenn Sie sich nicht zusammennehmen, komme ich wieder. Klar?«

Hennessy ging, und er drehte sich nicht um. Er fuhr direkt ins White Castle am Harvey's Turnpike, aber er konnte nichts von dem essen, was er bestellte. Er konnte nicht einmal seinen Kaffee trinken. Dauernd dachte er daran, daß das Haus von außen aussah wie alle anderen Häuser in Janus. Jetzt fragte er sich, was er überhaupt in den vergangenen sechs Jahren gesehen hatte, wenn er die Häuser in seiner Straße betrachtete. Ihm war übel. Er wußte, daß die Frau ins Gesicht geschlagen worden war, aber da sie keine Anzeige erstattete, hatte er gehen müssen. Und das Schlimmste war, daß er darüber erleichtert gewesen war. Deshalb stand er nun in der Morgendämmerung in seiner Einfahrt und wartete auf den Milchmann.

Er versuchte, an seine eigenen Kinder zu denken, die in ihren Betten schliefen. Er dachte an das Haushaltsgeld, das seine Frau in einem Milchkännchen auf dem Regal über dem Herd aufbewahrte, an den sauberen, feuchten Geruch von Hemden, wenn sie morgens bügelte. Er hörte das Brummen des Milchwagens, als ein anderer Gang eingelegt wurde. Auf der anderen Straßenseite, im Vorgarten des ehemaligen Olivera-Hauses, war das Unkraut wieder gewachsen, seit Hennessy den Rasen geschnitten hatte; es war schenkelhoch. Der Milchwagen hielt, und Hennessy hörte die Flaschen klirren, als der Milchmann den Laderaum öffnete. Hennessy wollte nichts weiter, als daß alles unverändert blieb. Mehr verlangte er nicht.

Der Milchmann kam. »Wie geht's?« fragte er, als stünde Hennessy jeden Tag im Morgengrauen da und erwarte ihn.

»Mir ist kalt«, sagte Hennessy und merkte, daß das stimmte. Das Wetter hatte umgeschlagen, und er trug nur ein weißes Hemd und dünne Baumwollhosen.

»Acht Liter und ein Becher Hüttenkäse«, sagte der Milchmann.

Hennessy nickte, obwohl er nicht die leiseste Ahnung hatte, was Ellen bestellt hatte. Der Milchmann gab Hennessy die Milchflaschen und den Becher Hüttenkäse.

»Bis dann«, sagte der Milchmann, nahm sein metallenes Tragegestell und ging zu seinem Lieferwagen zurück. Dann fuhr er langsam weiter, da er bei den Shapiros erneut anhalten mußte.

Wenn es kein Zeichen gibt, dachte Hennessy bei sich, dann bleibt alles beim alten. Ich werde diese Milch in den Kühlschrank stellen und wieder zu Bett gehen und dankbar sein, daß meine Kinder in Sicherheit sind, wenn sie draußen spielen gehen. Ich werde jeden Morgen Rühreier essen und nie wieder etwas verlangen. Ich will sein, wie ich immer war, dachte er, aber dazu war es zu spät. Er hatte Detective werden wollen, und nun mußte er bestimmte Sachen zur Kenntnis nehmen. Und dann machte er einen großen Fehler. Er hätte sich umdrehen und ins Haus zurückgehen sollen, aber statt dessen schaute er zu den letzten paar Sternen auf, und sie erweckten in ihm eine große Sehnsucht. Er wandte den Blick nach Osten, um zu sehen, ob die Sonne aufging, und da sah er oben auf Oliveras Dach die Frau, die ihre Regenrinnen reinigte und nichts auf der Straße wahrnahm, und Hennessy erkannte auf der Stelle, daß alles zu spät war. Er hatte bereits Dinge verlangt, und was jetzt geschah, war das, was immer geschah, wenn ein Wunsch in Erfüllung ging. Er wollte mehr.

*

Um halb acht roch es nach Kaffee und Toast, metallene Milchkannen wurden geöffnet und geschlossen, Automotoren liefen leer, als die Väter in der Straße sich anschickten, zur Arbeit zu fahren. Bald würden die Häuser leer sein bis auf die Mütter und die jüngsten Kinder: Kleinkinder, die laufen lernten, und Babys, die zu einem Schläfchen hingelegt wurden. Um Viertel nach acht gingen Gruppen von Kindern die Hemlock Street entlang, die Jungen voran, einander schubsend und innehaltend, um in ihren neuen Baumwollhosen und karierten Hemden auf den Rasen der Vordergärten kleine Ringkämpfe zu veranstalten, die Mädchen hinterher, das Haar ordentlich zu Zöpfen geflochten und mit hochgezogenen Kniestrümpfen.

Billy Silk beobachtete sie von der Zementstufe vor dem Haus aus. Er war noch im Schlafanzug und barfuß. Drinnen schlief seine Mutter fest. Das Baby war um sechs Uhr aufgewacht, und Billy hatte ihm eine Flasche Saft gegeben, an der James in seinem Bettchen träumerisch nuckelte. Mr. Popper war Billy nach draußen gefolgt, und jetzt saß der Kater neben ihm, leckte seine Pfoten und ignorierte Billy. Als Billy mit der Hand über sein Fell fuhr, machte er einen Buckel, hörte aber nicht auf, sich zu putzen. Er blinzelte nicht einmal. Billy merkte, daß er Happy vermißte. Frühmorgens, wenn alle noch schliefen, pflegte Billy eine Karotte aus dem Kühlschrank zu nehmen und durch das Drahtgitter von Happys Käfig zu stecken, und das Kaninchen schien immer dankbar, ließ sich von Billy durch das Gitter streicheln und trommelte vor Vergnügen mit der Pfote.

Es war jetzt zwanzig nach acht, und die Luft fühlte sich kühl an. Billy Silk wünschte sich, er hätte Hausschuhe angezogen. Er aß Haferkekse zum Frühstück. Vorher hatte er schon, vor dem geöffneten Kühlschrank stehend, einen Becher Trinkjoghurt geleert. Wenn er nach dem Keks noch immer hungrig war, wollte er eine der grünen Tomaten essen, die seine Mutter zum Reifen auf das Fensterbrett gelegt hatte. In letzter Zeit, fand Billy, hatte er peinlich viel gegessen. Jeden Tag schwor er, er würde weniger essen, aber er konnte sein Versprechen nie halten. Er nahm an, sie steckten in Geldschwierigkeiten, denn seine Mutter tat so, als halte sie Diät, wo doch jeder sehen konnte, daß sie das nicht nötig hatte. Sie nahm nichts weiter zu sich als schwarzen Kaffee, Grapefruithälften mit Zucker und entrahmte Milch.

Seine Mutter hätte das nie zugegeben, aber Billy wußte, daß sie jeden Tag neue Fehler an dem Haus entdeckte. In der Garage wohnte eine Eichhörnchenfamilie, und der Kühlschrank funktionierte nicht richtig, so daß manchmal die Milch sauer wurde und manchmal die Eier in der Schale gefroren. Wenn es regnete, füllte sich die Badewanne im Badezimmer mit Wasser, und sie hatten im Keller eine schwarze Natter gefunden, die über den Linoleumboden kroch. Nora behauptete, alles sei großartig oder würde es zumindest bald sein. Sie hatte angefangen, am Telefon Abonnements von LIFE und LADIES HOME JOURNAL zu verkaufen, und durch Überredung hatte sie einen Job als Maniküre bei Armand's bekommen, dem Schönheitssalon neben dem A&P. In den letzten paar Tagen hatte Nora an ihren eigenen Händen geübt, so daß das ganze Haus nach Nagellackentferner roch, und Billy fand Papierfeilen auf dem Küchentresen und zwischen den Sofakissen. Aber wenn alles so großartig war, warum ernährte sie sich dann nur von Kaffee und Grapefruits, und warum hatte noch niemand aus der Nachbarschaft mit ihnen gesprochen?

Billy hockte sich auf die Vortreppe, während er die letzten Kinder beobachtete, die zur Schule gingen. Alle hatten Lunchdosen bei sich, und Billy wußte, daß Nora seinen Lunch am Vorabend hergerichtet hatte, falls sie verschlafen sollte, und sein Sandwich und seine Orange in eine kleine braune Papiertüte gepackt hatte. Er dachte an den Blackout-Trick seines Vaters, das Zauberkunststück, bei dem nichts übrig blieb als seine Kleider, und er fragte sich, ob er ein solches Merkmal geerbt haben könnte. Während er seinen letzten Keks aß, trat aus dem Haus gegenüber Ace McCarthy. Er trug ein weißes Hemd, das seine Mutter am Vorabend gebügelt hatte, und eine schwarze Hose, die der Heilige hatte wegwerfen wollen, weil sie so eng saß. Er stand in der Einfahrt und schüttelte eine Zigarette aus seinem Päckchen Marlboro.

»Hallo«, sagte er und nickte Billy Silk zu.

Billy starrte Ace an und kaute an seinem Keks. Ace hatte hinübergehen und Danny Shapiro abholen wollen, um mit ihm zusammen zur Schule zu gehen, doch statt dessen überquerte er den Rasen. Auf den Grashalmen lag noch Tau und hinterließ Tropfen auf seinen schwarzen Stiefeln.

»Verdammt«, sagte Ace, als er sah, daß seine Stiefel naß waren. Er ging zu Billy hinüber und rauchte seine Zigarette, wobei er sein Haus im Auge behielt, falls seine Mutter aus dem Fenster schauen sollte. Sie durfte ihn nicht beim Rauchen erwischen. »Wohnst du hier?« fragte Ace.

Billy Silk nickte und krümmte die Zehen.

Ace zeigte mit der Zigarette auf Billy und schloß nachdenklich ein Auge. Rauchkringel umgaben ihn. »Zweite Klasse«, riet er.

»Dritte«, sagte Billy Silk.

»Armer Kerl«, sagte Ace. Dann fiel ihm auf, daß Billy noch im Schlafanzug war. »Dein Vater wird dir was erzählen.«

»Nee«, sagte Billy Silk. Mit der Zunge bewegte er eine Rosine. »Er ist weg.«

»Weg?« sagte Ace überrascht. »Bist du Waise?«

»Nee«, sagte Billy. »Er ist in Las Vegas.«

»Im Ernst?« sagte Ace beeindruckt.

Die Vordertür öffnete sich, und Nora stand im Nachthemd da, das Baby auf der Hüfte. »Du solltest längst angezogen sein«, rief sie Billy zu. »Deine Füße werden ja eiskalt. Du wirst zu spät kommen. Los, mein Junge, jetzt aber schnell.«

Ace McCarthy starrte auf die Haustür, nachdem Nora sie geschlossen hatte.

»Ist das deine Mutter?« fragte Ace, und als Billy nickte, schüttelte Ace den Kopf. »Donnerwetter«, sagte er.

»Was soll das heißen?« sagte Billy und fühlte sich beleidigt, obwohl er nicht genau wußte, warum.

»Nichts«, sagte Ace und zertrat mit dem Absatz seines Stiefels seine Zigarette. »Sie sieht bloß nicht wie eine Mutter aus.«

»Hm«, sagte Billy, und in gewisser Weise verstand er, was Ace meinte.

»Bis später«, sagte Ace und entfernte sich so langsam, als hätte er alle Zeit der Welt, um die Schule zu erreichen. Billy saß auf der Vortreppe, bis Ace nach Danny Shapiro gerufen hatte. Er sah ihnen zu, wie sie die Hemlock Street entlang gingen, und dann fühlte er sich blöd da draußen in seinem Schlafanzug, und so ging er hinein und zog sich an, während Nora dem Baby sein Frühstück gab.

»Gehen wir, gehen wir«, rief Nora dauernd, obwohl sie selbst noch nicht fertig war. Sie erschien in der Tür zu Billys Zimmer, während er sein neues blaues Ringbuch untersuchte. Sie trug ein schwarzes Kleid, schwarze, hochhackige Schuhe und einen schwarzgoldenen Kordelgürtel mit großer goldener Schnalle um die Taille.

»Kein Grund, nervös zu sein«, sagte Nora zu Billy.

Ihr Gesicht war rosig, und ihre Fingernägel waren heute rosa lackiert.

»Ich bin nicht nervös«, sagte Billy, obwohl er in Wirklichkeit dachte, er werde gleich in Ohnmacht fallen.

Die Grundschule befand sich nur ein paar Straßen weiter, aber weil sie spät dran waren, nahm Nora das Auto. Sie parkten gegenüber der U-förmigen Einfahrt, wo Busse mit leerlaufenden Motoren standen. Die meisten Kinder waren schon im Schulhaus, aber ein paar Nachzügler rannten durch die Türen. Die Luft roch nach Erdnußbutter und Seife und Dieselöl. Nora zog den Schlüssel aus dem Zündschloß, schaute in den Rückspiegel, schob ihr goldenes Haarband zurecht und blies ihren Pony hoch.

»Und?« sagte Nora zu Billy.

»Ich geh nicht hin«, sagte Billy.

»Und ob du gehst«, sagte Nora zu ihm.

»Du siehst nicht mal wie eine Mutter aus«, sagte Billy.

»Ich betrachte das als Kompliment«, sagte Nora. »Also vielen Dank, mein Junge.«

Nora stieg aus, ging um den Wagen herum, öffnete die hintere Tür und nahm das Baby heraus. Sie wartete am Randstein auf Billy. Früher oder später mußte er aus dem Auto steigen. Eine andere Mutter verließ gerade die Schule. Sie trug Bermudashorts und ein Tuch über dem Haar. Nora schob ihren Kordelgürtel zurecht. Sie hatte irgendwo Bermudashorts; sie hatte sie immer getragen, wenn sie in der alten Wohnung die Fußböden wischte. Sie bückte sich, um sich im Seitenspiegel zu betrachten. Vielleicht hätte sie kein Augen-Make-up tragen sollen. Vielleicht hätte sie sich nicht mit Parfum besprühen sollen. Sie klopfte ans Fenster, und Billy schaute zu ihr hinüber.

»Komm schon«, rief Nora ihm durch die Scheibe zu.

Billy öffnete seine Tür, stieg aus und folgte seiner Mutter über die Straße. Noras hochhackige Schuhe machten ein entsetzlich lautes Geräusch, als sie zum Büro des Direktors gingen. Nora hatte James über die Schulter gelegt, und das Baby streckte die Arme nach Billy aus und schrie aus Leibeskräften »Baba«. Billy blieb etwas zurück, damit er nicht mit ihnen gesehen wurde; er hielt seine braune Papiertüte fest umklammert.

»Warum bist du denn so langsam?« rief Nora ihm über die Schulter zu. Sie hätte Billy Schinken und Eier zum Frühstück geben sollen, damit er etwas fiter gewesen wäre. Sie pflegte das für Roger zuzubereiten, bevor er zur Vorstellung ging, bis sie herausfand, daß er häufiger vor seinen Freundinnen eine Vorstellung gab als auf der Bühne. An dem Morgen, an dem er sie verließ, setzte Nora ihm eine Mischung aus Henna und Zwiebeln und Eiern vor, die prompt ihren Zweck erfüllte. Als Roger endlich aus Las Vegas anrief, gestand er, er habe mehr als zweitausend Meilen lang Durchfall gehabt. Als ob ihr das etwas ausmachte.

»Na, fabelhaft«, hatte Nora gesagt. »Daran kannst du sehen, was du für ein Scheißkerl bist.«

Als sie das Büro des Direktors erreicht hatten, mußte Nora in ihrer Handtasche nach Billys Gesundheitsattesten und dem Bericht seiner früheren Schule suchen. Sie leerte alles aus, so daß Lippenstifte und Mentholzigaretten über den Schreibtisch des Direktors rollten.

»Ich weiß, daß sie da drin sind«, sagte Nora fröhlich. Sie setzte das Baby auf den Fußboden; Bonbons fielen aus den Taschen seiner Cordhose. Billy Silk saß auf einem gepolsterten Stuhl und betrachtete den Lautsprecher an der Decke. James zog sich an Billys Bein zum Stehen hoch, und Billy ließ beiläufig sein Bein hin- und herschwingen, bis das Baby auf den Boden fiel.

»Er ist sehr aufgeweckt«, sagte Nora zum Direktor, als sie ihm die Papiere gab.

»Wir schicken ihn heute in die dritte Klasse«, sagte der Direktor, »aber dann müssen wir ihn testen, um zu sehen, ob er reif genug ist.«

»Nur zu, testen Sie ihn«, sagte Nora. »Aber ich sage Ihnen, er kann praktisch Ihre Gedanken lesen, noch ehe Sie sie zu Ende gedacht haben.«

»Ist er gegen Tuberkulose geimpft?« fragte der Direktor.

»Oh, ja«, sagte Nora. Ohne sich nach Billy umzudrehen, fügte sie hinzu: »Deine Haare.«

Billy hörte auf, an seinen Haaren zu ziehen. Nora beugte sich hinunter und sammelte verstreute Bonbons auf.

»Mir gefällt diese Schule«, sagte Nora, als der Direktor sie zur Tür begleitete. »Alles ist hier so heiter.«

Billy betrachtete die blaßgrauen Wände; sie hatten die gleiche Grauschattierung, in der man Gefängniszellen anstrich.

»Die dritte Klasse ist gleich hinter der Turnhalle«, sagte der Direktor. »Glaubst du, daß du hinfindest, Billy?«

Zum ersten Mal blickte Billy zu dem Direktor auf.

»Er ist in Las Vegas«, sagte Billy.

»Wer?« fragte der Direktor verwirrt.

»Mein Vater«, sagte Billy.

Der Direktor wandte sich an Nora. »In Billys Akten stand nichts von Ihrem Mann.«

»Las Vegas«, sagte Nora. »Nevada«, fügte sie hinzu, während sie Billy vor sich herschob und ihn zur Turnhalle führte. »Hör auf, die Gedanken der Leute zu belauschen«, sagte sie zu ihm.

»Ich finde die Klasse allein«, sagte Billy.

»Im Ernst«, sagte Nora. »Die Leute mögen es nicht, wenn man sie belauscht.«

Vor der Tür zur dritten Klasse blieben sie stehen. Billy sah eine amerikanische Flagge von einer hölzernen Stange über den Fenstern hängen.

»In Ordnung«, sagte Billy zu seiner Mutter, obwohl er nicht genau wußte, ob es in seiner Macht stand, sein Versprechen zu halten. Vielleicht würde es damit gehen wie mit seinem Gelöbnis, nichts zu essen. »Ich höre damit auf.«

»Gut«, sagte Nora. »Hast du alles? Ringbuch? Stifte?«

Billy nickte.

»Meine Güte«, sagte Nora. »Du bist so blaß.«

Sie berührte Billys Stirn, um zu fühlen, ob er Fieber hatte. In der Klasse hörten sie den Lehrer zu jemandem sagen, er solle die Blätter verteilen.

»Sie werden dich schon nicht umbringen, weißt du«, sagte Nora. »Du brauchst dich nur zu entspannen.«

»Ja«, sagte Billy.

»Du mußt bloß erwarten, daß sie dich mögen, dann werden sie's auch tun«, sagte Nora.

»Du kannst eine rauchen, wenn du draußen beim Auto bist«, sagte Billy.

Nora schürzte die Lippen und gab ihm einen leichten Klaps. Sie wartete, bis er die Klasse betreten und die Tür hinter sich geschlossen hatte. Dann eilte sie hinaus zu ihrem Wagen, und nachdem sie James auf den Rücksitz gesetzt hatte, griff sie als erstes nach ihrer Schachtel Zigaretten und zündete sich eine an.

Nora irrte sich. Sie hatte sich schon früher in anderen Dingen geirrt, sie war ja nicht vollkommen. Würde sie sonst samstags anderen Frauen die Nägel maniküren, während eine sechzehnjährige Nachbarin, die sie kaum kannte, auf ihre Kinder aufpaßte? Würde sie sonst versuchen, den verstopften Badewannenabfluß zu reinigen, während ihr Ex-Mann ihr Fotos schickte, auf denen er vor dem Sands Hotel stand, wo jeden Abend Frank Sinatra auftrat? Sie paßte nicht mehr in ihre engen roten Hosen, sie hatte nur vierzehn Abonnements von LIFE und drei von LADIES HOME JOURNAL verkauft, die Kinder in seiner Klasse haßten Billy – na und? Die Dinge veränderten sich eben. Sie hatte vor, eine große Platte mit kleinen Kuchen zu backen und sie Ende der Woche in Billys Klasse zu bringen. Sie würde sich eine Klassenliste besorgen und sie durchgehen, jedes verdammte Kind einladen, sie wild spielen lassen und mit Limonade und Spielzeuggewehren ködern. Sie würde anfangen, Tupperware zu verkaufen, sie würde das Baby mit in die Wohnzimmer der Leute nehmen, und sie würde in ihrer eigenen Küche Tupperware-Partys veranstalten. Und wenn sie weiterhin Grapefruit aß, würde sie auch bald wieder in ihre engen roten Hosen passen.

Schließlich waren die Sterne hier viel heller, als sie in der Stadt je gewesen waren, und abends roch es nach Kirschen statt nach Teer. Manchmal, spät abends, wenn die Kinder schliefen, ging Nora hinaus und spazierte barfuß über den Rasen. Hier konnte man spüren, daß der Herbst kam. Nora dachte nicht an leidenschaftliche Küsse, dachte nicht an durchtanzte Nächte oder Ferien am Meer an einem heißen, weißen Strand, dachte nicht an ein Hotelzimmer mit einem Mann, dessen Namen sie nicht einmal kannte. Sie legte eine Elvis-Langspielplatte auf und überlegte, wie sie die Vorfenster einsetzen sollte. Sie sang »Don't be cruel« und legte die Bratpfanne in ihrem Ofen mit Alufolie aus. Sie band ihr Haar zu einem Pferdeschwanz zurück und zog eines von Rogers alten weißen Hemden an. Die anderen Mütter der Straße konnten sie mit einem Lappen in der Hand auf einer Trittleiter stehen sehen. Neben der Leiter spielte das Baby im Sand, und sie schien nicht zu bemerken, daß seine Söckchen schwarz und seine Hände schlammbedeckt waren. Das Baby steckte Zweige und abgefallene Blätter in den Mund, und es trug bloß einen leichten Wollpullover über dem dünnen Schlafanzug. Die Mütter in der Straße meinten, Nora »Let's walk to the preacher« singen zu hören, während sie ihre Fenster putzte. Sie sahen die blaue Flasche mit dem Glasreiniger in ihrer Hand, und sie bemerkten, daß sie keinen Ehering trug.

»Vielleicht sind ihre Finger geschwollen, und der Ring hängt in der Küche mit den Tassen an einem Haken«, sagte Lynne Wineman.

»Glaubst du wirklich?« sagte Ellen Hennessy. »Und wo ist dann ihr Mann?«

Darüber dachten sie ausführlich nach. Sie saßen in Ellen Hennessys Wohnzimmer und konnten durch das Fenster die neue Nachbarin genau beobachten.

»Vielleicht Reisevertreter?« sagte Donna Durgin, aber alle wußten, daß Donna überaus naiv war. Sie übersahen ihre Ahnungslosigkeit ebenso wie ihr Übergewicht.

»Denkst du dasselbe wie ich?« fragte Lynne Wineman Ellen Hennessy.

Ellens Sohn Stevie war in der Schule, und ihre kleine Tochter Suzanne spielte in ihrem Zimmer mit Lynne Winemans beiden kleinen Töchtern. Donnas achtzehn Monate alte Melanie schlief auf einer Wolldecke unter dem Couchtisch.

»Darauf kannst du wetten«, sagte Ellen Hennessy. »Es ist die einzige Erklärung.«

»Was?« sagte Donna Durgin. »Was denn?«

Aber sie konnten ihr keine Antwort geben, sie konnten sich nicht überwinden, das Wort »geschieden« laut auszusprechen, und doch war sie da, auf der anderen Straßenseite, eine Hand ohne Ring, die eine Flasche Glasreiniger hielt. Sie alle waren so hundertprozentig verheiratet, und sie waren es gemeinsam. Ellen und Donna Durgin und Lynne Wineman sahen sich fast jeden Tag. Im Sommer veranstalteten sie in ihren Gärten Picknicks für die Kinder und borgten sich gegenseitig Kleider, aus denen ihre Kinder herausgewachsen waren; sie gingen zusammen einkaufen und spielten Rommé während ihre Kinder ihre Häuser durcheinanderbrachten und überall auf den Teppichen Krümel hinterließen.

Die Frauen beschlossen, Marie McCarthy anzurufen und herüberzubitten, neugierig, was diese von der neuen Nachbarin hielt.

Maries Kinder waren schon groß, und die anderen Mütter sahen sie nicht ganz so oft, aber jede von ihnen wußte, daß man Marie jederzeit mitten in der Nacht anrufen konnte, wenn das Jüngste hohes Fieber hatte, und sie wußte ganz genau, was dann zu tun war. Sie hatte fabelhafte Rezepte für Lasagne und Hackbraten mit grünen Zwiebeln und Tomatensauce, und sie paßte auf die Kinder auf, wenn man einen Zahnarzttermin hatte oder dringend ein neues Kleid brauchte und die Kinder nicht zum Einkaufen mitschleppen wollte. Wenn man Streit mit seinem Mann hatte und er das vielleicht nicht einmal merkte, konnte man in Maries Küche sitzen, und sie stellte keine lästigen Fragen. Sie reichte Kekse und Tee und ließ einen da sitzen, bis man sich aufraffen konnte, nach Hause zu gehen. Sie hatte das auch alles durchgemacht, und das machte Hoffnung, aber sogar Marie hatte Schwierigkeiten mit der Vorstellung einer geschiedenen Frau in ihrer Straße. Normalerweise hätte sie ihre neue Nachbarin schon längst zum Kaffee eingeladen und ihr angeboten, auf ihre Kinder aufzupassen, aber sie hatte sofort gewußt, daß etwas nicht stimmte, als sie die Frau allein mit ihren beiden Jungs in diesem klapprigen Volkswagen gesehen hatte. Wo war der Mann? Das wollte Marie gern wissen. Nun ja, jetzt wußte sie es, sie war dahintergekommen, und das waren auch die anderen Mütter, selbst Donna Durgin, die in ihrem ganzen Leben noch nie jemanden getroffen hatte, der geschieden war. Niemand brauchte das Wort auszusprechen, aber es war da, war in ihren Wortschatz eingedrungen und hing nun über ihnen wie eine Wolke über ihren Kaffeetassen, und vielleicht war das der Grund, warum sie nicht sprachen und warum Marie ein paar von den Plätzchen, die sie für die Kinder mitgebracht hatte, statt dessen den Müttern anbot, obwohl der Zucker den sauren Geschmack in ihren Mündern nicht beseitigte.

Wie gewöhnlich merkten die Männer der Straße nichts. Oh, sie sahen den Volkswagen und fanden, er bräuchte neue

Reifen. Sie sahen, daß niemand die zerbrochenen Fensterläden hergerichtet hatte, und sie selbst hätten sofort nach dem Einzug einen Eimer Zement genommen und die Stufen repariert, die zur Veranda führten. Als Detective war Joe Hennessy stolz darauf, Einzelheiten wahrzunehmen, die niemand sonst beachten würde, aber als er später an diesem Tag nach Hause kam, seine Pistole in die Nachttischschublade legte und sein Jackett auszog, bemerkte er nicht, daß seine Frau ihre Fingernägel völlig abgebissen hatte. Er küßte sie flüchtig und füllte dann einen Plastikeimer mit Seifenwasser. Es war abends noch hell genug, um draußen Arbeiten zu erledigen, deshalb wollte er noch sein Auto waschen. Als er den Eimer zur Einfahrt trug, schwappte Wasser über den Rand und hinterließ eine Spur. Er stellte den Eimer ab, und als er nach einem Schwamm griff, bekam er plötzlich dieses Gefühl im Nacken. Er dachte an Mondschein, dachte an seine Nachbarin auf dem Dach. Er hatte das Gefühl, er müsse so schnell wie möglich irgendwohin rennen. Die Sonne stand noch am Himmel, und der weiße Volkswagen, der in der Einfahrt der Oliveras geparkt war, reflektierte das Licht.

Hennessy beschattete seine Augen und blickte zur anderen Straßenseite. Als erstes sah er das Baby, das in seinem Laufstall im Vorgarten stand. Hennessy dachte, das Baby winke ihm zu, aber vielleicht haschte es auch nur nach Grashalmen, als Nora Silk um das Haus herum kam. Sie schob Oliveras alten Rasenmäher, drückte sich mit ihrem ganzen Gewicht dagegen, und der Mäher puffte wie eine Lokomotive und stieß schwarze Rauchwolken aus. Direkt hinter ihr kam der Junge, der eine große, hölzerne Harke schleppte.

Hennessy fragte sich, warum ein Mann seine Frau so arbeiten ließ. Ein Blumengarten war eine Sache, Frauen mochten so etwas, aber ein gut gemähter Rasen war eine andere Geschichte. Und hier war die Frau, schuftete wie ein Kuli, trug Lederhandschuhe, um keine Blasen an den Händen zu bekommen, und stakste in ihren hachhackigen Schuhen durch das Unkraut. Hennessy beobachtete, wie Nora sich mit dem Rasenmäher abmühte, der sich im höchsten Unkraut verfangen hatte und weder vorwärts noch rückwärts zu bewegen war. Hennessy war fünf Jahre lang Oliveras Nachbar gewesen, aber er hatte das Haus nur einmal betreten, kurz vor dem Ende, als der alte Mann schon bettlägerig gewesen war. Hennessy war hinübergegangen, um das Wasser aus den Heizkörpern zu lassen und den Boiler im Keller zu überprüfen, obwohl das, wie sich herausstellte, nicht nötig gewesen wäre, denn der alte Mann war zwei Wochen nach Thanksgiving gestorben. Hennessy warf den Schwamm in den Eimer und überquerte die Straße.

»Verdammt noch mal«, sagte sie, obwohl der Junge bei ihr war. Zumindest glaubte Hennessy, daß sie das gesagt hatte, denn wegen des Lärms des Rasenmähers hörte man die Worte nicht genau. Überall war Gras, in den Falten ihres weißen Hemdes, im Haar des Babys. Hennessy schmeckte das Gras in der Kehle. Es machte ihn durstig, und sein Nacken fühlte sich nur noch schlimmer an.

»Er ist blockiert«, sagte Hennessy oder schrie es vielmehr, und Nora drehte sich überrascht zu ihm um. Sie war nicht ganz so jung, wie er gedacht hatte, aber ihre Augen waren schwarz wie Kohle.

Hennessy griff nach unten und stellte den Mäher ab.

»Er ist blockiert«, sagte er noch einmal, und dann kam er sich aus irgendeinem Grund albern vor. Er griff wieder nach unten und zog einige der Gräser heraus, die zwischen den Klingen steckten. Der Junge stützte sich auf die Harke und sah zu. Das Baby zog sich am Gitter seines Laufstalls hoch.

»Das sollte reichen«, sagte Hennessy. Er richtete sich auf und schlug die Hände zusammen, aber die Halme wollten nicht von seinen schweißnassen Handflächen fallen. »Jetzt müßte er wieder gehen.«

»Ach, danke«, sagte Nora. Sie spürte, daß ihr Herz zu schnell schlug. Sie faßte sich an die Stirn, blies ihren Pony hoch und wünschte, sie hätte ihr Haar nicht zu diesem dämlichen Pferdeschwanz gebunden. Sie versuchte, den Blick von Hennessy abzuwenden, aber sie schaffte es nicht. »Vielen Dank«, sagte sie.

»Sie sollten Ihren Mann überreden, einen neuen Rasenmäher zu kaufen«, sagte Hennessy.

»Einen neuen Rasenmäher«, sagte Nora bedächtig.

»Wer ist faul?« sagte der Junge.

»Was?« sagte Hennessy.

»Nochmals vielen Dank«, sagte Nora. »Wie gut, daß man Nachbarn hat.«

»Ja«, sagte Hennessy.

Das Baby im Laufstall streckte die Arme aus und krähte. Nora schaffte es, den Blick von Hennessy zu wenden; sie ging hin, nahm das Baby auf und setzte es auf ihre Hüfte. Auf der anderen Straßenseite war Stevie aus dem Haus getreten und rief seinem Vater zu, wenn er nicht bald zum Abendessen käme, würden sie das Spiel der Jugendliga verpassen.

»Es ist die letzte Baseballwoche«, erklärte Hennessy. »Das ist mein Sohn. Er spielt First Base.«

»Netter Junge«, sagte Nora. Sie legte eine Hand auf Billys Schulter. »Ich wette, ihr Kinder werdet euch gut vertragen«, sagte sie hoffnungsvoll.

Billy blickte zu ihr auf, als sei sie verrückt. Stevie hatte schon angefangen, ihn in der Schule zu quälen; zweimal hatte er Billys Lunch gestohlen und in die Mülltonne geworfen. Er hatte Billy Blödgesicht und Angeber genannt und hysterisch gelacht, als Billy in der Turnhalle nicht am Seil hinaufklettern konnte.

»Mit dem da?« sagte Billy ungläubig. »Du machst wohl Witze.«

»Die heutigen Kinder«, sagte Nora schwach. Sie gab Billy einen kleinen Tritt mit einem ihrer hochhackigen Schuhe. Sie hatte keine Ahnung, warum dieser Nachbar in ihren Augen so gut aussah; er war groß, aber er war nicht einmal hübsch, er hatte keine dunklen Augen wie Elvis und auch nicht das tolle Lächeln von Roger. Gott, Rogers Lächeln konnte einen verrückt machen. Vielleicht waren es Hennessys Hände, die es ihr angetan hatten; sie waren breit und stark, und sie schaute auf seine Finger und fragte sich, wie sie sich auf ihren Schultern, auf ihren Schenkeln anfühlen mochten.

»Jugendliga«, sagte Nora gedankenvoll.

Das Baby wimmerte und griff nach Noras Brust, drängte den Kopf in ihr Hemd.

Oh, Gott, dachte Hennessy.

Nora schob das Baby rasch unter den Arm, aber Hennessy hatte etwas von ihrer Haut gesehen.

»Die Jugendliga würde Billy gefallen«, sagte Nora.

»Mir?« sagte Billy.

Ich muß hier weg, dachte Hennessy.

»Die Einschreibung ist im April«, sagte Hennessy und strebte dem Gehsteig zu.

»Gut zu wissen«, rief Nora ihm nach. »Ich würde gern mal Ihre Frau kennenlernen.«

»Ja«, sagte Hennessy.

»Na ja, würde ich wirklich«, sagte Nora zu Billy, als sie den Ausdruck auf seinem Gesicht sah.

Hennessy winkte und ging weiter, überquerte die Straße.

Nora betrachtete seinen Rücken und biß sich auf die Lippen. Sie weigerte sich einfach, an Männer zu denken.

»Ich hab dir ja gesagt, die Leute hier sind nett«, sagte Nora zu Billy. Sie klemmte James unter ihren Arm und rollte den Mäher zurück in die Garage. »Das wird fabelhaft hier«, sagte sie zu Billy.

Nora ging ins Haus und kochte Nudeln; sie hatte immer Schwierigkeiten mit Aufläufen; meistens wurden sie zu wäßrig und man mußte sie mit dem Löffel essen. Manchmal warf sie das Ganze einfach weg und servierte statt dessen Cornflakes mit Zucker. Billy nahm die Harke und machte sich daran, das gemähte Gras zusammenzurechen. Die Harke war zu lang für ihn. Seine Schultern schmerzten, wenn er sie benutzte, aber Billy versuchte, den Schmerz zu ignorieren. Ein paar Autos fuhren vorbei, doch Billy schaute nicht auf. Er übte den Blackout-Trick und konnte ihn schon ganz gut; aus einiger Entfernung sah es aus, als rechten eine Jeans und ein blaues Sweatshirt den Rasen. Wenn er sich wirklich große Mühe gab, das Gras zu sauberen Haufen zusammentrug und dann mit vollen Armen zur silberglänzenden Mülltonne schleppte, konnte er es schaffen, daß ihr Haus aussah wie alle anderen auch. Also blieb er draußen, bis es dunkel wurde, und während die anderen Kinder aus der Straße zu Abend aßen, Ball spielten oder sich zum Schlafengehen fertig machten, rechte Billy Silk noch immer Gras, und inzwischen hatte er vergessen, wie sehr seine Schultern schmerzten.

DRITTES KAPITEL

Alle Seelen

An James' erstem Geburtstag freute Nora sich am meisten darüber, daß er noch immer niemandem ähnlich sah. Wenn man sein Gesicht studierte, fand sich keine Spur irgendeiner familiären Abstammung; es war, als wäre er an einem Oktobertag einfach erschienen, ohne Erbe oder Vergangenheit, geboren aus Wehen und Licht statt aus Genen. Wie alle Oktoberbabys war er ein guter Schläfer, aber er liebte die Kälte. Nachts pflegte er seine wollenen Socken auszuziehen und die Bettdecke wegzustrampeln. Er zeigte auf das Fenster und jammerte, bis Nora ihn bei geöffnetem Fenster schlafen ließ. Dann beruhigte er sich sofort und starrte die Sterne an, die über ihrem Haus einen Bogen bildeten. Er lächelte noch immer jeden freundlich an und beschäftigte sich stillvergnügt, und obwohl er schon ein paar Schritte gegangen war, hatte er es mit dem Laufen nicht allzu eilig. Immer, wenn er in Noras Arme stolperte, dachte sie, sie könne ihn unmöglich noch mehr lieben, und doch wuchs ihre Liebe mit jedem Tag; sie liebte ihn so sehr, daß ihre Hände und Füße wohl deswegen ein bißchen größer geworden waren, damit in ihr Platz war für alles, was sie fühlte. Sie mußte sogar neue Stiefel und Handschuhe kaufen und ihre hochhackigen Schuhe beim Schuhmacher oben auf dem Turnpike weiten lassen.

Nora feierte gern Geburtstage, aber weil der von James auf einen Samstag fiel, hatte sie keine Zeit, einen richtigen Kuchen zu backen; sie hatte nicht einmal Zeit, eine Backmischung zu kaufen, weil bei Armand so viel zu tun war, daß sie bis vier Uhr im Geschäft bleiben mußte, obwohl sie eigentlich um halb drei hätte Schluß machen sollen. Das einzig Gute an den Überstunden und daran, daß sie dem Babysitter anderthalb Dollar mehr zahlen mußte, war die Tatsache, daß sie viele neue Kundinnen hatte, denen sie Einladungen zu Tupperware-Partys zustecken konnte.

»Ich bin nicht sicher, ob ich das wirklich will«, sagte Armand, als ihm eine der Einladungen in die Hände fiel. Er hatte einer seiner besten Kundinnen gerade die Lockenwickler herausgenommen, ihr Haar aber noch nicht ausgekämmt, so daß er Nora hinten bei den Waschbecken ungestört sprechen konnte.

»Aber es ist doch ganz schick«, sagte Nora, dankbar, daß Armand keine Ahnung hatte, daß sie auch noch versuchte, ihren Kundinnen Abonnements von LIFE und GOOD HOUSEKEE-PING zu verkaufen. »Salons in Manhattan machen Modenschauen und Make-up-Demonstrationen. Ich sollte meine Tupperware-Sachen eigentlich mit ins Geschäft bringen. Ich könnte nächste Woche anfangen.«

Armand überlegte sich das, und schließlich gab er sein Einverständnis, verlangte aber zehn Prozent vom Gewinn. Da er keine Ahnung hatte, wie hoch der Gewinn war, beschloß Nora, ihm fünf Prozent zu geben. Selbst wenn er feststellte, daß sie ihn belog, würde er sie nicht hinauswerfen, denn Nora war gut für den Salon. Sie trug ihr Haar modisch hochgesteckt, hatte ihre Fingernägel ungewöhnlich lang wachsen lassen und benutzte jetzt ihre ganz persönliche Nagellackfarbe – ein tiefes Rot. Die Kundinnen waren verrückt nach ihr; sie verschoben ihre Termine, damit sie samstags von Nora bedient werden konnten, und eine Kundin kam sogar im Bus extra aus East Meadow.

»Die Hand«, sagte Nora immer zu ihren Kundinnen, »ist das Fenster zur Seele.«

Gewiß, sie wußte, daß das eigentlich die Augen sein sollten, aber wo war der Unterschied? Sie hielt die Hände ihrer Kundinnen und sprach über deren Nagelhaut und Hautton. Als sie merkte, daß sie jedesmal, wenn sie Ratschläge über Farbzusammenstellungen gab, höhere Trinkgelder bekam, hörte sie auf, über Nagelhaut zu reden. Sie hatte eine Begabung, der Kundin die Farben zu zeigen, die für sie richtig waren. Oft schlug sie vor, die ganze Garderobe umzustellen. »Kein Grau für Sie«, riet sie einer farblosen Kundin. »Purpurrot«, flüsterte sie einer Hausfrau zu, die sich zum ersten Mal seit vielen Jahren eine Maniküre leistete.

Am letzten Samstag im Oktober verließ sie Armands Geschäft mit den Trinkgeldern in der Tasche ihres schwarzen Staubmantels. Abgeschnittene Haare hafteten an ihren Schuhsohlen. Sie nahm die Haarnadeln aus ihrem Knoten und schüttelte ihr Haar aus, sobald sie außer Sichtweite des Schönheitssalons war; während sie durch den A&P lief, fuhr sie mit den Fingern durch ihre lose Mähne. Sobald sie gefunden hatte, was sie für James' Geburtstag brauchte, eilte Nora an die Spitze der Schlange vor der Kasse.

»Macht es Ihnen etwas aus, mich zuerst dranzunehmen?« fragte sie die Kassiererin, eine hübsche Blondine namens Cathy Corrigan, die so verblüfft über Noras Bitte war, daß sie ihr nachkam, obwohl die anderen Kunden bis hinüber zu den Obstkisten anstanden.

»Mein Baby hat Geburtstag«, sagte Nora zu den murrenden Wartenden. Sie hielt eine Packung blauweißgestreifter

Kerzen hoch. »Sie haben eine gute Tat getan«, sagte sie zu der Kassiererin, als diese vier Schachteln Törtchen in die Kasse eintippte.

Nora raste mit dem Volkswagen nach Hause, parkte und griff nach der Tüte von A&P. Bevor sie das Haus betrat, blieb sie auf dem Rasen stehen und freute sich über den Anblick. Noch immer liebte sie es, nach Hause zu kommen; sie liebte die Art, wie ihre hohen Absätze in den Boden einsanken, während sie den Rasen überquerte, sie liebte das Geräusch der welken Blätter auf der Eingangsstufe und die Art, wie ihre Hand die unverschlossene Tür berührte, ehe sie sie öffnete. Rickie Shapiro hatte eine von den Elvis-Platten aufgelegt. Obwohl sie ziemlich zerkratzt klang, drehte Nora den Apparat lauter, als sie ins Haus kam. Sie hängte ihren Mantel in den Garderobenschrank und nahm sich eine Minute Zeit, den Wandschrank zu bewundern. Sie fand James in der Küche, wo er auf dem Fußboden mit Bauklötzen spielte. Rickie saß am Tisch, sang das Lied von Elvis mit und malte ihre Fingernägel rosa an.

»Geburtstagskind!« sagte Nora. Sie hob James hoch und gab ihm einen dicken Kuß. »Wie waren sie?« fragte sie Rickie.

»Brav«, sagte Rickie. »Bloß, daß Billy nicht aus seinem Zimmer kommen wollte.«

Nun ja, das war nicht neu. Nora setzte James ab, und er klammerte sich an ihr Bein, während sie die Törtchen auspackte und auf einen Teller legte.

»Falsche Farbe«, sagte Nora über die Schulter zu Rickie.

»Rosa ist meine Farbe«, sagte Rickie bestimmt.

»Okay«, sagte Nora. »Sicher. Wenn du das glauben willst.«

Rickie blies auf ihre Fingernägel, damit sie schneller trockneten, während Nora ihr Portemonnaie holte und Rickie die sechs Dollar gab, die sie ihr schuldig war.

»Rosa steht mir fabelhaft«, sagte Rickie.

»Rot«, sagte Nora zu ihr. Sie ging zur Küchentür. »Billy! Wir feiern jetzt James' Geburtstag.«

»Das ist doch nicht Ihr Ernst«, sagte Rickie. »Meine Mutter würde mir nicht erlauben, Rot zu tragen. Nicht zu meinem Haar.«

»Rot ist deine Farbe«, sagte Nora. »Und weißt du, du solltest wirklich aufhören, dein Haar aufzudrehen. Wasch es und laß es einfach an der Luft trocknen.«

»Dann wird es ganz kraus!« sagte Rickie. »Nie im Leben.«

»Na gut«, sagte Nora. Sie steckte Kerzen auf die Törtchen. »Fein. Wenn du aussehen willst wie alle anderen, statt deine natürliche Schönheit zur Geltung zu bringen, ist das deine Sache. Hat James sein Fläschchen gehabt?«

»Ja«, sagte Rickie. Ihre Nägel waren jetzt soweit getrocknet, daß sie ihren Mantel anziehen konnte. Sie schob die Flasche mit dem rosa Nagellack in ihre Tasche, aber als sie ihre Fingernägel betrachtete, wirkte die Farbe blasser als erwartet. Das haßte sie am Babysitten bei Nora Silk: Wenn sie ging, war sie immer verwirrt. Sie wußte nicht mal, warum sie immer wieder hinging, so dringend brauchte sie das Geld nicht. Das Baby war süß, aber Billy konnte einen verrückt machen. Manchmal wollte er drei Stunden hintereinander Monopoly spielen, und an anderen Tagen redete er nicht einmal mit ihr. Er blieb in seinem Zimmer, in eine alte Decke gewickelt, aß Salzbrezeln und Chips und sah so verbissen aus, daß Rickie nicht wagte, ihn anzusprechen. Manchmal glaubte sie, ihn durch die geschlossene Tür mit den Zähnen knirschen zu hören.

Sie hatte das so nötig wie ein Loch im Kopf. Sie hatte immer alles gehabt, was sie wollte, und offen gesagt hatte sie deswegen manchmal Schuldgefühle. Sie gewöhnte sich an, Leuten

Sachen zu schenken, vor allem ihrer besten Freundin, Joan Campo, die samstags und sonntags in der Bäckerei ihres Vaters arbeiten mußte. Sie hatte einen neuen Angorapullover und beschloß jetzt, ihn Joan zu geben: er war blaßrosa, und vielleicht hatte Nora mit ihren Farben doch recht; vielleicht war sie eher der Typ für karminrot oder scharlachrot. Wenn Rickie ein Problem hatte, so war es einfach die Tatsache, daß ihr Vater mehr Geld verdiente als die Väter der meisten ihrer Freundinnen. Er hatte einen Cadillac Eldorado bestellt und brachte dauernd Kleider von A&P nach Hause; er glaubte sogar, er werde Rickie nächsten Sommer einen Job in der Abteilung für Teenagermode besorgen können, so daß sie in den Genuß des zwanzigprozentigen Rabatts für Angestellte käme. Manchmal, vor allem, wenn sie mit Joan zusammen war, fand Rickie es nicht fair, daß ihrer Familie die guten Dinge anscheinend einfach in den Schoß fielen. Sie war schon viermal in Florida gewesen. Sie wußte, wie man beim Zimmerservice bestellt, und verstand sich darauf, ihren Rock so zu raffen, daß ihr Spitzenunterrock sichtbar wurde, was, wie Rickie wußte, die Jungen verrückt machte. Alle stimmten darin überein, daß ihr Bruder der klügste Junge der Schule und der beste Ballspieler in Janus' kurzer Geschichte war. Aber sie wußten nicht, daß ihre Mutter Gloria Französisch sprach, genug, um in jedem guten Restaurant das Essen zu bestellen, und daß sie immer Seidenstrümpfe trug, selbst bei der Hausarbeit. Und doch hütete Rickie weiterhin die Silk-Kinder, obwohl Nora nichts von dem hatte, was Rickie für eine Frau in Noras Alter passend fand – nämlich einen Ehemann und ein anständiges Haus. Rickie fand allerdings kein Haus in Janus anständig: Ihr schwebte eher ein Split Level mit Pool und offenem Kamin vor. Wenn sie erst einmal so alt wäre wie Nora, wollte sie nicht nur einen Mann und ein Haus in Cedarhurst oder Great

Neck haben, sondern auch zwei kleine Mädchen; sie hatte immer vorgehabt, ihnen die gleichen rosa Kleidchen anzuziehen, obwohl rote Mützen und Stiefel vielleicht auch interessant wären.

»Oh, ich hätte es fast vergessen. Jemand von LIFE MAGAZINE hat angerufen«, sagte Rickie, während sie ihren Mantel zuknöpfte.

»Haben sie mich gefeuert?« sagte Nora.

»Sie haben in zwei Wochen nichts verkauft, deshalb haben sie sich erkundigt«, sagte Rickie. »Und Sie schulden ihnen vierzehn Dollar fünfundneunzig für Ihre letzten Abonnenten.«

»Tja, dann müssen sie eben warten«, sagte Nora. Sie leckte ihre Finger ab und bewunderte die Anordnung der Törtchen. »Herzlichen Glückwunsch zum Geburtstag«, sagte sie zärtlich zu James, als sie sich bückte, um ihn wieder aufzunehmen. Sie hielt ihn auf einer Hüfte, während sie die Kerzen anzündete. »Komm schon«, rief sie Billy zu. »Die Kerzen brennen sonst ohne dich herunter.« Sie vergewisserte sich, daß sie die Streichhölzer in die Tasche gesteckt hatte, falls Billy den Drang verspürte, etwas in Brand zu setzen. Dann küßte sie James. »Mein kleiner Kürbis«, sagte sie zu ihm. »Mein süßer Schatz.«

Rickie mochte keine Törtchen, außerdem war sie auf Diät, aber sie konnte den Blick nicht von Nora und dem Baby wenden. Er war wirklich ein süßes Baby. Wie eine Puppe. Und im Glanz der Geburtstagskerzen sah Nora so verträumt aus mit ihrem wie bei einem kleinen Mädchen lang und glatt herabhängenden Haar. Heute abend trafen Rickie und Joan Campo sich um acht mit zwei älteren Schülern aus dem Mathekurs, um DAS TAGEBUCH DER ANNE FRANK anzusehen, einen Film, den Rickie schon zweimal gesehen hatte; sie würde also Papiertaschentücher mitnehmen. Rickie wußte, daß ihr Gesicht immer ganz rosa wurde, wenn sie weinte; vielleicht war es auch ein äußerst blasses Scharlachrot.

»Brauchen Sie mich nächsten Samstag?« fragte Rickie, als sie ging.

»Oh, ja«, sagte Nora. »Ich muß bei Armand bleiben, bis ich mit der Tupperware im Geschäft bin. Vielleicht könnte deine Mutter etwas gebrauchen. Ich könnte sie und ein paar von ihren Freundinnen nächste Woche einladen. Oder ich könnte zu ihr gehen.«

»Ich glaube nicht«, sagte Rickie. »Meine Mutter findet Plastik geschmacklos.«

»Na, da wird sie aber eine Überraschung erleben«, sagte Nora. »In Zukunft wird keiner mehr Porzellan oder Kristall verwenden. Nur arme, ungebildete Leute, die es nicht besser wissen. Sag ihr das, vielleicht ändert sie dann ihre Meinung.«

»Ja«, sagte Rickie. »Na ja, sie interessiert sich eigentlich nicht sonderlich für die Zukunft.«

Sobald Rickie gegangen war, ging Nora mit James auf die Suche nach Billy. Er hatte seine Tür verbarrikadiert.

»Ich werd noch verrückt«, sagte Nora, während sie versuchte, die Tür zu öffnen.

Billy saß auf seinem Bett, die Wolldecke um sich geschlungen, und aß Chips. Nora ertrug nicht, daß er in seinem Alter diese neue Vorliebe für eine Decke entwickelt hatte. Nachts, wenn er schlief, schlich sie in sein Zimmer und schnitt Stücke von der Decke ab, so daß sie inzwischen nur noch halb so groß war wie zu Beginn. Sie war weniger eine Decke als eine Art Cape, das Billy sich über die Schultern zog.

»Ich werd wirklich noch verrückt«, sagte Nora, während sie mit der Faust gegen die Tür trommelte.

Billy hatte es geschafft, die Decke in die Schule mitzunehmen, aber jedesmal, wenn er das tat, hatte Mrs. Ellery, die Lehrerin der dritten Klasse, darauf bestanden, daß er sie oben auf dem Brett des Garderobenschrankes ablegte. Sie konnte allerdings nicht verhindern, daß er sie draußen im Hof trug. In der Pause saß er darunter zusammengekauert auf dem Teerboden und übte sich in Unsichtbarkeit. Und das klappte auch, es ging von Tag zu Tag besser. Statt ihn zu ärgern, hatten die anderen Kinder angefangen, ihn zu ignorieren. Genauso wollte Billy Silk es haben. Seine Mutter weigerte sich, ihm das zu glauben. Sie hatte ihn bereits total erniedrigt, indem sie drei Kinder, die Billy haßte, in ihr Haus eingeladen hatte, eines pro Woche, den ganzen Oktober durch. Jedesmal hatte Nora Kekse gebacken und mit ihrem Gast langwierige Spiele gespielt, während Billy auf einem Küchenstuhl saß und zusah, aber kein Wort redete. Billy fand keinen Weg, Nora klarzumachen, daß diesen Jungen, selbst wenn sie ihn gemocht hätten, von ihren Müttern gewiß kein zweiter Besuch erlaubt werden würde. Bemerkte sie nicht, wie Mark Laskowskys Mutter reagierte, als sie sah, daß Mark Nußbaisers aß und Cola trank, während aus dem Plattenspieler »Teddy Bear« dröhnte und James in seinem Hochstuhl mit dem Löffel winkte, total mit Schokoladenpudding beschmiert? Jedesmal, wenn Nora meinte, sie plaudere mit den Müttern der anderen Jungen, wurde sie in Wirklichkeit von ihnen verhört. Die Gedankenfetzen, die Billy auffing, ließen ihn erröten: Wenn sie es nicht versteht, ihrem Baby das Gesicht zu waschen, dann sollte sie kein Baby haben. Wenn sie keine anständigen Mahlzeiten für ihre Kinder zubereiten kann, dann hätte sie überhaupt nicht Mutter werden sollen. Ende Oktober wußten alle in seiner Klasse, daß Nora geschieden war; Stevie Hennessy mit seinem großen Mund hatte dafür gesorgt, und das war das Ende von Billys Aussichten auf irgendeine Art von sozialen

Kontakten. Warum sah sie das nicht? Warum fragte sie sich nicht, wieso Billy niemals nach der Schule in das Haus eines Klassenkameraden eingeladen wurde, und wieso man ihr nichts von den monatlichen Elternabenden oder dem Basar am Columbustag gesagt hatte? Im allerletzten Moment hatte sie von dem Basar erfahren und war bis weit nach Mitternacht in der Küche geblieben und hatte Quarkkuchen gebacken, die mit Marshmallows und Maraschinokirschen dekoriert waren. Am nächsten Tag wußte jeder in der dritten Klasse, daß der Hausmeister Noras Kuchen schließlich in die Mülltonne geworfen hatte, weil er sie nicht loswerden konnte.

Und nach all dem nervte sie Billy noch immer mit Stevie Hennessy und behauptete, er sei der passendste Freund für ihn, den es überhaupt geben könnte, weil er direkt auf der anderen Straßenseite wohnte.

»Ich wollte Mrs. Hennessy anrufen«, sagte Nora fast jeden Tag, eine Drohung, die über Billy hing wie eine Wolke.

Nein, keine Wolke – Stevie war mehr wie ein riesiger, formloser Tornado. Ganz gleich, wie unsichtbar Billy sich machte – Stevie fand ihn immer. Er fand ihn auf der Jungentoilette, wo er ihm nasse Papierhandtücher und Papierkugeln genau zwischen die Augen warf, und er versicherte ihm, sein Vater bringe täglich mindestens eine Person um, und Billy stünde ganz oben auf seiner Liste. Irgendwie hatte er die Macht, Billy in ein Monster zu verwandeln. Nachdem Stevie Marcie Writman gesagt hatte, daß Billys Eltern geschieden seien, war Marcie zu Billy gegangen und hatte ihm gesagt, wie leid ihr die Tragödie in seiner Familie tue, und Billy, der nie zuvor jemanden auch nur geschubst hatte, hatte ihr mitten in den Magen geboxt. Er hatte sich dabei schrecklich gefühlt. Marcie war kleiner als er und ein Mädchen, und ihr Mund hatte eine komische O-Form gehabt, als er sie boxte.

Jeder Tag war eine Qual, weil Billy nie sicher war, ob Stevie in der Cafeteria auf ihn warten würde oder nicht. Rotzlöffel, rief er Billy zu. Waisenkind, brüllte er über die Schlange vor der Milchtheke hinweg. Kackgesicht, flüsterte er, wenn sie bei Luftangriffsübungen in den Gang liefen und an den Wänden kauernd Deckung suchten.

»Ruf Mrs. Hennessy nicht an«, riet Billy seiner Mutter jedesmal, wenn sie davon redete, und er wickelte sich fester in seine Wolldecke und hob die Hand, um sein Haar zu zwirbeln.

Nach der Schule sah er aus dem Fenster und schaute zu, wie Stevie und die anderen Kinder aus der Straße Fußball spielten. In der Dämmerung sah er, wie sie ihre Hula-Hoop-Reifen herausholten. Was konnte er sagen, wenn seine Mutter meinte, er brauche frische Luft? Daß er Angst hatte, allein die Hemlock Street entlang zu gehen? Er zwirbelte sein Haar und sagte ihr nichts, sondern konzentrierte sich statt dessen auf die Biographie von Harry Houdini, die er sich in der Schulbibliothek ausgeliehen hatte. Houdini war all das, was Billy sein wollte, alles, was Roger, sein Vater, nicht war. Tricks bedeuteten Billy nichts, und Hellsehen war eine Bürde. Aber Houdinis Talent war rein und echt; er konnte gegen wirkliche Grenzen kämpfen, gegen Seile und Ketten, und entkommen. Er konnte Wasser, Feuer und Luft überwinden. Er konnte von innen leuchten wie eine Lampe und mitten durch Metall, Hanf und Wellen gehen.

Eines Nachmittags fand er ein altes Seil, das Mr. Olivera in der Garage zurückgelassen hatte, und er fing an, Laufknoten zu üben. Er band sich die Füße zusammen und zwang dann seine Knöchel, sich so dünn zu machen, daß er aus den Knoten schlüpfen konnte. Er versteckte sich unter seiner Decke, band seine Hände zusammen und zog sich dann aus seinen

Fesseln. Erschöpft legte er sich danach hin. Er empfand ein reines Gefühl, heiß, als habe er eine Schlacht geschlagen. Seine Augen brannten, und sein Mund war trocken; trotzdem wiederholte er die ganze Prozedur.

Manchmal stieß James Billys Tür auf und krabbelte ins Zimmer. Er kroch zu Billy unter die Decke und sah zu, wie Billy seine Seiltricks übte. Billy schloß immer die Augen, wenn er sich konzentrierte, und sein Hals und Gesicht waren schweißnaß. Während Nora das Abendessen herrichtete und Platten hörte, lagen Billy und James unter der Decke und schauten nur durch die gewebte Wolle. Es war still und dämmrig, und Billy hatte James gern bei sich. Seine Gedanken aufzufangen, war anders als bei anderen Leuten. Billy empfing keine Worte, sondern Empfindungen: den Geruch warmer Milch, die weichen braunen Federn einer Eule in James' Lieblingsbilderbuch, den Aufprall eines Gummiballs auf dem Holzboden, das Gefühl eines Flanellpyjamas auf der Haut. Nein, er würde das Baby nie aus seinem Zimmer werfen; außerdem war James der perfekte Zuschauer. Immer, wenn Billy sich aus einem Knoten befreite, klatschte James feierlich in die Hände und wiegte den Kopf vor und zurück.

»Du verdirbst den Geburtstag deines Bruders«, schimpfte Nora durch die Tür. Sie wußte, daß Billy sich dann schrecklich fühlen würde, und so war es. Sogar schon vor Roberts Fortgang hatte Billy sich für das Baby verantwortlich gefühlt. Es war die Art, wie es ihm folgte, ihm nachkrabbelte, so schnell es konnte, um ihn einzuholen.

»Das wurde auch Zeit«, sagte Nora, als Billy endlich aufgab und aus seinem Zimmer kam. Sie zwang sich, die Decke nicht zu erwähnen, während sie in die Küche ging.

»Wo ist der Kuchen?« fragte Billy, als er die Platte mit Törtchen sah.

»Das *ist* der Kuchen«, sagte Nora. »Und wage nicht, ein böses Wort darüber zu sagen.«

Sie hielt James hoch. Er blies die Backen auf, und Nora und Billy halfen ihm, seine Geburtstagskerzen auszupusten.

»Kuchen«, sagte James, als Nora die Kerzen herauszog, und Nora und Billy brauchten eine Weile, bis ihnen klar wurde, daß das Baby sein erstes Wort gesprochen hatte.

Stevie Hennessy setzte das Gerücht in Umlauf, Nora sei eine Hexe, und zwar an Halloween, als Nora nach der Schule erschien, schwarz gekleidet und einen Korb mit Äpfeln über dem Arm. Es waren grüne Äpfel mit glänzender Schale, die letzten von einem alten Baum, der in der Nähe von Dead Man's Hill wuchs. Nora hatte in der Oktoberausgabe von LADIES HOME JOURNAL ein Rezept für gedeckten Apfelkuchen gefunden, in dem ausdrücklich frischgepflückte Äpfel empfohlen wurden. Auf dem Weg zur Schule hatten sie und James auf dem Hügel haltgemacht und die Äpfel gepflückt, obwohl sie nicht sehr schön aussahen.

Billy schlenderte durch den Flur auf die Tür zu, als er Stevie Hennessy schreien hörte: »Mensch, das ist 'ne Hexe!«

Die Kinder kreischten und rannten auseinander. Als Billy aufsah, stand seine Mutter auf dem Weg vor der Schule.

Billy ging nach draußen und starrte seine Mutter an. »Was machst du hier?« fragte er.

»Ach, vielen Dank«, sagte Nora. »Tausend Dank. Ich dachte bloß, es wäre nett, wenn ich dich abholte. Mütter machen solche Sachen, weißt du? Das gehört zu ihrem Beruf.«

Billy rollte mit den Augen und ging über die Straße auf den Volkswagen zu.

»Ich sag dir was, Freundchen«, sagte Nora, als sie und James im Wagen saßen. »Du mußt dein Benehmen ändern.«

Billy lehnte den Kopf gegen die Scheibe und zwirbelte sein Haar.

»Hörst du mir zu?« sagte Nora. »Oder rede ich mit mir selbst?«

Aus dem Nichts kam ein großer Stein; er fiel vom Himmel und landete mit einem Krachen auf der Motorhaube des Volkswagens.

»Was war das?« sagte Nora.

»Fahr nach Hause«, sagte Billy.

Ein weiterer Stein prallte gegen den Kotflügel.

»Um Gottes willen«, sagte Nora.

Auf der anderen Straßenseite stand eine Gruppe von Jungen mit Steinen in den Händen.

»Scheiße«, sagte Nora. Sie öffnete die Fahrertür.

Billy streckte die Hand aus und faßte sie am Ärmel. »Geh nicht da raus«, sagte er.

Nora riß sich los und stieg aus.

»Mami!« rief Billy, aber Nora ignorierte ihn. Sie ging in die Mitte der Fahrbahn.

»Was fällt euch eigentlich ein?« schrie sie.

Die Jungen vor der Schule spotteten über sie und drängten sich enger zusammen.

»Da ist die Hexe!« rief einer der Jungen aus dem Hintergrund. Es war Stevie Hennessy, aber Nora erkannte ihn nicht; sie hatte keine Zeit dazu, weil ein weiterer Stein auf sie zuflog, geworfen von einem Fünftkläßler namens Warren Cook. Der Stein verfehlte Nora und fiel ihr zu Füßen. Nora rannte schneller über die Straße, als normalerweise Mütter rennen können, und packte Warren Cook am Kragen seines Mantels. Seine Verbündeten wichen sofort kreischend zurück. Warren wurde so weiß wie ein Geist.

»Wenn du das jemals wieder machst«, sagte Nora, »dann

werde ich dich verhexen. Ich werde machen, daß du nie wieder pinkeln kannst. Weißt du, was das bedeutet?«

Warren öffnete den Mund, aber nichts kam heraus.

»Richtig«, sagte Nora. »Du wirst ganz voller Pipi sein, und jedesmal, wenn du den Mund aufmachst, weißt du, was dann herauskommt. Und das wollen wir doch nicht, oder?«

Warren machte den Mund zu und schüttelte vorsichtig den Kopf.

»Gut«, sagte Nora. »Ich bin froh, daß wir uns verstanden haben.«

Kaum hatte sie ihn losgelassen, rannte Warren Cook die Straße herunter. Nora ging zurück zum Wagen, ließ den Motor an und legte den Gang ein. Billy auf dem Beifahrersitz saß vornübergebeugt, den Kopf zwischen den Knien.

»Setz dich gerade hin«, sagte Nora zu ihm. »Herrgott noch mal«, sagte sie.

Von Billy kam ein trockenes Würgen; seine Schultern zuckten, und er gab ein gurgelndes Geräusch von sich.

»Wenn du dich übergeben mußt, mach die Tür auf«, sagte Nora. »Ich fahre an den Straßenrand.«

Als sie nach Hause kamen, machte keiner von ihnen Anstalten, aus dem Auto zu steigen. Nora nahm eine Zigarette und zündete sie an; sie starrte durch die Windschutzscheibe auf das Haus. Sie hatte ein Skelett an die Vordertür geklebt, dessen lange, gekräuselte Arme aus gefaltetem Seidenpapier bestanden. Billy weinte, aber Nora sah ihn nicht an.

»Sie sind nicht alle so«, sagte Nora.

»Oh, doch«, sagte Billy.

»Sie können nicht alle so sein«, beharrte Nora. »Warte nur ab.«

An diesem Abend weigerte sich Billy, hinauszugehen und an den Halloween-Streichen teilzunehmen, und obwohl sie das Geschrei der verkleideten Kobolde hörten, kam niemand an ihre Tür. Später aber, als die Kinder schon lange schliefen und Nora gerade zu Bett gehen wollte, hörte sie ein rasselndes Geräusch. Nora ging ins Wohnzimmer und lauschte. Sie hörte Schritte in der Dunkelheit und schaute aus dem vorderen Fenster. Draußen war nichts als die schwarzen Formen der Rhododendronbüsche. Trotzdem war es der Mühe wert, nachzusehen. Nora zog den Mantel über das Nachthemd, nahm eine Taschenlampe und trat auf die Veranda vor dem Haus. Sie ließ den Strahl der Taschenlampe über den Rasen und die Einfahrt gleiten. Nora ging hinüber und richtete die Lampe zuerst auf den Volkswagen und dann in sein Inneres. Der Wagen war in Ordnung; zerdrückte Zigarettenschachteln und Kekskrümel lagen auf dem Boden. Aber etwas war passiert, jemand war dagewesen, denn auf einer Seite der Einfahrt waren schwarze, staubige Fußspuren zu erkennen. Als Nora sich wieder zum Haus umdrehte, sah sie, daß in schwarzen Buchstaben das Wort *Hexe* an der Garagentür geschrieben stand.

Sie knipste die Taschenlampe aus und stand im Dunkeln. Sie atmete die kühle Luft und lauschte dem weichen Summen, das von der Schnellstraße herüberkam. Über ihr standen Sirius und der Himmelswagen. Sie schaffte es knapp, jeden Monat die Hypothek aufzubringen, und heute abend, nachdem sie die Äpfel von Dead Man's Hill halbiert hatte, mußte sie feststellen, daß sie vielleicht nie in der Lage sein würde, einen knusprigen gedeckten Apfelkuchen zu backen. Sie konnte fast alles backen, aber den Kniff für eine knusprige Abdeckung kannte sie nicht; der Teig klebte an ihren Fingern und an der Tischplatte. Es war Monate her, daß ein Mann sie geküßt hatte, Monate, daß jemand im Bett auf sie gewartet hatte. Sie konzentrierte sich auf die Sterne. Sie stellte sich ihre eigene exakte Position in der Milchstraße vor, ein schwarzer Fleck, ein winziger Punkt am Rand des blendenden, weißen Lichts. Im Haus schliefen die Kinder; jedes hatte ein Zimmer ganz für sich allein, und in der Küche wurden die Apfelscheiben in der Rührschüssel dunkel und feucht unter einer Schicht von braunem Zucker und Zimt.

Nora ging ins Haus, nahm einen Eimer und füllte ihn mit warmem Wasser und Lysol. Sie riß eine Packung mit neuen Schwämmen auf und zog die Gummihandschuhe an, die über dem Rand des Spülbeckens hingen. Es war nicht so schlimm, die Schrift war nur aus Holzkohle, und sie brauchte weniger als eine halbe Stunde, um das Garagentor zu reinigen. Nach diesem Abend liebte Nora ihr Haus nicht weniger, und sie schlug weiterhin vor, Billy solle Freunde zu sich einladen, aber sie holte ihn immer von der Schule ab und parkte direkt hinter den Schulbussen, damit Billy nicht allein die Straße überqueren mußte.

Es war schon schlimm genug, daß er von seiner Mutter abgeholt wurde. Noch schlimmer aber war, daß sie ihn oft mitnahm, wenn sie und James nachmittags zu Tupperware-Partys gingen. Nicht in der Hemlock Street. Jeder aus der Nachbarschaft, den Nora angesprochen hatte, war viel zu beschäftigt, hielt nichts von Plastik wie Rickie Shapiros Mutter oder wollte einfach nichts mit Nora zu tun haben. Sie hatte schon Glück gehabt, als sie einige Sets an ein paar der Männer in der Straße verkaufte, von denen einige herübergekommen waren, um ihr mit den riesigen Kartons zu helfen. Zweimal war Joe Hennessy zufällig draußen gewesen, als Nora eine neue Lieferung entlud, und wie sich herausstellte, hielt er sehr viel von Tupperware.

Am Ende, da war Nora sicher, würde sie in jedem Haus der Straße Tupperware verkaufen. Im Augenblick aber fanden die Partys, die Nora arrangierte, in anderen Städten statt, in

Valley Stream und Floral Park, in East Meadow und Levittown. Die Frauen baten immer darum, James auf den Schoß nehmen zu dürfen, er war so gut wie eine Visitenkarte, und wenn sie ihn genug bewundert hatten, war es Billys Aufgabe, auf ihn aufzupassen. Wenn man seine Hand hielt, konnte er ein paar Schritte laufen. Gewöhnlich trug Billy ihn hinaus und ging mit ihm auf dem Gehsteig auf und ab. Sie hielten Ausschau nach Ameisen, die James gelegentlich aß. Sie rissen die Rinde von kleinen Bäumen und spielten, sie seien Jäger und müßten ein Feuer anzünden, und wenn Billy schlau genug gewesen war, eine Packung Streichhölzer aus der Manteltasche seiner Mutter zu stibitzen, machte er ein kleines Feuer, in das sie beide starrten, bis es am Randstein zu Asche niedergebrannt war.

Manchmal vergaß Billy seinen Bruder. Er machte sich ohne ihn auf den Rückweg und dachte nicht mehr an James, bis er das Haus erreichte, in dem die Tupperware-Party stattfand. Dann rannte Billy den ganzen Weg zurück und fand James völlig aufgelöst, rotznäsig und mit Tränenstreifen auf den Backen. Er hatte versucht, Billy zu folgen, so gut er konnte, auf den Knien kriechend, und die waren jetzt blutig vom Schaben auf dem Asphalt. Billy nahm ihn dann immer auf den Arm und trug ihn zurück. Bis sie das Haus erreichten, wo die Party war, hatte James zu weinen aufgehört, aber er wollte Billy nicht loslassen. Er klammerte sich an seinen Hals oder, wenn Billy es geschafft hatte, ihn abzusetzen, an sein Hosenbein. So warteten sie auf der Veranda auf Nora. Billy dachte bei solchen Anlässen an Harry Houdini und daran, wie er gelobt hatte, der Beste zu werden, wie er Tag und Nacht geübt und niemals eines seiner Geheimnisse preisgegeben hatte. Er nahm den Zipfel von James' Hemd und wischte ihm das Gesicht ab, damit Nora nicht sah, daß das Baby geweint hatte. Wenn Nora dann aus dem Haus kam, gut oder schlecht gelaunt, je nachdem, wie viele Sets sie verkauft hatte, beäugte sie die Jungen argwöhnisch.

»Was ist los?« sagte sie, wenn sie die Tränenspuren auf James' Gesicht sah, die Billy nicht hatte abwischen können.

Das Baby und Billy blickten dann zu ihr auf, und im gelben Herbstlicht sahen sie aus wie zerlumpte Puppen.

»Nichts«, pflegte Billy zu sagen.

»Na gut«, sagte Nora dann, »machen wir uns auf den Weg.«

Sie schleppte sich mit ihren großen Musterkartons ab, und so mußte Billy das Baby aufheben und ins Auto tragen, und James legte dann immer die Arme um seinen Hals und drückte sein Gesicht an Billys Brust, um seinen Herzschlag zu hören.

*

Hennessy hatte so viel Tupperware gekauft, daß seine Frau anfing, sich zu beschweren. Da sie die Sachen wenigstens vernünftig verwenden wollte, ging sie dazu über, ihm sein Mittagessen in kleinen Tupperware-Schüsseln zu verpacken. Hennessy fand Behälter mit Nudelsalat und russischen Eiern, bestreut mit Paprika, und verlor augenblicklich den Appetit. Er parkte in Seitenstraßen abseits vom Harvey's Turnpike und zwang sich, hinter dem Steuer einige Bissen seiner Mittagsmahlzeit zu essen. Jedesmal, wenn er Nora in ihrer Einfahrt getroffen hatte, während sie Tupperware aus dem Auto lud, war das kein Zufall gewesen. Einmal hatte er sie vor dem Schönheitssalon in ihren Wagen steigen sehen und war ihr nach Hause gefolgt. Beim nächsten Mal hatte er aus dem Fenster geschaut, und als er sah, wie sie draußen Kartons aus ihrem Volkswagen zog, hatte er schnell das Haus verlassen und in der Eile sogar vergessen, die Türe zu schließen. Beide Male war er so verlegen gewesen, daß er schließlich übertrieben viel Tupperware kaufte.

Tatsache war, daß er ihr Haus beobachtete. Er wußte, daß ihr älterer Sohn die meiste Zeit in seinem Zimmer verbrachte, weil dort immer Licht brannte, und manchmal, in der Dämmerung, sah Hennessy ein kleines, blasses Gesicht am Fenster. Er wußte, daß Nora spät zu Bett ging und daß sie keinen festen wöchentlichen Waschtag hatte, weil Hemden und Blusen und Slips in keinem bestimmten Rhythmus an der Wäscheleine in ihrem Hintergarten erschienen. Er wußte, daß sie jeden Samstagmorgen um viertel vor neun zu Armand fuhr und gewöhnlich um halb drei zurückkam. Er wußte, daß kein Mann – kein Ehemann oder Ex-Ehemann oder was auch immer – sie besucht hatte, seit sie eingezogen war. Er sagte sich, er sei eben zufällig aufmerksam; sie war eine alleinstehende Frau, und es war seine Pflicht als Polizist und Nachbar, ein Auge auf ihr Haus zu haben. Aber wenn das stimmte, dann hätte er natürlich etwas getan, als er am Abend von Halloween vier Jungen vor ihrem Haus sah, und er hatte überhaupt nichts getan. Er war an das vordere Fenster getreten, als er dieses kriechende Gefühl im Nacken verspürte, und er hatte da gestanden und zugesehen, wie die Jungen in der Dunkelheit davonliefen. Viel später, als Stevie schon durch sein Zimmerfenster wieder ins Haus geklettert war und Nora das Garagentor gesäubert hatte, beobachtete Hennessy ihr Haus noch immer.

Er dachte häufiger an sie, als er für möglich gehalten hätte. Es machte ihn krank, an sie zu denken; es kam so weit, daß er nur noch Speisen für alte Leute essen konnte, weil es ihm sonst den Magen umdrehte. Hüttenkäse und Weißbrot, Karamelpudding und Reis. Er versuchte verzweifelt, nicht an sie zu denken, als er am ersten Samstag im November im Eisenwarenladen zufällig auf Jim Wineman und Sam Romero stieß. Sie trafen sich oft, wenn sie dort nach Feuerzeugbenzin und Schneeketten suchten. Heute war Hennessy wegen einer neuen Säge gekommen, denn Ellen wollte Regale hinter der Waschmaschine und dem Wäschetrockner.

»Bringst du heute die Regale an?« sagte Jim Wineman.

Hennessy stellte fest, daß Jim vermutlich schon vor ihm gewußt hatte, was er dieses Wochenende machen würde. Ellen hatte es Lynne erzählt, und Lynne hatte es Jim erzählt, und da war Hennessy nun, kaufte die Säge und tat genau das, was alle von ihm erwarteten. Eine Zeitlang standen sie in der Nähe des Autozubehörs und diskutierten darüber, welcher der beste Außenspiegel für Sams Studebaker sein könnte, und sie verstummten alle, als Nora Silk mit einem Satz Schraubenzieher an ihnen vorbeiging. Unter dem Arm hielt sie eine Säge, genau wie die, die Hennessy sich kaufen wollte.

»Nicht schlecht«, sagte Sam Romero.

Nora hatte eine schwarze Hose und schwarze Lederstiefel an; ihr Haar war zu einem Pferdeschwanz zurückgebunden, und sie trug silberne Ohrringe in Form von Sternen.

»Ich wette, sie hat es verdammt nötig«, sagte Jim Wineman.

»Was?« sagte Hennessy.

Billy folgte seiner Mutter und schleifte das Baby hinter sich her. Er sah Hennessy an, und ihre Blicke trafen sich, aber Billy sah schnell wieder weg. Er trug eine Art wollenes Cape, das er sich vorne in die Jacke gesteckt hatte und das hinter ihm herflatterte wie der gebrochene Flügel eines Vogels.

»Geschieden«, sagte Jim Wineman. »Ihr wißt schon, was ich meine.«

Jim Wineman und Sam Romero schauten Nora betrübt nach. »Jesus«, sagten beide wie aus einem Munde.

»Ich muß an meinen Regalen arbeiten«, sagte Hennessy zu ihnen. Er ließ sie in der Zubehörabteilung stehen und folgte Nora an die Kasse. Er spürte einen Kloß im Hals.

»Oh, hallo«, sagte Nora, als sie ihn sah. Vor ihr auf der Theke lagen Schraubenzieher und Sicherungen und ein Staubmop. Das Baby saß auf der Theke und zog an der Säge. »Nicht anfassen«, sagte Nora zu ihm.

»Die brauchen Sie nicht zu kaufen«, sagte Hennessy. »Ich habe die gleiche. Ich kann Ihnen meine leihen.«

»Ist das nicht reizend?« sagte Nora zu Billy.

Billy zuckte die Achseln und wandte seine Aufmerksamkeit einem Gestell mit Batterien zu.

»Ich sage ihm dauernd, wie wichtig gute Nachbarn sind«, sagte Nora. »Tatsächlich hatte ich vor, Ihre Frau anzurufen.«

Sowohl Billy als auch Hennessy erstarrten.

»Meine Frau?« sagte Hennessy.

»Ich möchte Stevie zu uns einladen. Er und Billy könnten Freunde werden. Vielleicht sogar ganz dicke Freunde.«

Hennessy merkte, daß Billy kleiner wurde. Es war, als zöge er sich in seine Kleider zurück oder – und das war wahrscheinlich ein Effekt der fluoreszierenden Leuchten über ihnen – als verschwinde er einfach.

»Schreiben Sie diese Säge nicht mit auf«, sagte Hennessy zu dem Kassierer, der Noras Rechnung zusammenstellte.

Nora nahm ihre Brieftasche heraus und griff nach einer Zehn-Dollar-Note. Ihre Nägel waren erstaunlich rot. Sie drehte sich zu Hennessy um und sah ihn direkt an. »Was halten Sie davon?« fragte sie.

Hennessy, überrascht, trat einen Schritt zurück.

»Ich meine die Sache mit den Jungs.«

Nora nahm ihr Paket von der Theke, reichte Billy den Mop und schob James zur Seite, damit Hennessy seine Sachen auf die Theke legen konnte.

»Tja«, sagte Hennessy vorsichtig, »Jungs sind eben Jungs.«

Nora überlegte. »Ich verstehe, was Sie meinen«, sagte sie schließlich zögernd.

»Ich meine, sie müssen selbst Freundschaft schließen. Das muß sich von alleine ergeben.«

Er hätte schwören können, daß Billy sichtbar deutlicher wurde. Der Junge stellte sich hinter seine Mutter, und obwohl er nicht aufblickte, lauschte er aufmerksam.

»Vielleicht haben Sie recht«, sagte Nora.

Sie wartete auf Hennessy, und als sie zusammen hinausgingen, blickte Hennessy Wineman und Romero nicht an. Er hielt Nora die Tür auf, und auf dem Parkplatz entdeckten sie, daß sie direkt nebeneinander geparkt hatten.

»Was für ein Zufall!« sagte Nora. Sie setzte James in den Wagen und öffnete dann die Kofferraumhaube des Volkswagens.

»Gott, ich hasse dieses Auto«, sagte Nora.

Billy hielt noch immer den Mop; im hellen Tageslicht sah er sogar noch blasser aus.

»Bringen Sie Leute um?« fragte Billy Hennessy.

Hennessy schaute auf den Jungen hinunter; sein Haar war auf dem Kopf zu Knoten gedreht.

»Normalerweise brauche ich keine Mörder zu verfolgen«, sagte Hennessy.

»Aha«, sagte Billy. Er schwang den Mop vor und zurück. »So. Haben Sie schon mal jemand umgebracht?«

»Im Krieg«, sagte Hennessy. »In Frankreich.«

»Stevie sagt, Sie bringen fast jeden Tag jemand um«, sagte Billy.

»Das ist eigentlich nicht wahr«, sagte Hennessy. Er konnte Noras rechten Arm sehen, als sie ihn hob, um die Motorhaube zu schließen.

»Ach, ja?« sagte Billy.

»Ja«, sagte Hennessy. »Tatsächlich ist das eine Lüge.«

Nora kam zu ihnen zurück. Sie lächelte und streckte die Arme aus, und einen Augenblick lang war Hennessy verwirrt und hatte weiche Knie. Er trat einen Schritt vor, und als er das tat, neigte Nora den Kopf.

»Die Säge«, sagte sie.

Hennessy blieb wie angewurzelt stehen.

»Sie sagten, Sie könnten sie mir leihen, und ich brauche sie heute. Wenn Ihnen das recht ist.«

»Oh«, sagte Hennessy. »Natürlich.«

Als Billy eingestiegen war und auf dem Rücksitz saß, half Hennessy Nora, die Säge auf dem Beifahrersitz unterzubringen.

»Faßt sie bloß nicht an, Kinder«, sagte Nora. »Tausend Dank«, sagte sie zu Hennessy, während sie sich hinter das Steuer setzte. »Ich brauche mehr Regale.«

Hennessy stand neben seinem Wagen und sah sie abfahren. Er freute sich sehr, daß Jim Wineman und Sam Romero denken würden, er sei auf dem Heimweg, um die Regale zu bauen; die mußten eben warten, bis Nora die Säge zurückgab.

In dieser Nacht, nachdem der Mond aufgegangen war, begann Hennessy von ihr zu träumen. Ellen und die Kinder schliefen schon in ihren Betten, und die Vorhänge waren zugezogen. Hennessy lag unter einem weißen Laken und einer leichten Wolldecke; er trug einen gestreiften Schlafanzug, und seine Füße waren kalt und weiß. Wenn er Nora in seinen Träumen begegnete, zog er sie neben sich in sein Bett. Ellen hörte sie nie, sie drehte sich nicht einmal im Schlaf um. Wieso roch sie das Parfum nicht, das Nora trug? Wieso hörte sie die Bettfedern nicht knarren?

Er knöpfte auf, was immer Nora trug; es kümmerte ihn nicht, daß seine Frau im selben Zimmer schlief. Er legte seine Hände auf Noras Brüste, während Ellen ihre Decke hochzog, während seine Kinder schliefen, während das Holz, das darauf wartete, zu Regalen zugeschnitten zu werden, auf dem Boden des Kellers lag. Sie war so heiß, daß seine Finger brannten, wenn er sie berührte. Er konnte den Wecker auf dem Nachttisch ticken hören, und er hörte das Geräusch des Boilers im Keller. Er ließ eine Hand über ihren Bauch und dann zwischen ihre Beine gleiten. Als sie zu stöhnen begann, legte er seine andere Hand auf ihren Mund, damit Ellen nicht aufwachte. Wieso hörte sie sie nicht? Wieso sah sie nicht, daß sein Mund auf Noras Haut lag? Nein, er konnte sich darum nicht kümmern, er konnte nicht einmal daran denken. Er bewegte sich und drang in sie ein, und dann hörte er überhaupt zu denken auf, und als er aufwachte, weinte er.

Er ging ins Badezimmer und wusch sich das Gesicht, aber danach hatte er Angst, wieder schlafen zu gehen. Er zog sich an und machte sich eine Tasse Pulverkaffee. Er konnte ihn nicht trinken, also ging er und sah nach seinen Kindern, und dann ging er zurück ins Schlafzimmer, nahm seine Pistole vom Nachttisch und ging hinaus zu seinem Auto.

Der Himmel war noch dunkel, als er vor Louies Süßwarenladen parkte. Die Morgenzeitungen waren bereits angeliefert worden.

»Um Himmels willen«, sagte Louie, als Hennessy hereinkam, ein Bündel Newsdays auf dem Arm. »Sie sind aber früh auf.«

Hennessy setzte sich an die Theke und trank eine Tasse

richtigen Kaffee. Er dachte an all diese Menschen, die in seinem Haus schliefen. Er hatte keine Ahnung, ob er seine Frau und seine Kinder überhaupt mochte. Er konnte sich nicht erinnern, welches Lied Ellen gestern vor sich hin gesungen hatte, als er aus dem Eisenwarengeschäft zurückgekommen war, oder welche Entschuldigung Stevie vorgebracht hatte, als er am Morgen nach Halloween gefragt wurde, warum sein Schlafzimmerfenster weit offenstand und warum seine Hände, obwohl er nach dem Baden sofort zu Bett gegangen war, schwarz wie Kohle waren.

Hennessy brauchte erst Stunden später auf dem Revier zu sein, und er konnte nicht nach Hause gehen. Also fuhr er langsam durch die Siedlung. Die Blätter waren alle abgefallen, und die Bäume sahen vor dem blauen Himmel wie schwarze Stöcke aus. Eine schwarze Katze lief über Harvey's Turnpike, und Hennessy fragte sich, ob das nun bedeutete, daß die Katze seinen Weg gekreuzt hatte. Um sicherzugehen, bog er links ab, ehe er die Stelle erreichte, an der die Katze über die Straße gelaufen war. Er fuhr weiterhin langsam, und um Viertel vor sechs befand er sich am Rand der Siedlung. Er fuhr an den Straßenrand und parkte gegenüber dem Haus, in das er wegen des Ehestreits gerufen worden war. Seine Zunge fühlte sich dick an, er hatte Sodbrennen, und sein Nacken schmerzte, als hätte jemand Nadeln hineingestochen. Da die Heizung nicht eingeschaltet war, war es kalt im Wagen, aber Hennessy blieb einfach sitzen. Nach und nach kamen die Männer aus ihren Häusern und gingen zur Arbeit; alle Kinder gingen zur Schule. Um halb neun war noch immer niemand aus dem Haus gekommen, das Hennessy beobachtete. Er stieg aus dem Wagen und überquerte die Straße.

Seine Glieder waren steif, weil er so lange im Auto gesessen hatte. Er ging die Stufen hinauf und klopfte an die Tür, und als niemand antwortete, sprang er von der Vortreppe. Er ging zum Wohnzimmerfenster und schaute hinein, aber noch bevor er das schmutzige Glas abgewischt hatte, um etwas zu sehen, wußte er, daß das Haus leer war.

Eine Frau aus dem Nachbarhaus war auf ihren Rasen getreten und starrte ihn an.

»Sind Sie der Makler?« rief sie.

Hennessy richtete sich auf und ging durch die Büsche. »Ein Freund der Familie«, sagte er.

»Wirklich?« sagte die Frau. »Nun, sie sind nicht da. Sie sind nach New Jersey gezogen.«

»Ach so«, sagte Hennessy.

»Vor drei Wochen«, sagte die Frau.

Hennessy bedankte sich und überquerte den Rasen. Jetzt würde er zu spät zum Dienst kommen; er ließ den Wagen an, wendete und fuhr in Richtung Harvey's Turnpike. Aber ehe er auf das Revier ging, hielt er an einem Drugstore und kaufte eine Flasche Pepto Bismal. Er schraubte sie auf und nahm einen großen Schluck. Dann öffnete er das Handschuhfach und warf die Flasche hinein. Er hatte sich nur ein bißchen verspätet, das war alles. Und warum er sich deshalb so schrecklich elend fühlte, warum er Lust hatte, auf das Gaspedal zu treten und so weit zu fahren, wie er konnte, wußte er nicht.

VIERTES KAPITEL

Der Dieb

Die Straßen waren mit schwarzem Eis bedeckt. Man konnte es nicht sehen, aber es war da, wartete, bis man vom Randstein trat. Autotüren froren zu, Zweige brachen von den Bäumen und fielen in die Gärten, Ampeln waren so dick mit Eis bedeckt, daß man Rot nicht von Grün unterscheiden konnte. Auf Dead Man's Hill gab es eine dünne Eisdecke über dem Schnee; wenn man seinen Schlitten richtig aufstellte, genau in die Spuren der vielen Vorgänger, sauste man los wie der Blitz, und abends kam man den Autos auf der Southern State so nahe, daß das Scheinwerferlicht blendete; tagsüber machte das vom Schnee reflektierte Sonnenlicht so benommen, daß man einfach liegenblieb, wenn der Schlitten sich überschlagen hatte, und dann in panischer Angst aufstand, überzeugt, man werde auf der Stelle festfrieren, wenn man sich nicht rühre.

Aber weder das Eis noch die ungewöhnliche Kälte hielten Jackie McCarthy davon ab, seinen Chevy jeden Freitag zu waschen und jeden zweiten Samstag zu polieren. Er trug schwarze Baumwollhandschuhe, von denen die Fingerspitzen abgeschnitten waren, damit er die Wattestäbchen halten konnte, mit denen er den Schmutz von den silbernglänzenden Radkappen entfernte. Am liebsten benutzte er Turtle Wax, die Wärme seines Atems und ein weiches Geschirrtuch, das er aus dem Küchenschrank seiner Mutter gestohlen hatte. So bekam er einen wirklich guten Glanz, einen so strahlenden Glanz, daß er sein eigenes Spiegelbild auf dem hinteren Kotflügel sah, wenn er lächelte. Er ließ den Schlüssel immer im Zündschloß stecken, hatte das Fenster heruntergekurbelt, und das Radio lief. Während er arbeitete, sang er »Oh, Baby« und »Sweet little sixteen«. Wenn er sich selbst im Seitenspiegel sah, legte er all sein Gefühl hinein, als stehe er auf der Bühne. Yeah, dachte er bei sich, yeah, yeah, yeah.

Er war froh und tatendurstig, und er hatte jetzt fast immer Geld in der Tasche. Er und Pete und Dominic Amoto hatten sich noch einen Wagen aus der Garage des Heiligen geholt, Mr. Shapiros zwei Wochen alten Cadillac. Ehe sie ihn hinunter zum Queens Boulevard fuhren, wo Petes Vetter ihnen Bargeld dafür gab, waren sie nach Jones Beach hinausgefahren bevor die Schneepflüge die Straßen geräumt hatten, und das war ungefähr die schönste Fahrt, die Jackie je gemacht hatte. Sicher, es stimmte schon, am Morgen mußte er dafür bezahlen, weil er neben seinem Vater stehen und von einem Fuß auf den anderen treten mußte, während der Heilige die Garage aufsperrte und sah, daß der Caddy verschwunden war. Jackie dachte, er wisse, was er zu erwarten habe, und in gewisser Weise freute er sich darauf, wie der Heilige in die Luft gehen würde. Als er den Schlüssel ins Garagenschloß steckte, atmete Jackie tief ein. Jetzt ist es soweit, sagte er sich. Jetzt dreht der Heilige durch, jetzt schreit er los, schlägt mich vielleicht sogar. Aber nachdem das Tor zur Seite geschoben war, stand der Heilige nur da, und dann brach er zusammen und stützte sich gegen die Wand, als habe ihn jemand geschlagen.

»Was ist los, Vater?« sagte Jackie. Er hatte vorgehabt, sich wirklich lässig zu verhalten, aber seine Stimme brach.

Der Heilige hatte sich in die Einfahrt der Garage gesetzt, mitten in die Ölspuren und Benzinpfützen und den restlichen Schmutz, den sie nie loswurden, obwohl der Heilige täglich putzte.

»Nun komm, Vater«, sagte Jackie. Als er niederkniete und seinem Vater auf die Beine half, fühlte sich der Heilige in seinen Armen wie ein Bündel Reisig an. Jackie führte seinen Vater ins Büro und zu einem Metallstuhl mit harter Rückenlehne. Was Jackie sich wirklich wünschte, war eine Zigarette, aber er hatte noch nie in Gegenwart des Heiligen geraucht, und jetzt wollte er ganz bestimmt nicht damit anfangen. Ehe er die Polizei anrief, telefonierte der Heilige mit Phil Shapiro. Gott, es machte Jackie ganz krank, daß er sich immerzu entschuldigte und dann so verdammt still war, obwohl Jackie wußte, daß Shapiro am anderen Ende der Leitung ihm die Hölle heiß machte. Als er es nicht mehr aushalten konnte, beugte Jackie sich vor und schlug mit der Hand auf die Gabel des Telefons, um das Gespräch zu unterbrechen. Verwirrt sah der Vater zu ihm auf.

»Das brauchst du dir von ihm nicht gefallen zu lassen«, sagte Jackie. »Soll er doch woanders hingehen.«

»Es war meine Schuld«, sagte der Heilige.

»Vater«, sagte Jackie, »der Wagen wurde gestohlen.«

»Ich hätte eine Alarmanlage haben sollen«, sagte der Heilige und wiederholte damit, was Shapiro zuletzt gesagt hatte.

»Hör mal«, sagte Jackie, »der Mann ist versichert. Er kann sich 'nen neuen Caddy leisten.«

Jackie hatte sich umgedreht, um seine Lederjacke an einen Haken zu hängen. Daher sah er nicht, daß der Heilige aufstand und auf ihn zukam, merkte nicht einmal, was geschah, bis der Heilige ihn packte und gegen die Wand drückte. Das war es, das war die Explosion, von der Jackie gemeint hatte, er wünsche sie sich; endlich würde er sehen, daß der Heilige sich benahm wie ein Mensch. Aber es war nicht so, wie Jackie erwartet hatte, es war schrecklich anzusehen, und Jackie empfand keinerlei Befriedigung, als der Heilige ihn losließ; als er zurücktrat, sah er kleiner aus denn je, als könne man ihn mit einer einzigen starken Hand zerbrechen.

Eine Stunde später, als Hennessy eintraf, war Jackie draußen in der Werkhalle und reparierte einen Vergaser, aber der Heilige saß noch immer an seinem Schreibtisch und starrte durch das Glasfenster. Hennessy fuhr in seinem neutralen schwarzen Ford vor, der ein aufsteckbares Blaulicht hatte, das er unter dem Sitz aufbewahrte. Er parkte neben der Luftpumpe und stieg aus. An der Tankstelle waren keine Kunden, und er konnte hören, daß in der Garage das Radio eingeschaltet war. »I only have eyes for you«. Hennessy ging weiter und betrat das Büro, und als die Tür hinter ihm zufiel, sah John McCarthy nicht einmal zu ihm auf.

»Die Straßen draußen sind unglaublich«, sagte Hennessy. »Höllisch glatt.« Er ging hinüber zu der Kaffeemaschine, die McCarthy immer auf einem kleinen Fichtenholztisch stehen hatte, und goß sich eine Tasse Kaffee ein. Dann bemerkte er, daß der Kaffee von gestern und kalt war. Hennessy stellte die Tasse auf den Tisch zurück und wünschte sich, jemand anderer hätte den Anruf entgegengenommen.

»Ich war für den Wagen verantwortlich«, sagte McCarthy.

»Ich sage das ungern«, sagte Hennessy, »aber solche Sachen passieren dauernd. War die Garage aufgebrochen?«

»Er hat den Wagen gebracht, weil eine Tür quietschte. Er hätte ihn zum Händler zurückbringen können, aber ich hatte angeboten, das zu richten. Die Tür brauchte nur ein bißchen Öl«, sagte McCarthy. »Das war alles.«

»Sind Fenster eingeschlagen worden?« fragte Hennessy.

John McCarthy schüttelte den Kopf. »Ich brauche eine Alarmanlage.«

Hennessy zündete eine Zigarette an und sah sich um. Der Fußboden war so sauber, daß er nicht wagte, das Streichholz einfach fallen zu lassen; schließlich steckte er es in die Manteltasche.

»Versuchen Sie sich zu erinnern«, sagte Hennessy. »Haben Sie gestern abend die Garagentür abgeschlossen?«

Ein Vorhang aus blauem Rauch hing zwischen ihnen. An der Scheibe des Glasfensters bildete sich Eis.

»Ich weiß nicht«, sagte John McCarthy. »Ich kann mich nicht erinnern.«

Hennessy gab McCarthy den Polizeibericht zum Ausfüllen und ging hinaus in die Werkhalle. Dort war es kälter, und weiter entfernt von dem kleinen elektrischen Heizgerät, das auf dem Zementboden stand, war es geradezu eisig. Jackie kniete auf dem Zement und sang zur Musik aus dem Radio, das er auf die Werkbank gestellt hatte. »My love is a real love, maybe millions of people walk by.« Er hatte Hennessy vorfahren sehen, und jetzt spürte er, daß der Polizist hinter ihm stand, aber er sang weiter.

»Vielleicht wird aus dir noch ein Ed Sullivan«, sagte Hennessy.

Jackie drehte sich um, als sei er überrascht. »Mr. Hennessy«, sagte er und stand auf. »Ja«, grinste er, »vielleicht.«

Jackie sah zu, wie Hennessy die Garage untersuchte. Keine zerbrochenen Scheiben, kein geknacktes Schloß.

»Zu blöd, nicht?« sagte Jackie. »Shapiro brachte den Wagen nur, um die Türen ölen zu lassen. Mein Vater wäre nicht so betroffen, wenn nicht vor einiger Zeit das mit der Corvette gewesen wäre.«

»Vergißt dein Vater manchmal, das Tor abzuschließen?«

sagte Hennessy. Er stand bei dem Doppeltor und überprüfte es.

»Mein Vater?« sagte Jackie. »Nie. Er vergißt nicht mal, jeden Tag den Boden zu wischen.«

Hennessy schaute auf den Zement hinunter. Es gab keine Stelle, an der er seine Zigarette hätte ausdrücken können; er ließ sie also zwischen seinen Fingern herunterbrennen.

»Vergißt du es manchmal?« fragte Hennessy beiläufig.

»He«, sagte Jackie grinsend. In den Ohren hörte er seinen eigenen Pulsschlag. »Ich bin vielleicht blöd, aber so blöd auch wieder nicht.«

»Tja«, sagte Hennessy. »Nun ja, tu mir einen Gefallen. Halt ein Auge auf deinen Vater.«

»Wie meinen Sie das?« fragte Jackie. Er schaute zum Büro hinüber. Der Heilige war damit beschäftigt, den Bericht auszufüllen, daher nahm Jackie an, er könne sich rasch ein paar Züge gönnen. Er nahm eine Zigarette und sein silbernes Feuerzeug heraus. Er bog den Kopf vor dem Feuerzeug zurück, als die Flamme hochschoß, und zündete vorsichtig seine Zigarette an.

»Ich weiß nicht«, sagte Hennessy. »Er ist verwirrt. Er weiß nicht, ob er abgeschlossen hatte oder nicht.«

Da wußte Jackie, daß er es geschafft hatte. Hennessy hegte keinerlei Verdacht. Jackie schaute über die Schulter, um sicher zu sein, daß sein Vater ihn nicht beim Rauchen ertappte. Dann nahm er einen tiefen Zug aus seiner Zigarette und ließ die Asche auf den Boden fallen.

»Ja, sicher«, sagte er zu dem Polizisten. »Ich werd ihn im Auge behalten.«

An diesem Abend beim Essen verlor keiner ein Wort über den Cadillac. Der Heilige aß schnell und ging dann hinaus, um Salz auf den Bürgersteig vor dem Haus zu streuen, damit die Schulkinder am nächsten Morgen nicht hinfielen. Er kümmerte sich immer um den Gehsteig, und zwar am Haus der Oliveras vorbei bis an die Ecke. Nach einer Stunde war der Heilige noch immer nicht zurück, sondern stand dort draußen auf dem Randstein, den Sack mit Streusalz in der Hand.

Ace hörte erst am nächsten Morgen von dem Cadillac, aber er wußte, wer der Dieb war, sobald Danny ihn einholte und sagte: »Du wirst es nicht glauben, verdammt. Das Auto von meinem Vater ist direkt aus eurer Garage geklaut worden.«

»Ach, ja?« sagte Ace. Kein weiteres Wort, kein Husten, kein Achselzucken. Nichts.

»Mein Vater ist reif für die Klapsmühle«, sagte Danny. »Der sanfte Phil ist verrückt geworden.«

Aces schlechtes Blut wurde aus seinem Herzen gepumpt; es kam nicht in Frage, seinen Bruder an Danny zu verraten.

»Er wird sich einen neuen Caddy kaufen und sich wieder beruhigen«, sagte Ace.

»Tja, ich soll dein Haus nicht mehr betreten«, sagte Danny.

»Ach, komm«, sagte Ace. »Im Ernst?«

»Er ist total aus dem Häuschen«, sagte Danny. »Um ehrlich zu sein, spinnt er schon eine ganze Weile. Er geht um sechs Uhr morgens zur Arbeit und kommt um neun nach Hause. Man sieht ihn überhaupt nicht mehr. Aber dieser Cadillac hat ihm wirklich den Rest gegeben.«

Ace zündete sich eine Zigarette an und dachte daran, wie sich sein Bruder gestern abend am Eßtisch zurückgelehnt hatte, grinsend wie ein Millionär, während er um eine zweite Portion Kartoffeln bat. Er wünschte, er könnte die Schule schwänzen und wieder ins Bett gehen. Weiter oben in der Straße sah er Rickie Shapiro mit ihrer Freundin Joan. Rickie trug Lederstiefel mit hohen Absätzen, und hin und wieder verlor sie wegen des Eises ihr Gleichgewicht und griff nach Joans Arm. Etwas an ihr war verändert; ihr Haar war nicht mehr glatt, sondern dicker und irgendwie wild, als hätte sie den Versuch aufgegeben, es zu bändigen. Wenn sie atmete, stieg eine weiße Dunstwolke auf und hüllte sie ein.

»Hast du den Aufsatz geschrieben?« fragte Danny.

»Oh, Scheiße!« sagte Ace.

Danny griff in seine Bücher und zog seinen Aufsatz heraus. »Hier«, sagte er zu Ace.

Ace blieb stehen und betrachtete das Papier.

»Du brauchst nur die Titelseite abzureißen«, sagte Danny.

»Und was gibst du ab?« fragte Ace.

»Ich hab ja schon einen guten Notendurchschnitt«, sagte Danny. »Er wird mich um eine Note runtersetzen, wenn ich den Aufsatz nicht habe. Aber dich würde er durchfallen lassen.«

Ace wußte, daß man das von keinem annehmen durfte, den man nicht als einen Bruder betrachtete. Er fühlte sich völlig kalt, hypnotisiert von Rickies rotem Haar, ein Opfer seines eigenen bösen Blutes.

»Danke«, sagte Ace. Er legte den Aufsatz oben auf die Bücher, die er aus der Schule mit nach Hause nahm, aber niemals öffnete. »Du hast was gut bei mir.«

»Ja«, sagte Danny. »Aber lies den Aufsatz, bevor du ihn abgibst, damit du Miller antworten kannst, wenn er dich danach fragt.«

Nachdem sie die Schule betreten hatten, ging Ace zu seinem Schrank im ersten Stock. Vor ihm gingen Rickie und ihre Freundin, und er dachte daran, wie sein Vater Salz auf den Gehsteig gestreut hatte. Als er seinen Schrank erreichte, stellte er rasch die Kombination des Schlosses ein, warf seine Jacke hinein und knallte die Tür wieder zu. Er ging um die

Ecke und blieb bei Rickies Schrank stehen. Sie hatte einen Spiegel innen an die Schranktür gehängt und bürstete ihr Haar.

»Mir gefällt deine Frisur«, sagte Ace.

Rickie sah zu ihm auf, zog ein Gesicht und wandte sich dann wieder dem Spiegel zu.

»Dein Vater ist wirklich aus dem Häuschen, was?« sagte Ace.

»Oh, nein«, sagte Rickie. »Er liebt es, wenn man ihm sein zwei Wochen altes Auto klaut. Er ist geradezu begeistert.«

Sie steckte die Haarbürste in ihre Handtasche und schloß dann ihren Schrank. Als sie sich umdrehte, um an Ace vorbeizugehen, blickte sie auf seine Bücher hinunter.

»Was ist das?« fragte sie. Sie sah näher hin und erkannte den Aufsatz, an dem Danny am Vorabend gearbeitet hatte. »Du läßt ihn ohne den Aufsatz in die Klasse gehen?«

»Keine große Sache«, sagte Ace. »Er verschlechtert sich dadurch nur um eine Note.«

»Du machst mich echt krank«, sagte Rickie.

Sie hatte ihn schon öfters schnippisch behandelt, aber Ace spürte, daß er diesmal wütender wurde, als er eigentlich sollte. Als Rickie an ihm vorbeigehen wollte, rührte er sich nicht.

»Ach, ja?« sagte er.

»Laß mich bitte durch«, sagte Rickie.

Ace wich nicht von der Stelle. Ihr Haar machte ihn blind; es war umwerfend. Rickie sah ihn angewidert an. Sie bewegte sich nach links, und Ace tat dasselbe. Sie trat einen Schritt vor, und Ace versperrte ihr sofort den Weg.

»Laß das«, sagte Rickie, die in Panik geriet.

Ace trat auf sie zu und drückte sie gegen die Schränke. Rikkie spürte das kalte Metall durch ihren Pullover und ihre

Bluse und ihren BH. Auf ihren Backen waren heiße, rote Flekken.

»Laß das«, wiederholte Ace so drohend, daß er selbst überrascht war.

Die Gänge waren jetzt leerer. Larry Reinhart kam vorbei und schlug Ace grüßend auf den Rücken, aber Ace drehte sich nicht um. Er drängte sich noch näher an Rickie. Er roch nach etwas Zitronenhaftem wie Seife oder Shampoo. Rickie sah an ihm vorbei den Gang entlang, als könnte etwas sie retten. Ace spürte, wie sein böses Blut heißer wurde, er spürte, wie er hart wurde. Am liebsten hätte er sie auf der Stelle gevögelt, auf dem Linoleumboden oder im Stehen an die Schränke gelehnt. Rickie drehte das Gesicht und erwiderte seinen Blick, und da sah Ace, was er schon viele Male gesehen hatte, wenn andere Mädchen ihn anschauten. Ihm wurde klar, daß er sie hatte.

»Ich mach dich krank, was?« sagte er ganz leise, aber er wußte, daß sie ihn hören konnte.

Rickie sah so verängstigt aus, daß Ace schließlich zurücktrat. Es gab aber noch einen anderen Grund, warum er zurücktreten mußte. Er merkte, daß auch sie ihn hatte. Die Glocke läutete, und Rickie bewegte sich noch immer nicht. Ace drehte ihr den Rücken zu und machte sich so schnell er konnte davon. Er kam zu spät, daher schlüpfte er in sein Klassenzimmer, als der Lehrer ihm gerade den Rücken zuwandte.

Er legte seine Füße auf sein Pult. Im Klassenzimmer roch es nach Schweiß und nasser Kreide; wenn man zu tief einatmete, konnte man ohnmächtig werden. Auf dem Sitz vor ihm rutschte Cathy Corrigan zur Seite, als Ace seinen Stiefel gegen ihren Rücken drückte. Ihr Haar war hochfrisiert und mit Haarlack befestigt; sie trug einen geraden schwarzen Rock und eine weiße Bluse mit Rüschen an Hals und Handgelenken. Cathy arbeitete nach der Schule bei A&P und war als

Flittchen wohlbekannt, aber sie beklagte sich nie, wenn Ace seine Füße auf den Tisch legte. Sie sagte kein Wort. Cathys Hals war schneeweiß, und jedesmal, wenn sie den Kopf neigte, schwangen ihre roten Kreolenohrringe vor und zurück. Letztes Frühjahr hatten zwei Burschen, die Ace kannte, geschworen, sie seien persönlich dabeigewesen, als Larry Reinharts älterer Bruder Cathy dazu überredet hatte, sich von seinem Hund vögeln zu lassen, und zwar unten im Keller, wo es einen Pingpongtisch und einen kleinen Eisschrank gab, in dem Larrys Vater Bier und Mineralwasser aufbewahrte. Ace starrte auf Cathys Hals, während der Klassenlehrer mit dem Unterricht begann. Er hätte Dannys Aufsatz lesen sollen, aber statt dessen dachte er an Rickie und spürte, wie ihm wieder ganz heiß wurde. Cathy Corrigan sah ihn über die Schulter hinweg an; sie hatte ein weiches, zerknittertes Gesicht und blaue Augen. Ace war verlegen, als könnnte sie seine Gedanken lesen und ihn dabei ertappen, daß er Rickie begehrte, aber dann merkte er, daß Cathy versuchte, ihre Tasche zu bewegen, die sie über die Stuhllehne gehängt hatte. Ace hatte mit einem seiner Stiefel das weiße Kunstleder berührt, und jetzt hatte die Tasche auf einer Seite einen schwarzen Fußabdruck.

»Tut mir leid, Cathy«, sagte Ace.

»Schon gut«, sagte Cathy. Sie nahm ein Papiertaschentuch aus der Tasche und versuchte, den Fußabdruck abzuwischen.

»Probier's mit Pinesol«, schlug Ace vor. »Das benutzt meine Mutter dauernd.«

»Ja«, sagte Cathy. »Pinesol.«

»Oder Ammoniak«, sagte Ace. »Das könnte auch gehen.«

»McCarthy!« rief der Lehrer.

Ace verstummte. Danny Shapiro rutschte auf seinem Sitz herum und grinste ihn an, und Ace merkte, daß Danny dachte, er versuche mit Cathy anzubandeln.

Ace beugte sich auf seinem Sitz vor. »Das ist 'ne schöne Tasche«, flüsterte er. »Wirklich hübsch.«

Cathy drehte sich um und lächelte so breit, als habe er ihr gerade das größte Kompliment der Welt gemacht, als habe niemand je zuvor ein nettes Wort zu ihr gesagt. Ace fühlte sich deswegen nur noch schlimmer; er wünschte, sein schlechtes Blut würde vollkommen die Oberhand über ihn gewinnen. Er wünschte, er bräuchte sich nicht zu entschuldigen. Er saß da, wartete auf das Läuten der Glocke und versuchte, nicht seinen eigenen schwarzen Fußabdruck zu sehen. Als die Stunde endlich vorbei war, schob er Danny auf dem Gang den Aufsatz wieder zu, ehe dieser auch nur ein Wort sagen konnte. Warum auch nicht? Dieser Schwächling Miller würde ihn niemals durchfallen lassen, bloß weil er einen einzigen Aufsatz nicht geschrieben hatte. Wenn er es täte, hätte er ja Ace für ein weiteres Jahr in seiner Klasse.

Den ganzen Tag über spürte er, wie er Rickie Shapiro mehr und mehr verfiel, und am Nachmittag war er völlig in ihrem Bann. Er war überzeugt, der einzige Mensch zu sein, dem das je passiert war. Die Leute konnten nicht mit solchen Gefühlen herumlaufen und normal weiterleben. Er konnte den Gedanken nicht ertragen, was der Heilige sagen würde, wenn er wüßte, was Ace auf dem Gang mit Rickie hatte machen wollen. Er hatte ihren Rock hochziehen und seine Hand in ihren Slip schieben wollen, er hatte sie stöhnen machen wollen, hatte fühlen wollen, wie naß sie war, wie bereit sie für ihn war, wie sie ihn gegen ihren Willen begehrte. Der Heilige, das wußte er, würde kein Wort sagen. Es wäre die Enttäuschung in seinen Augen, die alles verraten würde, die ihm zeigen würde, für wie verdammt unrein er Ace hielt. Jackie würde viel zu sagen haben. Du Idiot, das würde er sagen, nicht, weil Ace scharf auf sie war, sondern weil er tatsächlich dumm ge-

nug war, sie zu mögen. Sie glaubt, sie sei zu gut für dich. Du
brauchst sie bloß zu nehmen. Du brauchst sie bloß zu nehmen
und dann wegzugehen. Geh weg, Mann, und noch besser
wäre es, wenn du dafür sorgst, daß sie verrückt nach dir ist,
bevor zu gehst. Ja, laß sie deinen Namen rufen, wenn du
gehst. Sie soll Tränen in den Augen haben.

Jackie hatte einmal eine feste Freundin gehabt, Jeanette, und
wenn sie zusammen waren, pflegten sie sich in ihrem Zimmer
einzuschließen, sogar dann, wenn ihre Eltern zu Hause waren. Jeanette war das egal, aber ihr war nicht egal, daß Jackie
nie mit ihr redete; er ließ sie allein auf dem Rücksitz sitzen,
wenn er mit seinen Freunden herumfuhr, und schließlich verließ sie die High School und heiratete einen Polizisten drüben
in Rockville Center, und jetzt schickte sie jedes Jahr eine
Weihnachtskarte, adressiert an die ganze Familie. Wenn Jakkie zufällig die Post hereinholte, warf er ihre Karte immer
weg; er wußte nicht einmal mehr, wie sie aussah, und wenn er
in den Fotoalben von Freunden ihr Bild fand, sagte er regelmäßig: »Wer zum Teufel ist denn das?«
    Jackie kannte Cathy Corrigan, ebenso seine Freunde Pete
und Dominick, aber es gab eine Menge Jungs, die sie kannten,
und das war nicht unbedingt etwas, worauf man stolz war
oder das man auch nur zugab. Man ging zu Cathy Corrigan,
wenn man es dringend nötig hatte oder wenn man wollte, daß
ein Mädchen Sachen tat, die niemand mit klarem Verstand
tun würde. Tatsächlich war sie hübsch, auch wenn sie einen
leichten Silberblick hatte. Das Traurige war, daß sie nach all
den schlimmen Dingen, die er ihr angetan hatte, wirklich auf
Jackie stand. Sie wohnte am unteren Ende der Hemlock
Street, und Jackie wußte, daß sie manchmal kam, um nach
ihm Ausschau zu halten; sie kam dann zufällig vorbei, wenn er

an seinem Auto arbeitete, und zufällig trug sie etwas, von dem sie dachte, es würde ihm gefallen, eine neue Handtasche oder einen Rock, der so kurz war, daß kein anderes Mädchen gewagt hätte, sich darin zu zeigen. Er sagte ihr einmal, er fände Kreolenohrringe sexy, und seither sah man Cathy nie mehr ohne sie, einfach, weil sie ihm gefielen. Das machte es Jackie leichter, grausam zu sein.

Zwei Abende nach dem Diebstahl des Cadillac fühlten sich Jackie und seine Freunde noch immer wie große Helden. Es war ein Freitagabend, und die Straßen waren noch vereist; die Zweige der Mimosen und Weiden waren gefroren, und die Kettenzäune in den Hintergärten waren in silbrige Eisklumpen gehüllt. In Louies Süßwarenladen war Sägemehl auf den Linoleumboden gestreut, damit die Kunden nicht ausrutschten, wenn sie Zigaretten oder Kaugummi kaufen wollten. Um halb fünf wurde es dunkel, und um sieben, als Jackie und seine Freunde auf den Parkplatz fuhren, war es stockfinster. Sie hatten keine besonderen Pläne – bei Louie ein paar Zigaretten holen, dann vielleicht weiterfahren zur Bowlingbahn. Alle drei trugen blankgeputzte schwarze Stiefel, und ihr Haar war zurückgekämmt und so naß, daß sich Eiskristalle gebildet hatten, bis sie den Süßwarenladen betraten.

»Seht euch das an«, sagte Pete, während Louie ihnen Zigaretten holte.

Jackie griff nach einer Packung Kaugummi und schob sie in die Tasche, ohne zu bezahlen. Er schaute hinüber zur Theke und sah Cathy Corrigan auf dem letzten Hocker sitzen. Sie trug einen Mantel aus Webpelz, der wie Skunk aussah, und über ihrer Schulter hing eine schmutzige weiße Tasche.

»Was für ein Stück Dreck«, sagte Jackie.

»Ja«, stimmte Dominick zu.

»Wollt ihr sie?« fragte Jackie grinsend.

Dominick und Pete grinsten zurück. Jackie legte etwas Kleingeld auf die Theke, nahm seine Schachtel Marlboro und ging hinüber zur Bar. Cathy trug unter ihrem Mantel noch ihren weißen Kittel von A&P. Vor ihr stand ein Hamburger; ihre Zigaretten und ein goldenes Feuerzeug lagen direkt neben der Ketchup-Flasche. Jackie lehnte sich an den Hocker, der neben ihr stand.

»Komm nach draußen«, sagte er, ohne sie anzusehen. Er zündete sich eine Zigarette an, und als er spürte, daß sie ihn anstarrte, ging er zurück in den vorderen Teil des Ladens. Draußen warteten Pete und Dominick.

»Und?« sagte Pete.

»Sie kommt gleich«, versicherte ihm Jackie.

Sie standen in der Kälte und rauchten. Irgendwo in der Ferne ertönte eine Sirene. Der Wind rüttelte an den rosa Neonbuchstaben von Louies Ladenschild und ließ sie gegen die Backsteinmauer schlagen. Cathy Corrigan kam heraus und blieb dann stehen.

»Du hast nicht gesagt, daß noch jemand da ist«, sagte sie zu Jackie.

»Was kümmert dich das?« sagte Jackie.

Jackie drehte sich um und ging auf seinen geparkten Wagen zu. Dominick und Pete grinsten einander an und folgten ihm, und bald danach konnten sie hören, daß Cathy hinter ihnen herkam, vorsichtig über das Eis stakste. Sie fuhren hinüber zur Bowlingbahn, parkten auf dem hinteren Teil des Parkplatzes, wo es dunkel war, und fickten Cathy abwechselnd auf dem Rücksitz. Jackie kam als erster an die Reihe, dann Pete, der sie schon früher gehabt hatte. Dann hatten sie einige Schwierigkeiten mit ihr und mußten sie förmlich dazu überreden, auch Dominick zu nehmen.

»Was bin ich denn, ein Sozialfall?« sagte Dominick.

Sie sagten ihm, er solle den Mund halten, und schworen Cathy, Dominick hätte es noch nie gemacht, und sie erweise ihm einen großen Gefallen. Als das nicht wirkte, machte Jakkie ihr klar, daß er sie erst nach Hause fahren würde, wenn sie es getan hatte. Pete und Jackie standen draußen und sahen durch das Fenster zu, wie Dominick sie fickte. Es war eiskalt, und sie hörten die Musik aus der Jukebox in der Bowlingbahn. Sie sahen Dominicks weißen Hintern und die weißen Monde von Cathys Brüsten. Keiner von ihnen hatte daran gedacht, sie auszuziehen, als sie an der Reihe waren.

»Ich will sie mit nach Hause nehmen und meiner Mutter vorstellen«, sagte Pete gedehnt.

»Ja«, lachte Jackie, »und ich kümmere mich um den Verlobungsring.«

Pete klatschte in die Hände und blies dann auf seine Finger. »Mann, dieser Hund«, sagte er.

Jackie suchte den Parkplatz nach Cadillacs ab. Er hatte nie einen komfortableren Wagen gefahren, besser als sein Chevy, besser als eine Corvette. Pete stieß ihn hart mit dem Ellbogen an.

»Der Hund«, sagte er. »Kapiert?«

Dominick stieg aus und stopfte sich das Hemd in die Hose. Im Wagen faltete Cathy Corrigan ihren Arbeitskittel zusammen; sie kramte im Dunkeln in ihrer Handtasche herum, bis sie ihren Stielkamm fand.

»Du weißt doch, was man sagt«, sagte Pete zu Jackie. »Sie fickte einen Hund und kriegte dann ein Junges von ihm.«

»Erzähl keinen Scheiß«, sagte Jackie. Er nahm eine Zigarette heraus und versuchte, sie gegen den Wind anzuzünden.

»Ich schwör's«, sagte Pete. »Sie hat das gottverdammte Junge zu Hause gekriegt. Ich sage dir, Mann, der Hund ist von ihr. Vermutlich läßt sie ihn an ihren Titten saugen.«

»Du bist ein Trottel«, sagte Jackie zu ihm. »Hat dir das schon mal jemand gesagt?«

»Klar«, sagte Pete. »Als ob mir das was ausmachte!«

Die drei Freunde saßen vorne, als sie zur Hemlock Street zurückfuhren. Dominick schaute über die Schulter, als sie in die Poplar Street einbogen. »Mein Gott«, sagte er. »Sie weint.«

»Ich steige aus«, sagte Pete. »Setz mich an der Ecke ab.«

Als Jackie an den Straßenrand fuhr, stiegen Dominick und Pete aus. »Vielen Dank«, rief Jackie ihnen nach. Er schaute in den Rückspiegel. Cathy Corrigan gab keinen Laut von sich, aber es war Vollmond, und im Mondlicht konnte Jackie sehen, daß Tränen über ihre Wangen liefen. »Um Himmels willen«, sagte er. »Mach dir keine Sorgen. Ich fahr dich nach Hause.« Er griff nach seinen Zigaretten. Als er wieder in den Rückspiegel schaute, weinte sie noch immer. »Oh, verflucht«, sagte er. Er drückte den Zigarettenanzünder. »Also gut. Du kannst vorne sitzen.«

Cathy stieg aus und kam um den Wagen herum zum Beifahrersitz. Um jedes Auge hatte sie einen Kreis von Wimperntusche. Sie sah aus wie etwas, das man auf der Straße überfahren hatte.

»Du hättest mir vorher von ihnen erzählen können«, sagte sie.

»Verklag mich doch«, sagte Jackie. Er startete und legte den Gang ein; er war vollkommen Herr der Situation. Cathy sah ihn an, aber sie sagte kein Wort, als er durch die Hemlock Street und an ihrem Haus vorbeifuhr. Jackie fuhr auf den Lehrerparkplatz hinter der Schule. Er hatte die High School gehaßt, aber jetzt kam er dauernd wieder hin, und er wußte nicht einmal warum.

»Zieh dich ganz aus«, sagte er zu Cathy.

»Was meinst du?« sagte Cathy.

Er wußte, wenn ihre Stimme so hoch wurde, dann hatte sie Angst. Er ließ den Motor laufen, damit die Heizung arbeitete, und schaltete das Radio ein. »Ich meine, daß ich noch nicht fertig bin«, sagte er.

Cathy starrte ihn an, argwöhnisch, als wolle er alle ihre Kleider nehmen, sie aus dem Auto stoßen und dann einfach zurücklassen. Das war ihr schon einmal passiert, in einem anderen Auto, mit einem anderen Jungen.

»Ach, um Himmels willen, Cathy«, sagte Jackie. »Vertrau mir!«

Cathy Corrigan lachte. Es war ein kleiner, trockener Laut, als sei mit ihrer Kehle etwas nicht in Ordnung. Sie zog ihren Mantel aus, begann, ihre weiße Bluse aufzuknöpfen, und nahm all ihren Mut zusammen.

»Du hast mich nie geküßt«, sagte sie.

»Na und?« sagte Jackie.

»Ich weiß nicht«, sagte Cathy. »Es fiel mir nur eben ein.«

Wenn er es nicht täte, würde sie es ihm schwerer machen, und keiner würde es je erfahren. Er packte Cathy und zog sie an sich. Er küßte sie leicht und war überrascht, daß sie nach Erdbeeren schmeckte. Sie war gar nicht so übel. Er küßte sie weiter und knöpfte schließlich ihre Bluse auf. Wenn er sie nicht geküßt und das Radio nicht so laut aufgedreht hätte, hätte er vielleicht bemerkt, daß ein zweiter Wagen auf den Parkplatz gefahren war. Als Pete den Oldsmobile seines Vaters anhielt und das Licht seiner Scheinwerfer auf Jackies Chevy fiel, fühlte Jackie, wie etwas Kaltes ihn durchfuhr. Er riß sich von Cathy los. Durch die beschlagene Windschutzscheibe konnte er Pete, Dominick und Jerry Tyler sehen, aber die Gesichter der anderen Jungs konnte er nicht erkennen.

»Runter«, sagte Jackie zu Cathy.

Cathy sah ihn fragend an, bis sie schließlich kapierte, was er meinte. Er wollte nicht, daß jemand sie zusammen sah. Es war tödlich, beim Knutschen mit ihr erwischt zu werden.

»Setz dich auf den Boden«, sagte Jackie.

Seine Stimme brach, und vielleicht war das der Grund, warum Cathy sich aufrichtete und sagte: »Nein, das mache ich nicht.«

Jackie starrte sie an; er wollte sie schlagen, aber dazu hatte er keine Zeit. »Dann steig auf den Rücksitz«, befahl er, und als sie sich nicht bewegte, gab er ihr einen Stoß. »Los!«

Er stieß sie so heftig, daß sie halb über die Rückenlehne flog. Die anderen Jungs hatten die Wagenfenster heruntergekurbelt, riefen ihm lachend Bemerkungen zu und schalteten die Scheinwerfer ein und aus. Er saß hier mit ihr in der Falle; er mußte etwas unternehmen. Geblendet von den Scheinwerfern griff er nach unten und legte den Gang ein. Er ließ die Kupplung so schnell los, daß Cathy nach rückwärts geschleudert wurde; sie stieß ein leises Keuchen aus, als er das Gaspedal heruntertrat, und klammerte sich mit den Fingernägeln an die Rückenlehne.

Zuerst fuhr der Chevy geradeaus; Jackies Fuß war so schwer, daß er das Gaspedal nicht hätte loslassen können, selbst wenn er es versucht hätte. Aber er hatte keine Zeit mehr dazu, als sie das Eis erreichten. Der Chevy beschrieb einen Kreis und schlitterte weiter, zu einer Seite gelehnt, so daß die Tür den Boden streifte. Nichts hätte sie stoppen können, als sie in den Kettenzaun fuhren, der den Parkplatz vom Sportplatz trennte. Sie flogen über das schwarze Eis, und am Himmel pulsierte das Licht der Sterne. Cathy Corrigan umklammerte mit einer Hand ihre Handtasche, mit der anderen die Rückenlehne, auf der sie hockte. Jackie hörte sie aufschreien, als sie den Zaun trafen. Dann hörte er nur noch Metall, als schreie das Metall mit einer eigenen Stimme. In Wirklichkeit war er es, der schrie, als könne irgendein Schrei die Wucht des Aufpralls mildern.

Das war alles. So wurde es auf dem Revier aufgeschrieben, als Joe Hennessy, der Spätdienst gehabt hatte, hereinkam, um seinen Bericht abzuliefern. Er hätte nicht zur High School fahren müssen, aber sie lag auf seinem Heimweg.

Auf dem Parkplatz standen jetzt ein Wagen voller Jungs mit bleichen Gesichtern, ein Krankenwagen, drei Polizeiwagen und ein weiterer Detective, Johnny Knight. Hennessy stieg aus seinem Auto und knöpfte sich den Mantel zu. Er stellte sich neben Knight und zündete eine Zigarette an.

»Das Mädchen war sofort tot, als sie den Boden berührte«, sagte Knight.

Draußen auf dem Sportplatz lag unter einer grauen Wolldecke die Leiche.

»Kinder«, sagte Knight. »Sie glauben immer, ihnen könne nichts passieren. Sie alberte da herum. Saß auf der Lehne des Vordersitzes. Beim Aufprall flog sie durch die Scheibe.«

Hennessy nickte und rauchte seine Zigarette.

»Was dagegen, daß ich's mir mal ansehe?« fragte er.

»Nur zu.« Knight zuckte die Achseln. »Kein schöner Anblick.«

Hennessy ging hinüber zum Zaun. Der Chevy war total zerstört; auf dem Boden lagen so viele Glassplitter, daß der Asphalt aussah wie von Sternen bedeckt. Hennessy erspähte etwas, das weiß war wie Milch. Es schimmerte und glänzte in der Dunkelheit. Erst als er sich bückte und es aufhob, erkannte er, daß es kein Stück Glas war. Was auf seiner Handfläche lag, war ein makelloser weißer Zahn.

*

In der Schule hatte man die Flagge zwei Tage lang auf Halbmast gesetzt, und es hatte eine Versammlung zum Gedenken an Cathy gegeben. Selbst die rüdesten Jungs, Jungs, die Cathy Corrigan gefickt hatten, und Jungs, die das nur von sich behaupteten, waren still und trugen weiße Hemden und schwarze Krawatten. Mädchen, die mit ihren grellrosa Lippenstiften an die Spiegel der Mädchentoilette geschrieben hatten, Cathy sei eine Schlampe, und die sich geweigert hatten, in der Klasse neben ihr zu sitzen, lagen sich nun in den Armen und weinten. Das Blut auf dem Sportplatz sah man noch eine Woche lang, Flecken, die wie Rost aussahen und jedem Vorübergehenden einen Schauder über den Rücken jagten, bis der Schnee zu fallen begann. Und jetzt, fast zwei Wochen nach dem Unfall, stand Ace McCarthy noch immer in der Morgendämmerung auf. Sein Bruder würde erst in ein paar Stunden nach Hause kommen, aber Ace zog sich an und verließ das Haus, ehe seine Eltern aufwachten. Als die Sonne aufging, stand Ace neben dem zerstörten Zaun. Der Schnee war schon so hoch, daß er bis über die Fußknöchel einsank. Er war jeden Tag zur Unfallstelle gekommen, und jetzt sah er nur noch Schnee, der in der Kälte blau schimmerte. Er blieb dort stehen, so lange er es aushalten konnte, blieb, bis er den Unfall irgendwo hinter seinen Augenlidern sehen konnte. Dann schlug er den Kragen hoch und vergrub die Hände in den Taschen.

Er ging den langen Weg zu Fuß nach Hause, wie er es die letzten zwei Wochen jeden Tag gemacht hatte, vorbei an Cathy Corrigans Haus am Ende der Hemlock Street. Als er ihr Haus erreichte, waren seine Stiefel voller Schnee. Er stand draußen auf dem Gehsteig, rauchte eine Zigarette und lauschte dem Gebell, wie er es jeden Tag tat. Cathys Vater fuhr einen Lieferwagen, der nun in der Einfahrt stand; Gestelle, die Flaschen mit Soda- und Mineralwasser aufnehmen sollten, füllten sich mit Schnee. Ace ließ seine Zigarette fallen und ging um den Lieferwagen herum, um besser sehen zu können, ging an den niedrigen, immergrünen Büschen vorbei zum Seitentor des Zaunes. Er sah einen Holztisch im Hintergarten und einen Grill, den am Ende des Sommers ins Haus zu holen sich niemand die Mühe gemacht hatte. Er sah ein dickes, straffgespanntes Seil. Ace legte die Hand auf das Tor und versuchte, sich an Cathy zu erinnern, wie sie vor sechs Jahren gewesen war, als sie alle gerade eingezogen waren und jeden Abend Fußball spielten, aber er konnte sich nicht einmal genau erinnern, wie sie ausgesehen hatte, als er ihr zum letzten Mal begegnet war.

Cathy Corrigans Vater kam aus der Vordertür und nahm die Schneeschaufel von der Veranda. Er ging hinüber zur Einfahrt und blieb stehen, als er Ace sah.

»Was zum Teufel machst du hier?« sagte Mr. Corrigan.

Ace drehte sich um und blinzelte. Alles sah weiß aus.

»Ich wollte sehen, was dort hinten ist«, sagte Ace.

»Oh, ja, sicher«, sagte Mr. Corrigan. »Bestimmt wolltest du das.« Er trug dicke Lederhandschuhe. Er kam etwas näher. »Ich will dich hier nicht sehen. Geh dahin, wo du hergekommen bist.«

»Okay«, sagte Ace. Seine Zehen waren eiskalt; er konnte sie nicht einmal mehr spüren. »Was ist da hinten?« fragte er.

»Wenn ich deinem Bruder begegne«, sagte Mr. Corrigan, »könnte es passieren, daß ich ihn umbringe.«

Er drehte sich um und begann, seinen Lieferwagen freizuschaufeln.

»Soll ich Ihnen helfen?« fragte Ace.

»Von dir will ich keine Hilfe«, sagte Mr. Corrigan und

schaufelte weiter, heftiger, so daß sein Atem blaue Wölkchen bildete.

Ace ging hinüber und sah Mr. Corrigan bei der Arbeit zu.

»Hast du nicht gehört?« sagte Mr. Corrigan. Er hörte zu schaufeln auf und stützte sich auf die Schneeschaufel. »Verschwinde.«

Sie starrten einander an. Das Bellen hinter ihnen wurde heftiger.

»Ich habe mich bloß gefragt«, sagte Ace, »was Sie da hinten haben.«

»Cathys Hund«, sagte Mr. Corrigan. »Aber das geht dich nichts an.«

»Es ist kalt draußen für einen Hund«, sagte Ace.

»Ja?« sagte Mr. Corrigan. »Du machst dir Sorgen um einen Hund? Und was ist mit meiner Tochter? Hat sich jemand Sorgen um sie gemacht?«

Mr. Corrigan arbeitete weiter; er weinte, während er Schnee schaufelte.

»Es ist zu kalt«, sagte Ace, und während er sprach, gefroren seine Worte und zerbrachen.

»Scheiß drauf«, sagte Mr. Corrigan. »Scheiß auf alles.«

Ace konnte auf dem ganzen Weg die Hemlock Street herauf den Hund bellen hören. Im Schnee nahmen alle Häuser mit ihren spitzen Dächern und den verschneiten Sträuchern die gleiche Form an. Wenn die Schneeflocken so herumwirbelten, sah man fast nichts, und man konnte sich leicht verirren. Rikkie Shapiro war gerade durch die Schneewehen in ihrer Einfahrt gestapft, um hinüberzugehen und auf die Silk-Kinder aufzupassen, als sie ihn sah. Er war nicht mehr als ein schwarzer Strich, der mitten über die Straße ging. Von dem Hundegebell abgesehen, war es ganz still auf der Straße, obwohl Rikkie Ace atmen hören konnte, als er näher kam. Sie hätte sich umdrehen und in Noras Haus gehen können, aber sie blieb einfach auf dem Gehsteig stehen; sie trug eine Wollmütze, in der sie sich normalerweise niemals in der Öffentlichkeit gezeigt hätte, und Fausthandschuhe. Ace trat auf den Gehsteig und blieb vor ihr stehen.

»Ich bin bloß zufällig hier«, sagte Rickie. »Ich habe nicht auf dich gewartet. Ich gehe babysitten.«

Aces Gesicht sah weiß aus; seine Augen hatten einen leeren Blick, als schaue er geradewegs durch sie hindurch.

Rickie spürte, daß sie errötete. »Ich habe nicht auf dich gewartet«, sagte sie, und in diesem Augenblick erkannte sie, daß sie doch auf ihn gewartet hatte, und zwar schon lange.

Ace trat auf sie zu und legte unter ihrem Mantel die Arme um sie.

Rickie Shapiro rutschte im Schnee rückwärts, doch Ace zog sie an sich. Hätte er irgend etwas versucht, hätte er die Hände nach oben zu ihren Brüsten geschoben oder versucht, sie zu küssen, wäre Rickie in Panik geraten; sie wäre durch die Schneewehen wieder ins Haus gerannt und hätte die Tür hinter sich abgeschlossen. Aber Ace lehnte nur seinen Kopf gegen ihren, und dann sagte er das einzige, was sie zum Bleiben veranlassen konnte.

»Bitte«, sagte Ace so leise, daß seine Stimme kaum zu hören war.

»Ich weiß nicht, wovon du redest«, sagte Rickie.

Aber sie wußte es. Sie hatte immer genau das getan, was von ihr erwartet wurde, und das hatte ihr nichts eingebracht. Sicher, sie hatte alle Kleider, die sie sich je gewünscht hatte, sie war in Florida gewesen, und mit achtzehn würde sie wahrscheinlich ein eigenes Auto bekommen. Vielleicht lag es einfach daran, daß sie sich nie zuvor etwas wirklich gewünscht hatte.

»Wir können uns heute abend treffen«, sagte Rickie. Sie mußte verrückt sein. So etwas hätte sie sonst niemals gesagt.

Ace wich zurück. »Nein«, sagte er. »Nicht heute abend.«

»Ich kann mein Fenster angelehnt lassen«, flüsterte Rickie, obwohl weit und breit außer Ace niemand war, der sie hätte hören können.

»Ja«, flüsterte Ace zurück. »Bloß nicht heute abend.«

Rickie sah ihm nach, wie er zu seinem Haus ging. Sie schlug ihre Fäustlinge gegeneinander, und Schnee fiel herunter und versank in den Schneewehen. Er hatte nein gesagt, hatte gesagt, nicht heute abend, und trotzdem wollte sie ihn. Sie war jemand, der sie nie zuvor gewesen war. Sie hatte überhaupt keinen Stolz. Sie würde mit ihm Dinge tun, die sie Joan Campo nie gestehen würde. Nie und nimmer. Ihr Gesicht war so heiß, daß es brannte, und es brannte auch noch, als sie in Nora Silks Haus ihren Mantel und ihre Stiefel auszog und niederkniete, um das Baby aufzunehmen. Während Nora sich fertig machte, um zu Armand zu gehen, streckte das Baby die Hand aus und berührte mit einem Finger Rickies heiße Wange. Seine Berührung ließ Rickie stöhnen, und in diesem Moment erkannte sie, daß sie nicht mehr da war, wo sie sich gerade befand. Sie war irgendwo in der Zukunft, in der Nacht, in der Ace durch ihr Fenster klettern würde, und in der sie da sein und auf ihn warten würde.

Der Heilige hatte die Einfahrt und den Gehsteig freigeschaufelt und legte Schneeketten um die Reifen seines Chrysler. Marie war in der Küche und trank Kaffee. Sie hatte seit dem Unfall keinen Bissen gegessen außer zwei Keksen, die wie Staub geschmeckt hatten. Erst heute morgen hatte sie die Kleider gewechselt, und zwar nur, um nicht schmuddelig auszusehen, wenn sie Jackie im Krankenhaus abholen würden.

Er hatte sich an zwei Stellen das Bein gebrochen, seine Schulter war verrenkt, und er hatte zwei Rippenbrüche. Das Schlimmste aber war, daß er sämtliche Zähne verloren hatte. Als sie gegen den Zaun prallten, war sein Kopf auf das Steuerrad geschleudert worden, und noch jetzt war das Steuer des Chevy, dessen Überreste in der Garage des Heiligen standen, von weißem Staub bedeckt. In der Unfallnacht war Marie in die Notaufnahme des Krankenhauses gegangen, hatte einen Blick auf den blutigen Mund ihres ältesten Sohnes geworfen und war ohnmächtig geworden. Man hielt ihr Ammoniak unter die Nase, und als sie zu sich kam, verfluchte sie das Mädchen, das mit ihrem Sohn im Wagen gewesen war und ihn auf Abwege geführt hatte. Ace hatte in der vergangenen Woche nach der Schule und am Wochenende seinen Bruder in der Tankstelle vertreten, aber er konnte sich nicht überwinden, ins Krankenhaus zu gehen. Es würde Wochen, vielleicht Monate dauern, bis der Zahnarzt und der Kieferchirurg Jackie wieder herrichten und ihm neue Zähne einpassen konnten; er war gerade erst von intravenöser Ernährung zu Milchshakes übergegangen, die er durch Plastikstrohhalme trank.

Marie hatte den Heiligen losgeschickt, um einen Mixer zu kaufen, ehe die Straßen geräumt waren, aber er hatte nicht mit der Verkäuferin gesprochen, sondern nur auf das Modell gezeigt, das er wollte, und bar bezahlt. Er sprach nicht, als sie vom Krankenhaus nach Hause fuhren, und er sprach noch immer nicht, als sie ins Haus gingen. Marie führte Jackie an den Küchentisch, half ihm aus seiner schwarzen Lederjacke und setzte ihn hin. Nach der Art, wie sie lächelte und ihn verhätschelte, hätte man niemals erraten, daß sie in den letzten paar Tagen nur geweint hatte.

»Ein Schokoladenmilchshake«, sagte sie.

Jackie schüttelte verneinend den Kopf. Er legte die Hände

auf den Tisch, und als er sich auf seinem Stuhl bewegte, schmerzten seine Rippen. Er hatte einen Spezialschuh über dem Gips an seinem gebrochenen Bein, damit er duschen und durch den Schnee gehen konnte, ohne daß der Gips aufweichte.

»Ein üppiger, dicker Milchshake«, sagte Marie, um ihm Appetit zu machen. »Mit extra viel Sirup.«

Der Heilige nahm sich eine Tasse Kaffee. Seine Kehle fühlte sich rauh an.

»Versuch's doch«, sagte Marie zu Jackie. Sie nahm das Eis aus dem Tiefkühlschrank und griff dann nach einem Viertelliter Milch und zwei Eiern. »Ist das der Mixer, den du gekauft hast?« sagte sie zu dem Heiligen. »Nicht so toll wie der von Lynne Wineman.«

Der Heilige schluckte schwer. Dann gelang es ihm zu sprechen. »Ich gehe rüber zur Tankstelle.«

»Heute?« sagte Marie. »An dem Tag, an dem dein Sohn nach Hause kommt?«

»Die Leute brauchen trotzdem Benzin«, sagte der Heilige. »Und Frostschutzmittel.«

Marie schürzte die Lippen und goß den Sirup in die Milch. Der Heilige stellte seine Kaffeetasse in den Ausguß und ließ kaltes Wasser laufen, um sie auszuspülen. Auf irgendeine merkwürdige, undefinierbare Weise konnte er Jackies Anwesenheit im Zimmer spüren; gewöhnlich redete Jackie ohne Punkt und Komma, über seine Pläne, seine Heldentaten, sein Glück. Ein Unfall war ein Unfall. Warum wurde der Heilige das Gefühl nicht los, es sei Jackies Schuld gewesen? Warum war das Mädchen diejenige, die durch die Windschutzscheibe geflogen war? Der Heilige drehte sich um und schaute zum Tisch. Ohne Zähne war Jackies Gesicht eingesunken und klein.

»Dieses Mädchen«, sagte der Heilige. »War sie deine Freundin?«

Jackie zuckte die Achseln und blickte geradeaus.

»Wieso stellst du ihm Fragen?« sagte Marie. »Er ist gerade erst nach Hause gekommen.«

»Du hättest auf sie aufpassen sollen«, sagte der Heilige zu Jackie. »Du hattest sie in deinem Wagen. Was bedeutete sie dir?«

Jackie blickte zu seinem Vater auf. Als er den Mund öffnete, sah er schwarz und scharf aus wie der Schnabel eines Vogels. Er bewegte die geschwollene Zunge. »Nichts«, sagte er schwerfällig.

Der Heilige ging ins Wohnzimmer. Er wußte, daß er zu schnell atmete. Er hatte keine Ahnung, daß Ace früh aufgestanden und schon ausgegangen war, darum rief er: »Komm schon. Wir gehen zur Arbeit.«

Der Heilige setzte sich ins Wohnzimmer, um zu warten, bis Ace angezogen war, aber Ace kam schon in Mantel und Handschuhen aus seinem Schlafzimmer.

»Ist er zu Hause?« fragte Ace.

Der Heilige nickte. Die Couch, auf der er saß, war braunorange; der Couchtisch und die beiden Seitentische waren aus Mahagoni. Der Heilige war fünfundzwanzig Jahre alt gewesen, als er das erste Mal mit einer Frau geschlafen hatte, und es war mit Marie gewesen, in ihrer Hochzeitsnacht. Hinterher war er so dankbar gewesen, daß er ins Badezimmer gegangen war und geweint hatte.

»Komm, Vater«, sagte Ace. »Gehen wir arbeiten.«

Der Heilige stand auf, und zusammen gingen sie in die Küche. Der Mixer surrte, und Jackie starrte den Kühlschrank an. Ace spürte, wie seine Kehle trocken wurde. »Hallo, Jackie«, sagte er. Er konnte es nicht abwarten, aus dem Haus zu kommen. Er schlüpfte an seiner Mutter vorbei und ging durch die Seitentür hinaus. Der Heilige nahm sein Schlüsselbund vom Regal über dem Herd; er hörte, daß Ace den frischen Schnee von der Windschutzscheibe des Chrysler fegte.

»Tu mir den Gefallen«, sagte Marie, »und sei wenigstens um sechs zu Hause.«

Der Heilige griff nach einem Päckchen Zigaretten und schüttelte eine heraus. Mit Ace war er immer am strengsten gewesen; das mußte er, weil er ihn am liebsten hatte. Er dachte an all die Entschuldigungen, die er für Jackie gefunden hatte. Wie oft hatte er weggeschaut? Als er merkte, daß der Junge Geld aus seiner Brieftasche stahl; als er merkte, daß er rauchte und vermutlich auch trank; als er merkte, daß seinem ältesten Sohn innerlich irgend etwas fehlte. »Wenn ich meine erste Million verdient habe«, sagte Jackie gewöhnlich morgens, während sie sich zur Arbeit fertig machten. »Wenn ich erst mein Penthouse habe.« »Wenn meine Limousine auf mich wartet.«

Der Heilige nahm sein Feuerzeug heraus und ließ es aufschnappen. Während er seine Zigarette anzündete, schaute er auf und begegnete Jackies Blick. Jackie sah schnell weg.

Der Heilige steckte die Schlüssel ein. Er ging in Richtung Tür, doch als er den Tisch erreichte, blieb er stehen und hielt seine Zigarette hoch. Jackie blickte fragend zu ihm auf, doch als der Heilige nickte, nahm Jackie die Zigarette und führte sie an die Lippen. Er inhalierte tief und blies dann langsam den Rauch aus.

»John«, sagte Marie, empört, weil er Jackie zum Rauchen ermunterte.

»Bis um sechs dann«, sagte der Heilige und nahm seine Mütze aus der Tasche. Bei der Tankstelle würde es heute eiskalt sein, selbst wenn die Kerosinheizung voll aufgedreht war.

»Pa«, sagte Jackie.

Der Heilige hatte die Seitentür erreicht. Er drehte sich nicht um, aber er ging auch nicht hinaus.

»Danke«, sagte Jackie zu ihm.

Ace wartete bis Mitternacht. Inzwischen hatte es zu schneien aufgehört, und aus seinem Fenster konnte er sehen, daß in Rickie Shapiros Schlafzimmer noch immer Licht brannte. Er versuchte, nicht an ihr angelehntes Fenster zu denken; er zog seinen Mantel an und stahl sich leise aus dem Haus. Draußen auf der Straße war es dunkel, da Eiskristalle die Laternen bedeckten. Noch immer konnte er das Bellen hören, aber der Schnee dämpfte das Geräusch, so daß es aus weiter Entfernung zu kommen schien. Auf der Southern State war kein Verkehr, und vielleicht begann Ace, weil er nichts hören konnte, darüber nachzudenken, wohin der Parkway führte. Wie würde es sich anfühlen, aus dem Fenster des eigenen Wagens zu schauen und Salbeibüsche und Sand zu sehen, in einer Stadt zu sein, in der niemand seine Familie oder auch nur seinen Namen kannte? Warum hatte er sich nie eine andere Stadt vorgestellt, einen anderen Staat, einen Ort, an dem nicht alle Häuser genau gleich waren?

Ace stapfte durch den Schnee in die blaue Ferne der Straße. Seine Hände waren rauh und aufgesprungen, weil er den ganzen Tag in der Kälte gearbeitet hatte. Der Mond war voll, und Ace hörte das Knirschen des Schnees unter seinen Stiefeln. Als er das Haus der Corrigans erreichte, kletterte er rasch über den Zaun, landete in einer Schneewehe und trat dann näher zum Haus. Er ging an der Seitentür und der dunklen, leeren Küche vorbei, passierte den Holztisch und den vergessenen Grill. Er schwitzte, und er dachte an all die Menschen der Siedlung, die jetzt schliefen, seinen Vater und Danny Shapiro und Cathy Corrigans Eltern. Er dachte an den Zaun unten bei der Schule, eine zerbrochene Silberkette. Er schlich leise weiter und blieb stehen, als er den an einen Holzapfelbaum gebundenen Hund sah.

Das Seil war so lang, daß der Hund einen geschützten Platz unter einer gewellten Plastikplane erreichen konnte. Der Patio war voller hoher Schneewehen, und im Mondlicht sah der Hund blau aus. Er war noch ganz jung, ein Schäferhund, nicht älter als sechs Monate, und er lebte seit dem Unfall im Freien. Neben ihm standen eine große Schüssel Futter und ein Eimer mit Wasser, das zu Eis gefroren war. Der Hund bellte noch immer, aber es klang heiser. Sobald er Ace sah, hörte er zu bellen auf, spitzte die Ohren, rührte sich aber nicht. Ace ging zu ihm und bemühte sich, das Seil von dem Metallhalsband loszubinden; er mußte auf das Seil hauchen, ehe er es hin und her biegen konnte. Er wischte den Schnee von dem gefrorenen Fell des Hundes, bis seine Finger vor Kälte brannten; dann hob er den Hund hoch und steckte ihn unter seine Jacke. Er fühlte jetzt zwei Herzen schlagen, und seine Kehle verengte sich vor Kälte und namenloser Qual. Diesmal kletterte er nicht über den Zaun, sondern ging durch das Tor hinaus, und obwohl die Angeln quietschten und er fest ziehen mußte, machte er es hinter sich zu.

Fünftes Kapitel

Die verschwundene Frau

Donna Durgin wog einhundertsiebenundachtzig Pfund, aber sie hatte nicht vor, noch lange fett zu bleiben. Sie trank so viel Metrecal, daß sie sicher war, wenn sie sich die Pulsadern aufschnitte, würde Metrecal herauskommen statt Blut. Man sollte zum Frühstück eine Dose trinken und eine zum Mittagessen und abends nichts weiter zu sich nehmen als Grapefruit und Salat oder einen gedünsteten Hamburger ohne Ketchup und Brot. Donna kaufte jede Woche vierzehn Büchsen und bewahrte sie im Schrank unter der Spüle neben dem Ammoniak und dem Vorrat an Schwämmen auf.

Sie hatte ein herzförmiges Gesicht und blaßblondes Haar, das sich bei feuchtem Wetter im Nacken kräuselte. Ihre Haut war schneeweiß. Im A & P sprachen fremde Leute sie an und sagten ihr, sie könnte bildschön sein, wenn sie nur ein bißchen auf sich achten würde. Sie flüsterten miteinander und überlegten, wie sie es wohl geschafft hatte, sich so gehen zu lassen. Nun ja, man brauchte nur einen Blick in ihren Einkaufswagen zu werfen, dann wußte man die Antwort. Da gab es Tüten mit Chips und Gläser voller Ovomaltine, Schachteln mit gezuckerten Cornflakes und Weißbrotlaibe, die so weich waren, daß man eine Scheibe zwischen den Fingern zu einem vollkommenen Teigball rollen konnte. Sie konnten ja nicht ahnen, daß Donna seit dem ersten Dezember nichts mehr von all dem aß. Unter dem süßen Zeug lagen grüne Gurken und mageres Hackfleisch, von dem sie sich jeden Tag etwas zuteilte, einen gedünsteten Hamburger pro Tag. Und da, auf dem Boden des Wagens, unter den Chips und den Nudeln, lagen die Büchsen mit Metrecal in verschiedenen Geschmacksrichtungen.

Donna war seit sieben Jahren fett, daher kannten ihre Nachbarn in der Hemlock Street sie gar nicht anders. Beim ersten Kind hatte sie sechzig Pfund zugenommen, von denen sie vor dem zweiten Kind zwar einige wieder verlor, aber als das Jüngste geboren wurde, hatte sie den Kampf aufgegeben. Ihre Füße paßten noch immer in Größe fünf; wenn sie auf sie hinunterschaute, waren sie so klein, daß ihr nach Weinen zumute war. Aber meistens betrachtete sie sich nicht, sie dachte nicht einmal an sich, und wenn doch, so stellte sie sich vor, sie sei eine Wolke, und ihre Mitte treibe in weißen Dunststreifen davon. Und dann, am letzten Tag im November, entdeckte Donna, daß sie doch noch einen Körper hatte.

Im Keller lief die Waschmaschine, als es passierte, und ihre beiden Söhne, Bobby und Scott, saßen vor dem Fernseher. Ihr jüngstes Kind, Melanie, war im Wohnzimmer auf dem Fußboden eingeschlafen, ein Fläschchen mit Schokoladenmilch im Mund. Im Ofen garte bei 200 Grad ein Fischauflauf, und eine Packung tiefgekühlter grüner Bohnen lag auf der Arbeitsplatte. Donnas Mann Robert kam um halb sechs nach Hause wie immer. Er arbeitete als Drucker, und die Manschetten seiner Hemden waren mit Druckerschwärze beschmutzt; als erstes ging er ins Badezimmer und wusch sich mit Lava-Seife die Hände. Danach zog er saubere Sachen an, ging an den schlaffen Körpern vor dem Fernseher vorbei und betrat die Küche, um sich ein Bier zu holen. Er hatte den Lieferwagen von Sears vor dem Haus gesehen und hörte, wie der Mechaniker unten im Keller an den Rohren hantierte.

»Was ist denn diesmal kaputt?« fragte Robert.

Er war ein dünner, dunkelhaariger Mann, der eine Uhr mit Metallarmband trug, die auf seiner Haut Abdrücke hinterließ. Er öffnete seine Bierdose über dem Spülbecken für den Fall, daß sie überschäumen sollte.

»Die Waschmaschine hat den Geist aufgegeben. Die Garantie ist noch nicht abgelaufen«, beruhigte ihn Donna.

»Kommen die Mechaniker neuerdings zur Abendessenszeit?« sagte Robert. Er ärgerte sich schnell, und Donna bemerkte, daß dann an seinem Hals eine Ader anschwoll und sich auf- und abbewegte, flatternd wie eine Motte. »Hätten sie nicht früher jemanden vorbeischicken können?«

»Ich habe heute morgen um acht angerufen«, sagte Donna.

Robert verzog sein Gesicht, ging dann ins Wohnzimmer und streckte sich auf der Couch aus, über die eine Decke gebreitet war, um sie vor Flecken zu schützen. Zum Glück für die Kinder war es ihm gleich, wieviel Zeit sie vor dem Fernseher verbrachten, Hauptsache sie sahen die Programme, die er mochte. Donna nahm den Auflauf aus dem Ofen. Während er abkühlte, schob sie sich drei Pralinen in den Mund.

»Jetzt kommen wir der Sache auf den Grund«, rief der Mechaniker aus dem Keller. »Die Trommel sitzt fest.«

Donna Durgin ging zur Kellertreppe. »Oh, nein«, sagte sie. Sie ging hinunter in die Waschküche und wünschte sich, sie hätte fünf Pralinen gegessen. Der Mechaniker war seit halb acht Uhr morgens unterwegs und müde. Er hatte blaue Augen und war so groß, daß er sich unter den Rohren, die an der Decke entlangliefen, bücken mußte.

»Irgendwas hat sich verklemmt«, sagte er so aufgeregt, als habe er soeben ein größeres Problem gelöst.

Er nickte Donna zu, näher zu kommen, was sie auch tat. Die Wintersachen wurden hier in der Waschküche aufbewahrt, sicher verpackt in Plastiksäcke, die an einer metallenen Stange hingen. Da waren Badeanzüge und Strandlaken in einem großen braunen Karton, und ein anderer, kleinerer Karton enthielt die sauber gewaschenen und gebügelten Babysachen, die wegzuwerfen sie nicht übers Herz brachte. Der Mechaniker streckte ihr die Hand hin; da lag eines von Bobbys Matchbox-Autos.

»Deswegen lief der Motor nicht«, sagte er.

Gewöhnlich schaute Donna in allen Taschen nach, ehe sie die Maschine mit Wäsche füllte, doch irgendwie hatte sie dieses winzige rote Auto übersehen, und seit Monaten hatte es in der Maschine gerumpelt.

»Wissen Sie was«, sagte der Mechaniker, »wir tun so, als hätte das Auto nie existiert.«

Über dem Ausguß hing eine Glühbirne; das Licht schmerzte in den Augen, und Donna mußte blinzeln. Der Mechaniker ergriff ihre Hand, und Donna war so überrascht, daß sie einen Schritt rückwärts machte und ihre kleinen weißen Füße aus den Haussandaletten rutschten. Der Mechaniker legte ihr das winzige Auto in die Handfläche und schloß ihre Finger darum.

»Sonst gilt die Garantie nicht«, sagte er.

Donna nickte und hielt den Atem an.

»Ich sehe, daß Sie eine gute Hausfrau sind«, sagte der Mechaniker. »Sie würden nicht glauben, was ich schon für Waschküchen gesehen habe. Sie sind jemand, der wirklich auf sein Haus achtet.«

Der Mechaniker drehte sich um und ging zur Waschmaschine zurück, aber Donna Durgin rührte sich nicht. Seine Freundlichkeit hatte sie verwundet; ein paar Worte von einem

Fremden hatten genügt, um etwas in ihr einrasten zu lassen. Als sie nach oben ging, fühlte sie sich benommen, als kriegten ihre Lungen nicht genügend Luft. Der Auflauf kühlte auf dem Herd ab, der Fernseher im Wohnzimmer lief noch immer, und Melanie jammerte, wie sie es jedesmal tat, wenn sie aus einem verspäteten Mittagsschlaf erwachte. Donna ging, ohne einen Mantel anzuziehen, durch die Seitentür hinaus. Sie stand am Zaun und klammerte sich an das Metall, weil der Himmel auf sie herabzustürzen drohte. Sie hatte mittags einen Teller übriggebliebene Lasagne gegessen und als die Kinder aus der Schule kamen mit ihnen zusammen ein paar Kekse, aber jetzt fühlte sie sich, als habe sie weiße Felsbrocken gegessen. Sie überquerte die Straße zu den Hennessys und ging zur Seitentür. Sie klopfte heftig, und als Ellen die Tür öffnete, war sie überrascht, Donna zu sehen; sie besuchten sich nie zur Abendessenszeit. Donna roch, daß auf dem Herd das Essen garte. Steak, Zwiebeln und überbackene Kartoffeln.

»Alles in Ordnung mit dir?« fragte Ellen.

»Ich weiß nicht«, sagte Donna. Sie hatte eine sehr leise Stimme; und alle waren der Meinung, daß sie zu einer schlankeren Person gehörte.

»Brauchst du etwas?« fragte Ellen. »Butter? Ich habe auch noch reichlich Milch.«

»Oh, Gott«, sagte Donna.

»Was ist?« fragte Ellen erschrocken.

Donna Durgin lehnte sich an die Windfangtür. »Ich kann nicht atmen«, sagte sie.

»Hast du einen Arzt gerufen?« fragte Ellen. »Joe kann dich rüber ins Krankenhaus fahren. Er kann die Sirene einschalten und dich in fünf Minuten hinbringen.«

»Nein«, sagte Donna. »Das ist es nicht.« Sie beugte sich vor und flüsterte dann: »Es ist, als ob ich Steine gegessen hätte.«

Ellen lächelte. Sie mußte sich auf die Zunge beißen, um nicht zu fragen, ob es nicht eher Schokoriegel gewesen seien.

»Ich habe Pepto Bismal. Joe nimmt das neuerdings dauernd. Er hat eine ganze Flasche davon im Handschuhfach.«

Donna Durgin starrte Ellen an; sie schien ihren Blick nicht konzentrieren zu können. »Das habe ich zu Hause auch«, sagte sie schließlich. »Ich denke, jetzt geht's wieder.«

»Bist du sicher?« sagte Ellen. Ihre Zwiebeln auf dem Herd brannten an, und sie schaute prüfend über die Schulter.

»Oh, ja«, sagte Donna. »Vollkommen sicher.«

Donna Durgin überquerte die Straße und stand in der Dunkelheit, während die Steine in ihr rumpelten. Sie war seit acht Jahren verheiratet. An ihrem Hochzeitstag hatte es geregnet, und als sie die Kirche verließen, hatte Robert sie in die schwarze Limousine getragen, aber trotzdem war der Saum ihres Kleides tropfnaß geworden. Einige der angeklebten Perlen fielen von der Corsage und den Ärmeln, und Donnas Nichten und Neffen sprangen herbei, um sie aufzusammeln, als seien sie ein Piratenschatz. Jetzt, nach drei Kindern, hatte Donna Durgin nicht die leiseste Ahnung, wer Robert war oder warum sie ihn geheiratet hatte. Als sie im Dunkeln auf ihre Hand hinuntersah, hatte sie weiße Stellen an den Fingern, wo der Mechaniker sie berührt hatte. Von ihrem Garten aus konnte Donna die Weihnachtslichter sehen, die John McCarthy immer am Tag nach Thanksgiving über seine Garage spannte. Wer hatte Donna in den letzten paar Monaten zugelächelt? Wer hatte sie gefragt, was sie dachte oder was in ihr vorging? Wer hatte gemerkt, daß die Manschetten von Roberts Arbeitshemden immer weiß waren, nachdem Donna sie gewaschen und gebügelt und gefaltet in die Kommodenschublade gelegt hatte?

An diesem Abend wärmte Donna den Auflauf wieder auf,

aber sie aß keinen Bissen. Am nächsten Morgen bereitete sie das Mittagessen für die Jungen vor und brachte sie zur Schule. Dann fuhr sie zu A & P und kaufte die ersten Büchsen Metrecal. Sie aß den ganzen Morgen nichts und goß sich das erste Metrecal erst ein, als Melanie ihren Mittagsschlaf hielt. Später in der Woche begann sie, Weihnachtsplätzchen zu backen. Sie buk mit Puderzucker überzogene Mondsicheln, Kugeln mit Schokolade und Erdnußbutter und Ingwerkekse in Form von Rentieren und Elfen, aber Donna kostete nicht einmal den Teig. Sie legte ihre Büchsen mit Wachspapier aus, füllte sie mit Keksen und stapelte sie auf dem Kühlschrank.

Nach vierzehn Tagen Diät hatte Donna elf Pfund abgenommen, und ihre Kleider saßen lockerer, aber sie war immer noch nicht da; wenn sie in den Spiegel schaute, konnte sie sich selbst nicht sehen. Und andere Leute sahen sie eindeutig auch nicht, denn niemand, nicht einmal Ellen Hennessy bemerkte, daß sie abgenommen hatte. Sie hörte auf, sich zu wiegen, und hielt sich nur deshalb an ihre Diät, weil sie ihrem Vorsatz treu bleiben wollte. Sie dachte überhaupt nicht mehr an Diät, und dann, eines Tages, als sie nach einem Braten suchte, der groß genug für das Weihnachtsessen sein sollte, rutschte ihr in der Fleischabteilung von A & P die Hose herunter und fiel ihr auf die Knöchel. Donna zog ruhig ihre Hose wieder hoch, aber sie war entzückt, weil sie erst jetzt merkte, daß das elastische Taillenband ihr viel zu weit geworden war. An diesem Abend würzte sie den Braten, und nachdem sie so getan hatte, als esse sie etwas, brachte sie die Kinder zu Bett. Robert schaltete die Fernsehnachrichten ein, und Donna ging in die Küche, um drei rosa Grapefruits zu verschlingen. Als sie damit fertig war, wischte sie sich an einem rotweißen Geschirrtuch die Hände ab und fühlte sich noch immer leicht wie Luft. Sie ging zum Spülbecken, wo sie vorher das Geschirr eingeweicht hatte, und als sie den Schaum beiseite wischte, konnte sie im Spülwasser ihr Spiegelbild sehen.

Roberts ganze Familie kam an Weihnachten zu Besuch, und sie mußten sich von den Winemans und den McCarthys zusätzliche Stühle leihen, damit alle Durgins sich an den Tisch zwängen konnten. Sie aßen den Braten und kleine rosa Kartoffeln und Erbsen und Zwiebeln und drei Sorten Kuchen. Als Donna schließlich Kaffee und Pfefferminzkekse servierte, waren die Kinder so wild, daß Bobbys neuer Punchingball riß und mit einem Knall explodierte. Melanie war so überdreht, daß man sie sofort zu Bett bringen mußte, wo sie sich weigerte, ihr neues Stofftier aus der Hand zu legen. Die Vettern schenkten Donna eine Schachtel Nougat. Robert schenkte ihr einen neuen Mixer und eine Garnitur Tupperware, die er von Nora Silk gekauft hatte. Seine Eltern schenkten ihr einen Angorapullover, den Donnas Schwiegermutter in einem Geschäft in Hempstead gekauft hatte, das Übergrößen führte. Donna ließ zu, daß die Kinder den Nougat aßen. Sie stellte den Mixer in der Küche auf die Arbeitsfläche und die Tupperware in einen Schrank. Den Pullover, noch gefaltet in der Pappschachtel, legte sie ins oberste Fach ihres Kleiderschrankes.

Am Tag nach Weihnachten sammelte Donna noch immer Reste von Geschenkpapier und Schleifen auf. Am Nachmittag hatte sie Ellen und Lynne Wineman mit deren Kindern zu Besuch, und sie servierte ihnen heiße Schokolade und Plätzchen, aber nachdem sie gegangen waren, wurde ihr klar, daß sie kein Wort zu Ellen oder Lynne gesagt hatte. Sie wußte, sie mußte sich mehr anstrengen. Sie ging mit Ellen und den Kindern zum Schlittenfahren zum Dead Man's Hill, sie half Lynne bei der Vorbereitung einer Sylvesterparty, sie ging mit Bobby von Haus zu Haus, wobei sie ihre anderen Kinder hinter sich herschleppte, und verkaufte Lose für eine Tombola. Doch nichts half. Und dann rutschte eines Abends Donnas Ehering von ihrem Finger, als sie Melanie badete. Sie hatte den Ring weiter machen lassen, als sie so zugenommen hatte, aber jetzt mußte sie ihn mit Klebestreifen umwickeln, damit sie ihn nicht verlor. Jeden Abend wickelte sie einen neuen Streifen Klebeband um den goldenen Ring, und sie zwängte ihren Finger hinein, obwohl es weh tat.

Nachdem sie achtzehn Pfund abgenommen hatte, merkte Robert etwas. Aber statt ihr zu sagen, er sei stolz auf sie, beklagte er sich, wie teuer das Metrecal sei. Er fing an, auf dem Heimweg von der Arbeit Donnas Lieblingssüßigkeiten zu kaufen, und ließ Mandelriegel auf dem Armaturenbrett liegen, um sie in Versuchung zu führen. Als Donna nicht schwach wurde, begann er ihr vorzuwerfen, das Haus sei nicht mehr so sauber wie früher. Seine Hemden seien nicht mehr so weiß, und selbst der Sex sei nicht mehr so gut wie früher, weil Donna so sprunghaft geworden sei, daß er fast erwarte, sie werde aus dem Bett hopsen. Donna Durgin sagte nichts und trank weiterhin Metrecal und aß Grapefruits. Sie fing an, einen von Roberts alten Ledergürteln um ihre Taille zu schlingen, damit ihre Kleider nicht rutschten. Manchmal, wenn sie mit den Kindern zum Schlittenfahren ging, sah sie Nora Silk in einer grünen Wolljacke und schwarzen Stretchhosen, wie sie in rasendem Tempo auf einem Holzschlitten fuhr, ihren älteren Sohn, der die Arme um ihre Taille gelegt hatte, hinter sich, und das Baby, das juchzte und in die Hände klatschte, auf dem Schoß. Sie sah Nora im Supermarkt, wo sie nachdenklich die Rezepte auf der Rückseite von Haferflockenpackungen studierte, während ihr älterer Sohn aus einer offenen Tüte im Regal saure Bonbons stahl. Als Donna eines Abends in der Dämmerung nach draußen ging, um ein vergessenes Spielzeug ins Haus zu holen, sah sie Nora in ihrem Hintergarten. Sie lag im Schnee und bewegte die Arme vor und zurück, um Engelsflügel zu bilden. Sie hatte Schnee im Haar, ihre Wangen waren rot, und sie ließ das Baby ohne Mütze herumkriechen. Donna stand da und starrte, obwohl jede andere Mutter aus der Straße den Blick abgewandt hätte. Auf Dead Man's Hill schnalzten Ellen Hennessy und Lynne Wineman mit der Zunge, wenn sie Noras Baby auf dem Schlitten sahen und wenn sie merkten, daß Billy Silks Winterjacke ein Loch am Ellbogen hatte. Ellen gab gelegentlich einige der Informationen preis, die sie von ihrem Sohn Stevie hatte. Er saß zwei Bänke hinter Billy Silks, und daher wußten sie alle, daß Billy einmal in der Mittagspause ein Sandwich gegessen hatte, das aus nichts anderem bestand als einem Riegel Schokolade zwischen zwei Scheiben Weißbrot. Sie wußten, daß seine Mutter ihm nicht erlaubte, beim Turnen am Seil hochzuklettern, daß er oft krank in die Schule kam und daß er sich in einer Ecke der Bibliothek übergeben hatte. Donna Durgin hörte sich all diese Informationen an, aber in Wirklichkeit interessierte sie sich mehr für Noras Armband mit Anhängern, für die Radiomusik, die aus dem Haus der Oliveras drang, und für diese schwarze Stretchhose, die so eng war, daß man nicht mehr als hundertfünfzig Pfund wiegen durfte, um sie sich leisten zu können.

Donna hatte angefangen, von Kleidern zu träumen. Kordelgürtel und Goldlamékleider und kleine Pelzjacken aus Kaninchenfell. Sie träumte, sie stünde hinter einer Theke mit Seidenblusen und Spitzenwäsche. Sie spürte den Stoff, wenn sie aufwachte, und sie fühlte sich, als sei sie irgendwie untreu gewesen. Sie hielt sich von Seide und Chiffon fern. Sie trug noch immer die Kleider aus ihrer fetten Zeit, zusammengehalten durch Roberts Gürtel und mehrere Sicherheitsnadeln.

An dem Tag, an dem sie Nora in der Schlange bei A & P traf, trug sie eine gesmokte Bluse, die sie während ihrer ersten Schwangerschaft gekauft hatte. Weil Schulferien waren, hatten sowohl Nora als auch Donna ihre Kinder bei sich. Wenn Donna nicht durch ihre Jungen abgelenkt gewesen wäre, die sich stritten, hätte sie ihren Einkaufswagen vielleicht nicht hinter den von Nora geschoben.

»Billy«, sagte Nora scharf.

Sie legte ihre Lebensmittel auf die Ladentheke und trug gleichzeitig das Baby auf dem Arm; Billy stand neben dem Regal mit Süßigkeiten und Kaugummi. Er wollte gerade eine Packung Black Jack in seine Manteltasche schieben und schaute unbeteiligt auf, als Nora seinen Namen rief, aber Donna konnte sehen, daß er den Kaugummi in seine Tasche gesteckt hatte. Nora ging um ihren Einkaufswagen herum, faßte in Billys Tasche, zog den Kaugummi heraus und legte ihn in das Regal zurück. Sie gab Billy einen kleinen Klaps, aber dann bemerkte sie Donna Durgins erstarrten Blick, fuhr sich mit den Fingern durchs Haar und lächelte.

»Kinder«, sagte Nora. »Sie glauben, sie seien dazu da, uns verrückt zu machen.«

Donna nickte und hob Melanie aus dem Kindersitz in ihrem Einkaufswagen.

»Donnerwetter«, sagte Nora anerkennend. »Sie sind aber viel, viel schlanker als im Sommer.«

Nora trug einen kurzen schwarzen Mantel und einen geraden schwarzen Rock. Sie hatte ein rotes Tuch um den Hals gebunden. Chiffon.

»Haben die Tupperware-Sachen Ihnen gefallen?« fragte Nora. »Um ehrlich zu sein, ich hätte meinen Mann umgebracht, wenn er mir jemals Tupperware zu Weihnachten geschenkt hätte, aber ich brauchte den Verkauf, darum konnte ich ihm ja schlecht sagen, daß wohl jede Frau eine goldene Halskette vorziehen würde. Ich habe ihn zu dem Dreiliter-Behälter überredet, denn ein Vierliter-Behälter ist nutzlos, wenn man nicht gerade für eine ganze Armee kocht.«

Donna Durgin lächelte ihr zu, aber Nora spürte, wie sie ihr entglitt, und Nora wollte sie nicht verlieren; sie war schließlich die erste Mutter aus der Straße, die lange genug stehenblieb, um ein paar Worte mit Nora zu wechseln. Zum Glück war die Kassiererin, die Cathy Corrigan ersetzt hatte, so langsam, daß sie eine ganze Weile in der Schlange stehen mußten.

»Ihr Mann kam zufällig vorbei, als ich Rührschüsseln aus dem Auto lud. Er erzählte mir, sie seien eine fabelhafte Köchin, und ich kann kein anständiges Rezept für einen Nudelauflauf finden. Die Leute finden das so simpel, aber ich finde, es gehört echtes Talent dazu, einen guten Nudelauflauf zu machen.«

Donna Durgin starrte auf das goldene Herz an Noras Armband und merkte nicht, daß Melanie und Scott angefangen hatten, alle Mandelriegel aus dem Regal zu räumen.

»Nehmen Sie Cheddar Käse?« fragte Nora.

»Velveeta«, sagte Donna Durgin.

»Aha«, sagte Nora. »Das ist das Geheimnis. Ich bin Ihnen wirklich dankbar. Meine Kinder rümpfen bei allem, was ich koche, die Nase. Sie sind sehr wählerisch.«

Donna Durgin machte den Mund auf, aber nichts kam heraus.

Nora nahm eine Tüte Kartoffelchips und legte sie auf die Theke. »Sie sollten mal zu Armand's rüberkommen. Ich könnte Ihnen zum halben Preis die Nägel maniküren, und Armand würde es gar nicht merken. In finanziellen Dingen ist er ein Trottel.«

Zwei dicke Tränen kullerten aus Donna Durgins Augen.

»Oh«, sagte Nora, als sie Donnas Tränen sah. Sie legte den Eisbergsalat, den sie gerade in den Händen hielt, wieder zurück.

Donna Durgin sagte noch immer nichts, aber sie hatte wirklich zu weinen begonnen. Ihre Tränen fielen in den Deckel eines Bechers mit saurer Sahne und dann auf den Boden.

Nora hob ihr Baby hoch und packte Billy. »Leg die restlichen Sachen auf die Theke«, sagte sie zu Billy.

»Ich?« fragte Billy.

»Du«, sagte Nora. Sie legte einen Arm um Donna und führte sie hinüber zu den leeren Einkaufswagen.

»Was ist es denn?« fragte Nora. »Das Tupperware-Set?«

Donna schüttelte den Kopf und hörte nicht auf zu weinen.

»Alles?« vermutete Nora.

Donna Durgin nickte und nahm ein Papiertaschentuch aus der Manteltasche.

»Diese schwarze Stretchhose, die Sie haben«, sagte Donna schließlich. »Wo haben Sie die gekauft?«

»Bei Lord und Taylor«, gab Nora zu. »Nicht, daß ich regelmäßig dort kaufe, aber manchmal muß man sich etwas gönnen. Gute Kleider halten ewig.« Nora sah hinüber zu Billy und bedeutete ihm, er solle sich mit den Lebensmitteln beeilen, denn hinter ihm hatte sich eine Schlange gebildet, die an der Obstabteilung vorbei bis zur Geflügelabteilung reichte. »Ihnen würde Schwarz großartig stehen«, sagte Nora zu Donna Durgin.

»Finden Sie?« fragte Donna.

»Glauben Sie mir«, sagte Nora. »Schwarz ist klassisch.«

Donna putzte sich die Nase. Sie bemerkte, daß ihre Kinder den größten Teil der Süßigkeiten aus den Regalen geräumt hatten.

»Jetzt geht's mir wieder gut«, sagte Donna.

»Wirklich?« fragte Nora zweifelnd.

»Oh, ja«, sagte Donna. »Wirklich. Danke.«

Sie gingen zurück zur Kasse, und Nora bezahlte ihre Lebensmittel. Dann suchte sie in Billys Taschen nach gestohlenem Kaugummi, während sie darauf wartete, daß die Kassiererin ihr das Wechselgeld herausgab.

»Mami!« schrie Billy.

»Der Unschuldsengel«, sagte Nora zu Donna Durgin. Nora nahm ihren Einkaufswagen und setzte James zwischen die Papiertüten. »Wir sollten uns öfter unterhalten«, sagte sie zu Donna.

Donna lächelte, obwohl sie an Nora vorbeizuschauen schien.

»Ja, sicher«, sagte Donna. »Gern.«

Draußen auf dem Parkplatz lehnte sich Billy an den Einkaufswagen und sah zu, wie Nora die Sachen ins Auto räumte.

»Du könntest mir helfen«, sagte Nora. »Das ist eine prima Methode, um Muskeln zu bekommen.«

Billy ergriff eine Tüte und stellte sie auf den Vordersitz.

»Ich wußte, daß es klappen würde, wenn wir den Leuten nur eine Chance geben«, sagte Nora. »Im Grunde sind die Leute schüchtern, man muß sie erst warm werden lassen. Man muß sie gewinnen. Das solltest du dir in der Schule auch vornehmen.«

»Mrs. Durgin geht irgendwohin«, sagte Billy.

»Was?« sagte Nora, die fürchtete, ihre einzige neue Freundin werde sie im Stich lassen. Sie vergaß, Billy zu schelten, weil er Donna belauscht hatte, und faßte ihn am Kragen. »Wohin geht sie?«

»Sie geht spazieren«, sagte Billy.

»Ach so«, sagte Nora erleichtert. Sie ließ Billy los und setzte James auf den Rücksitz. »Das sollten wir alle öfter tun.«

Donna Durgin unternahm ihren Spaziergang am 29. Dezember, nachdem sie die Kinder zu Bett gebracht hatte und ihr Mann vor dem Fernseher eingeschlafen war. Sie nahm ihren alten schwarzen Wintermantel heraus, der ihr zum ersten Mal seit Jahren wieder paßte, und legte etwas Lippenstift auf. Sie schlüpfte in ihre Schneestiefel, und dann, unmittelbar vor dem Gehen, bereitete sie das Mittagessen der Kinder für den folgenden Tag vor und packte die in Folie gewickelten Sandwiches in das unterste Fach des Kühlschranks. Kurz nach elf legte sie ihre Autoschlüssel auf den Küchentisch und ging hinaus. Frischer, pudriger Schnee bedeckte das Eis, und der Mond stand rosa am Himmel. Nachdem sie die Reihe der Pappeln entlang ihrer Einfahrt passiert hatte, war es einfach, weiterzugehen, und als Robert am nächsten Morgen aufwachte und merkte, daß sie nicht da war, waren ihre Fußabdrücke schon verschwunden.

»Schauen Sie«, sagte Joe Hennessy, »Frauen machen jeden Tag Sachen, die wir nicht verstehen können. Sie denken vollkommen anders als wir; versuchen Sie also nicht herauszufinden, was sie sich gedacht hat, das hilft Ihnen jetzt auch nicht weiter.«

»Sie haben mich falsch verstanden«, sagte Robert Durgin zu ihm.

Sie saßen im Wohnzimmer, während Johnny Knight in der Küche bei Keksen und Milch mit den Kindern redete. Normalerweise wäre das Hennessys Aufgabe gewesen, aber Robert war sein Nachbar, also war er ihm Rücksicht schuldig. Und außerdem machte Johnny Knight seine Sache bei den Kindern gar nicht so schlecht. Hennessy hatte gehört, wie er ihnen ein paar Fragen über ihre Mutter stellte... ob es einen Ort gebe, wo sie gerne hingehe, ob sie heimlich Geld oder ein

Scheckbuch in einer Schublade oder im Brotkasten versteckt habe... Dann hatte er sich mit den Kindern hingesetzt und die Milch und die Kekse ebenso genossen wie sie. Manchmal zahlte es sich aus, kindlich zu sein.

»Donna würde nicht einfach weggehen«, sagte Robert Durgin zu Hennessy. Er hatte seine Zigarette bis zum Filter heruntergeraucht, hielt sie aber trotzdem noch in der Hand. »Sie hängt an den Kindern. Sie würde nicht einfach weggehen. Nicht allein.«

Hennessy hatte seinen Mantel nicht ausgezogen und lehnte sich jetzt vorsichtig zurück. Donna Durgin war seit vierundzwanzig Stunden fort, und obwohl Kinderspielzeug herumlag, konnte Hennessy sehen, daß sie das Haus gut in Schuß gehalten hatte. Kein bißchen Staub lag auf den Jalousetten; Toffeebonbons waren ordentlich in einer Porzellanschale auf dem Couchtisch arrangiert.

»Und was folgt daraus?« fragte Hennessy.

»Jemand hat sie gezwungen«, sagte Robert.

»Aber Sie saßen doch hier auf dem Sofa«, sagte Hennessy. »Sie haben die ganze Nacht hier geschlafen. Sie hätten gehört, wenn jemand hereingekommen wäre.«

»Sie haben sich eingeschlichen«, vermutete Robert. »Oder sie haben früher am Tag die Kinder bedroht und sie so gezwungen, zu ihnen ins Auto zu steigen.«

»Also gut«, sagte Hennessy. »Ich denke darüber nach.«

Beide Männer versuchten sich einen Verrückten vorzustellen, der frei in ihrer Gegend herumlief.

»Klingt unwahrscheinlich«, sagte Hennessy.

»Und ich sage Ihnen«, sagte Robert, »sie würde nicht freiwillig gehen. Nehmen Sie einfach an, daß es nicht so ist, wie es aussieht.«

Das bedeutete, daß Hennessy sich den Mann ansehen

mußte, der neben ihm saß. Vielleicht hatte er irgendwo heimlich eine Freundin. Vielleicht hatte er eine hohe Lebensversicherung abgeschlossen. Vielleicht rauchte er nicht deshalb eine Zigarette nach der anderen, weil Donna fort war, sondern weil er Angst um seine eigene Haut hatte.

»Wir werden alle Möglichkeiten in Erwägung ziehen«, sagte Hennessy.

Als sie im Haus fertig waren, war es zu kalt, um auf der Straße noch viel zu reden. Johnny Knight stieg deshalb in Hennessys Wagen. Er blies auf seine Hände und rieb sie aneinander. »Die Kinder wissen überhaupt nichts«, sagte er. »Was ist mit dem Ehemann?«

»Robert«, sagte Hennessy. Er griff an Johnny vorbei und öffnete das Handschuhfach, nahm die Flasche Pepto Bismal heraus und schraubte sie auf.

»Robert« sagte Johnny Knight. »Wer auch immer. Glauben Sie, daß er damit zu tun hat?«

»Er ist Drucker«, sagte Hennessy. Er nahm einen Schluck Pepto Bismal und legte die Flasche zum späteren Gebrauch wieder in das Handschuhfach zurück. »Er hat noch nie in seinem Leben gekocht oder ein Bett gemacht, und jetzt muß er drei Kinder versorgen.«

Johnny Knight zuckte die Achseln. »Sie ist weg. Er ist noch da.«

»Scheiße«, sagte Hennessy.

»Tja«, stimmte Johnny Knight zu.

Es hatte noch nie einen Mord in der Stadt gegeben; Überfälle waren das Äußerste, aber Hennessy mußte seine Untersuchungen beginnen, als habe ein Mord stattgefunden. Er suchte nach Versicherungspolicen und stellte fest, daß es eine Lebensversicherung für Robert gab, aber keine für Donna. Er fuhr nach Queens und befragte Donnas Mutter und Schwester. Er ging zur Bank, wo sie ihr Sparkonto hatten, aber er fand keine Liebhaber, keine drückenden Schulden, keinerlei Hinweise. Er suchte bis Mitternacht die Gegend ab, redete mit Nachbarn, und als er nach Hause kam, wartete Ellen in der Küche auf ihn.

»Nichts«, sagte Hennessy.

Ellen hatte ihm eine Tasse Tee gemacht und eine Schale mit Keksen auf den Tisch gestellt. Sie trug ein Flanellnachthemd, und ihr Gesicht war kreidebleich.

»Sie ist wie vom Erdboden verschluckt«, sagte Hennessy.

»Ich kann's nicht glauben«, sagte Ellen. Während Hennessy draußen gewesen war, war sie um das Haus herumgegangen und hatte alle Fensterläden geschlossen. »Donna war an dem Morgen hier. Sie hat mir geholfen, die neuen Vorhänge zu säumen. Wir haben die ganze Zeit geredet. Wenn etwas nicht gestimmt hätte, hätte ich das gemerkt.«

Hennessy nahm einen Grahamkeks aus der Schale und brach ihn in zwei Hälften. »Meinst du?« fragte er.

»Natürlich hätte ich's gemerkt«, sagte Ellen. »Sie war meine Freundin. Oh, Gott.« Sie stellte ihre Teetasse ab. »War.«

Über den Tisch hinweg starrten sie einander an.

»Nichts weist darauf hin, daß sie tot ist«, sagte Hennessy.

»Joe!« sagte Ellen. »Das darfst du nicht mal sagen.« Sie nahm einen Keks und zerbrach ihn. »Was hat Robert den Kindern gesagt?«

»Daß sie verreist ist«, sagte Hennessy. »Ferien macht.«

Ellen stand auf und wusch die Teetassen ab; dann stellte sie sie auf das Abtropfbrett.

»Es ging ihr nicht so gut«, sagte Ellen.

»Wieso?« fragte Hennessy.

»Sie kam vor ein paar Wochen herüber und sagte, sie hätte

das Gefühl, Steine oder so gegessen zu haben. Ich dachte, sie hätte sich den Magen verdorben.«

»Was genau hat sie gesagt?« fragte Hennessy scharf.

»Joe!« sagte Ellen. »Ich bin keine Zeugin. Rede nicht mit mir, als sei ich eine Kriminelle.«

»Schon gut«, sagte Hennessy so ruhig, wie er mit jedem widerspenstigen Zeugen sprach. »Denk bloß darüber nach. Irgendein kleiner Hinweis, daß etwas nicht in Ordnung war?«

Ellen schüttelte den Kopf.

»Steine«, sagte Hennessy.

»Ich muß zu Bett gehen«, sagte Ellen zu ihm. »Ich halte das nicht mehr aus.«

Hennessy ging mit ihr ins Schlafzimmer und dachte noch immer an Steine. Man könnte sie nur essen, wenn man sie ganz schluckte, sonst würde man sich die Zähne daran ausbeißen und an den kleinen, harten Stücken ersticken. Nein, man müßte einen nach dem anderen in die Hand nehmen und den Mund öffnen. Man müßte die Augen schließen und schlukken, und danach müßte man die Folgen seiner Entscheidung einfach akzeptieren.

*

Der Hund schlief neben Aces Bett auf einem kleinen blauen Teppich, und nachts rannte er durch seine Träume. Er rannte durch das Gras und durch den Regen und zwischen den Sternen hindurch, die am schwarzen Himmelszelt standen.

»Na, na, Junge«, sagte Ace dann manchmal, streckte den Arm aus dem Bett und tätschelte dem Hund den Kopf. Aber der Hund wachte nie aus seinen Träumen auf. Er jaulte nur, drehte sich auf die Seite und begann sofort wieder zu laufen. Jemand hatte diesen Hund einmal gemocht, also war es kein totaler Schock für ihn, daß ihn wieder jemand mochte, und er war Ace vollkommen ergeben. Ace brauchte nur die Lippen zu spitzen, dann kam der Hund zu ihm gerannt, bevor er pfiff. Er verbrachte einen großen Teil seiner Zeit damit, auf Ace zu warten, und zwar in seinem Zimmer – wo Marie ihn grollend duldete, obwohl sie ihn lieber im Keller und noch lieber draußen gesehen hätte – oder auf dem Schulhof in der Nähe der Tür, durch die Ace immer kam, wenn um Viertel vor drei die Glocke läutete. Jemand hatte ihn einmal gemocht. Das war alles, was er wußte. Jemand hatte ihm ein Lederhalsband gekauft, an dem eine silberne Marke hing. *Mein Name ist Rudy,* stand darauf. *Ich gehöre Cathy und wohne in der Hemlock Street 75.* Ace hatte die Namensmarke vom Halsband des Hundes abgenommen, aber er konnte sie nicht wegwerfen, sondern trug sie in der Innentasche seiner Lederjacke.

»Rudy«, pflegte Ace zu flüstern, wenn der Hund neben ihm schlief. »Lauf, Rudy!« rief er, wenn er nach der Schule einen Stock auf den Sportplatz warf. Er hatte auf die Frage gewartet, woher zum Teufel er über Nacht einen reinrassigen Schäferhund bekommen habe, aber niemand fragte ihn. In den ersten paar Tagen versteckte er den Hund in seinem Zimmer. Er schmuggelte Hackfleisch und Schalen mit Milch herein. Er legte Zeitungen aus, auf die der Hund seine Notdurft verrichten konnte. In der ersten Woche ließ Ace den Hund nachts in sein Bett, wo er sich unter der Decke zusammenrollte, erschöpft von der Behandlung durch Cathy Corrigans Vater. Die Pfoten des Hundes waren eiskalt, und er hatte noch immer Blut zwischen den Ballen. Also nahm Ace den Hund in die Arme und blies warme Luft auf seine Pfoten.

Als Marie die urinbeschmutzten Zeitungen in der Mülltonne fand, entdeckte sie den Hund. Sie hatte eine Nase für alles Unsaubere, und in ihren Augen waren Hunde nutzlose

Kreaturen. Ace rechnete daher damit, daß sie ihn bestrafen und darauf bestehen würde, der Hund müsse im Teich ertränkt werden. Aber Marie verkündete nur, sie wolle den Hund nicht auf ihren Polstermöbeln, sie wolle nicht, daß er am Eßtisch bettle, und sie erwarte von Ace, daß er ihn dreimal täglich ausführe. Als an diesem Abend der Heilige von der Arbeit kam, sagte Marie zu ihm: »Geh und schau dir an, was dein Sohn nach Hause gebracht hat.« Der Heilige klopfte an Aces Tür, und als er ins Zimmer kam und den Hund sah, bückte er sich und klatschte in die Hände.

»Komm her, Junge«, sagte der Heilige, aber Rudy hatte Angst vor ihm und verkroch sich unter dem Bett. Der Heilige pfiff, aber der Hund wollte nicht kommen. »So einen Hund könnte ich bei der Tankstelle brauchen«, sagte er zu Ace.

»Tut mir leid, Vater«, sagte Ace. »Er läßt mich nicht gern aus den Augen.«

Als sie sich an diesem Abend zum Essen hinsetzten, jaulte der Hund und kratzte an der Tür, um aus Aces Zimmer gelassen zu werden.

»Ist das dein Hund?« fragte Jackie McCarthy.

Ace konzentrierte sich auf seinen Teller. Er war Jackie seit dem Unfall aus dem Weg gegangen; er war nicht einmal in Jackies neuem Bel Air mitgefahren, für den Ace gespart und den er zu kaufen gehofft hatte. »Ja.«

»Sorg bloß dafür, daß der Kläffer nachts ruhig ist«, sagte Jackie.

Ace starrte seinen Bruder an. Mit seinen neuen Zähnen und dem wiederhergestellten Kinn sah Jackie substantieller aus, solider. Und doch schien er nervös, als der Hund bellte. Sein Bruder wußte also, daß es Cathys Hund war, und irgendwie wußten es auch die Eltern, äußerten sich aber genausowenig dazu wie Mr. Corrigan. Ace hatte sich wegen Mr. Corrigan

Sorgen gemacht; er hatte sich vorgestellt, es würde eine Art Szene geben, Mr. Corrigan würde ihn einen Dieb nennen, sagen, das liege in der Familie, würde dann den Hund packen oder die Polizei rufen. Oder, schlimmer, er würde Ace schlagen, hart, und Ace würde sich nicht wehren können. Aber das würde Mr. Corrigan nicht bremsen; er würde Ace gegen die Schläfe boxen und ihn auf dem Rasen liegen lassen.

Aber an dem Tag, an dem sie sich schließlich über den Weg liefen, benahm Mr. Corrigan sich, als habe er weder Ace noch den Hund je in seinem Leben gesehen. Man hätte meinen können, er brauche seine ganze Konzentration, um die Deckel auf seine silbern glänzenden Mülltonnen zu legen. Aber der Hund erkannte Mr. Corrigan. Die Haare an seinem Hals und seinen Ohren sträubten sich, und ein knurrendes Geräusch drang tief aus seiner Kehle. Ace stand wie gelähmt und wartete darauf, daß Mr. Corrigan ihn angreifen würde, aber der drehte sich bloß um und schleppte die Mülltonnen zum Haus zurück.

Daher war Ace nicht überrascht, als ihn auch in der Schule niemand fragte, woher er den Hund habe. Die Jungen, die an der Straßenecke standen und bis zum Läuten der Schulglocke eine Zigarette rauchten, sagten kein Wort, obwohl sie alle zurückwichen, als sie den Hund sahen. Sogar Danny Shapiro schien Unbehagen zu empfinden, als ihm klar wurde, daß der Hund jeden Tag mit ihnen von der Schule nach Hause gehen würde.

»Beißt er?« fragte Danny.

»Er ist doch noch zu jung«, sagte Ace. »Er hat noch Milchzähne.« Ace warf einen Tennisball über den Schnee auf dem Rasen der Winemans, und Rudy lief hinterher.

»Aha«, sagte Danny unbehaglich, als der Hund wieder zu ihnen gerannt kam. »Milchzähne.«

»Gib her«, sagte Ace, und der Hund legte den Ball zu seinen Füßen ab.

»Er versteht dich«, sagte Danny. »Wirklich.«

Ace bückte sich. »Sprich«, sagte er zu dem Hund, und ohne daß Danny es sah, gab er Rudy ein Zeichen, indem er seine Hand öffnete und schloß. Der Hund bellte auf Kommando, wie Ace es ihm beigebracht hatte.

Danny Shapiro trat vom Gehsteig auf die Straße. »Der Hund ist mir unheimlich«, sagte er.

Ace sah noch immer Rudy an; der Hund starrte ihn ohne zu blinzeln mit heraushängender Zunge an. »Guter Junge«, sagte Ace. Rudy schnüffelte an Aces Hand und begann dann langsam, sie zu lecken. Ace tätschelte den Hund und ging dann weiter. Als er bei den Durgins vorbeikam, bemerkte er, daß Danny Shapiro nicht mehr an seiner Seite war.

»Was ist los?« rief Ace.

Danny zuckte bloß die Achseln. Ace kehrte um und ging zu ihm zurück, dicht gefolgt von dem Hund.

»Mir gefällt der Gedanke nicht, daß dieser Hund in die Nähe meiner Schwester kommt«, sagte Danny.

»Ach?« sagte Ace.

»Um ehrlich zu sein, ich weiß auch nicht, ob mir der Gedanke gefällt, daß du in ihre Nähe kommst.«

»Du machst Witze«, sagte Ace.

»Sie ist sechzehn«, sagte Danny. »Sie ist meine Schwester.«

»Na, und?« fragte Ace.

»Sie fragt andauernd nach dir«, sagte Danny. »Ich weiß, was los ist. Mann, du darfst nicht mal unser Haus betreten, wegen dem Cadillac.«

»Ich hatte nichts mit diesem Cadillac zu tun«, sagte Ace. »Und außerdem hat er ja einen neuen.«

»Tja, nun«, sagte Danny.

»Tja, nun. Vielleicht bist du ein Arschloch«, sagte Ace.

»Vielleicht bin ich das«, sagte Danny gedankenvoll.

Ace drehte sich wortlos um und ging mit seinem Hund nach Hause. Als Danny es nicht mehr aushalten konnte, ihm nachzusehen, formte er ein paar Schneebälle und zielte damit auf eine Pappel im Garten der Durgins. Er hatte jahrelang mit Ace Baseball trainiert, obwohl Ace nicht so begabt war wie er. Aber Ace hatte es nichts ausgemacht, Stunden auf dem verlassenen Sportplatz zuzubringen, wenn die Temperatur fast vierzig Grad im Schatten betrug. Er war der einzige, der bereit war, Danny Bälle zuzuwerfen, bis es dunkel wurde oder eine ihrer Mütter kam, um sie zu holen.

Sie waren nicht länger Freunde, das war alles. Danny hatte nicht gewußt, daß es so kommen würde, aber es war so gekommen. Vielleicht stimmte etwas mit ihm nicht, vielleicht fehlte ihm etwas; er hätte an Mädchen denken sollen oder an seine College-Bewerbungen, die gerade jetzt in den Zulassungsbüros von Cornell und Columbia lagen. Er hätte an seinen Schulabschluß im nächsten Juni oder die Tatsache denken sollen, daß sein bester Freund ihn wortlos stehenließ, doch das tat er nicht. Er dachte an Baseball und Julinachmittage und die Art, wie der Schläger in seiner Hand vibrierte, wenn er einen angeschnittenen Ball schlug.

Als er aufgehört hatte, Schneebälle zu werfen, blieb ihm nichts anderes übrig, als nach Hause zu gehen. Er betrat das Haus durch die Seitentür, um keinen Schnee auf den Wohnzimmerteppich zu tragen. Er küßte seine Mutter und sagte ihr, die Brötchen, die sie gerade in den Ofen geschoben hätte, würden wunderbar duften. Seine Mutter machte sich nicht die Mühe zu fragen, wie Dannys Tag gewesen sei oder ob er Hausaufgaben zu erledigen habe. Er war zuverlässig, alle wußten das. Im Juni würde er Klassenbester werden, und er hätte ohne weiteres seine vorzeitige Zulassung zu beiden Colleges schaffen können, wenn er nur seinen Anteil an einem Forschungsprojekt eingereicht hätte, das er jeden Samstag als Assistent von Dr. Merrick an der State University betreute. Sie untersuchten die Auswirkungen von Vitamin C und Cannabis auf Wachstum und Aggression. Noch immer nahm er jeden Samstag oben am Harvey's Turnpike den Bus hinüber zur biologischen Fakultät, aber er machte sich schon lange nicht mehr die Mühe, die Hamster mit Marihuana zu füttern. Statt dessen gab er ihnen Oregano, das er von zu Hause mitbrachte, fälschte seine Daten und steckte das Marihuana in die eigene Tasche.

Er wäre nie auf die Idee gekommen, es zu rauchen, und hätte pflichtbewußt die Hamster das ganze Semester lang damit gefüttert, wenn er nicht zufällig zwei Studenten darüber hätte scherzen hören, daß manche Leute viel dafür gäben, das zu rauchen, was die verdammten Hamster gratis bekämen. Daraufhin stahl Danny einem der Studenten eine Zigarette, und in dem Waschraum neben dem Labor rieb er sie zwischen den Fingern, bis aller Tabak herausfiel. Ehe er an diesem Tag nach Hause ging, hatte er den Tabak durch Marihuana ersetzt. Er rauchte die Zigarette an der Straßenecke, während er auf den Bus wartete. Danach verschwendete er nie wieder Marihuana an die Hamster.

Nachdem er seine Mutter begrüßt und seinen Mantel aufgehängt hatte, nahm Danny eine Tüte mit Schokoladenkeksen und ging in sein Zimmer. Er war ziemlich sicher, daß niemand in der Hemlock Street auch nur wußte, was Marihuana war, aber er öffnete sein Fenster einen Spalt breit für den Fall, daß seine Mutter unerwartet hereinkommen sollte; sie würde annehmen, er rauche Zigaretten, und entsetzt sein.

Danny zündete sich eine Marihuanazigarette an, legte sich

auf sein Bett und dachte weiter über Baseball nach. Sein Denken war klar und kühl. Er lauschte auf die Geräusche im Haus. Seine Mutter bereitete in der Küche das Abendessen, ein Abendessen, zu dem sein Vater wie gewöhnlich zu spät kommen würde. Seine Schwester wusch sich im Badezimmer das Haar. Die Leute dachten, sie würden einen kennen, aber was wußten sie wirklich? Danny drückte das, was von der Marihuanazigarette noch übrig war, aus und legte es in einen Aschenbecher, den er in seinem Wandschrank versteckt hatte. Er schaltete seinen Radiowecker ein. Er hatte absolut mit niemandem mehr etwas gemein, und er wußte nicht, warum. Er liebte Ace, aber jedesmal, wenn Ace zu reden anfing, hätte Danny ihm am liebsten auf den Mund geschlagen.

Die Musik verursachte ihm Kopfschmerzen. Danny schaltete also das Radio wieder aus und lauschte auf die Geräusche vom Parkway. Er haßte das Rauschen, mit dem alle an ihm vorbeifuhren, aber er konnte nicht aufhören, darauf zu horchen. Er schlief damit ein und wachte damit auf, und wenn er nicht aufpaßte, würde er noch verrückt darüber werden. Er zwang sich, vom Bett aufzustehen und sich ein sauberes Hemd anzuziehen. Dann ging er ins Badezimmer, um sich für das Abendessen zu waschen. Rickie saß noch auf dem Rand der Wanne und las eine Zeitschrift. Sie hatte eine Plastiktüte auf dem Kopf.

»Mann«, sagte Danny.

»Was dagegen?« sagte Rickie hochnäsig. »Ich hab eine Kurpackung im Haar.«

Danny ignorierte sie und ging zum Waschbecken, um sich Hände und Gesicht zu waschen. Das Wasser stach, als enthielten die Wassertropfen winzige Bienen.

»Fällt dir hier eigentlich irgendwas auf?« fragte Danny, als er nach einem Handtuch griff.

»Was zum Beispiel?« sagte Rickie.

Danny ging und schloß die Badezimmertür. Dann setzte er sich auf den Waschtisch.

»Zum Beispiel, daß Dad nie da ist.«

»Er bereitet sich auf den fünfzehnten April vor«, sagte Rikkie. Das war der Stichtag in jeder Buchhalterfamilie.

Danny fragte sich, ob Rickie wirklich so dumm sei oder ob sie sich nur so stellte.

»Schon gut«, sagte Danny. »Wie wär's mit Ace McCarthy?«

Rickie nahm die Plastiktüte vom Kopf und fuhr sich mit den Fingern durch das glitschige Haar. Dann blickte sie in den Spiegel. Vielleicht könnte sie wirklich hübsch sein, wenn es ihr nur gelingen würde, ihre Sommersprossen loszuwerden. Manchmal machte es sie fast verrückt, jede Sommersprosse mit deckendem Make-up zu überschminken, bis ihr Gesicht sich im Spiegel aufzulösen schien.

»Ich weiß nicht, wovon du redest«, sagte Rickie zu ihrem Bruder.

Sie und Ace hatten sich jeden Abend getroffen, wenn er den Hund ausführte. Er würde nie irgend etwas von dem haben, was sie sich wünschte, aber sie konnte sich nicht von ihm fernhalten. Sie war erschrocken über Aces Schweigen und die Art, wie schnell und heiß ihr Puls ging, wenn sie bei ihm war. Aber mehr als alles andere machte der Hund ihr angst. Er folgte ihnen zu dicht, wenn sie die Hemlock Street in Richtung Parkway entlanggingen; er stupste von hinten an Rickies Beine und machte eigenartige Geräusche tief in der Kehle, so daß Rickie nie genau wußte, ob er knurrte oder zu reden versuchte. Ace sagte nie viel, aber wenn sie weit genug von zu Hause entfernt waren, legte er immer die Arme um sie und küßte sie so lange, daß Rickie nicht wußte, ob sie je wieder würden aufhören können. Ace war immer derjenige, der sie davon abhielt, zu weit zu gehen; er zog sich dann zurück und pfiff nach dem Hund, und auf dem Heimweg ging er so weit vor Rickie her, daß sie laufen mußte, um mit ihm Schritt zu halten.

»Was glaubst du eigentlich, mit wem du redest?« sagte Danny. »Ich hab euch gesehen.«

Rickie drehte den Wasserhahn auf und griff nach ihrem zitronenduftenden Shampoo.

»Kümmere dich um deinen eigenen Kram«, sagte sie.

»Essen!« rief ihre Mutter aus der Küche.

»Na gut, du Dummkopf«, sagte Danny zu Rickie. »Aber du machst 'nen großen Fehler. Ace ist einfach nichts für dich. Du bist der Typ für Kaschmir, darauf solltest du dich eigentlich einstellen.«

Rickie ließ das Wasser ins Becken laufen; sie schaute zu ihrem Bruder herüber.

»Ich dachte, er wäre dein bester Freund.«

»Das war er«, sagte Danny leise. »Mit der Betonung auf ›war‹.«

In seinem sauberen weißen Hemd und seiner Jeans sah Danny nicht sehr viel anders aus als damals, als er zehn Jahre alt gewesen war. Man brauchte ihm nie zu sagen, er solle mittwochs abends die Mülltonnen herausstellen. Man konnte ihm sein Leben anvertrauen, aber man konnte nicht mit ihm reden; man hatte das Gefühl, wenn man es versuchte, würde er zurückprallen und hinter vielen Schichten Glas verschwinden. Also hielt Rickie ihren Kopf unter den Wasserhahn und schäumte ihr Haar ein. Sie fragte ihren Bruder nicht, was zwischen ihm und Ace passiert war, weil sie nicht wollte, daß er ihr seinerseits Fragen stellte.

Gewöhnlich war Danny zwar schlau, aber er wußte nicht

alles. Er wußte zum Beispiel nicht, daß Rickie und Ace am Silvesterabend vorhatten, es nicht beim Küssen bewenden zu lassen, und daß Rickie diejenige gewesen war, die wieder einmal vorgeschlagen hatte, sie könne ihr Schlafzimmerfenster offen lassen. Er verstand vielleicht etwas von Biologie und Mathematik, aber er wußte mit Sicherheit nicht, daß Rickie sich schon vorgenommen hatte, ein Baby-Doll aus rosa Satin anzuziehen, das Ace verrückt machen würde. Er hatte keine Ahnung, daß er in seinem sauberen weißen Hemd so einsam aussah, daß man sich fragte, wie er das aushalten konnte. Man mußte sich fragen, ob diese Art von Einsamkeit vielleicht ansteckend war und ob man nicht besser Leine zog.

Sie feierten die Party bei Winemans wie geplant, trotz Donnas Verschwinden. Sie entschieden, sie müßten das tun, und zwar nicht nur, weil Marie McCarthy bereits zwei Backformen voll Lasagne vorbereitet, Ellen Hennessy einen Käsekuchen gebacken und Lynne Wineman gelernt hatte, wie man einen Dry Martini mixte. Sie hielten daran fest, weil es die letzte Nacht des Jahrzehnts war und weil die erste Minute des Jahres 1960 niemals wiederkommen würde. Sie hielten daran fest, weil sie es brauchten, Ohrringe und hochhackige Schuhe anzuziehen. Sie brauchten das Gefühl, daß ihre Ehemänner noch immer gut aussahen, wenn sie Anzug und Krawatte trugen, daß ihre Arme sich noch immer stark anfühlten, wenn sie im Partykeller der Winemans zu langsamer Musik tanzten.

Nora Silk feierte allein, so gut sie konnte. Sie trug ein Cocktailkleid aus schwarzer Seide und hatte hackfleischgefüllte Blätterteigtaschen und Bällchen aus Cheddar Käse vorbereitet, die sie auf einem Silbertablett arrangierte. Sie mixte sich einen Highball und ein alkoholfreies Getränk für Billy, aber nach elf konnte sie ihn einfach nicht dazu bringen, wach zu bleiben und mit ihr Guy Lombardos Show in ihrem neuen Fernseher anzuschauen. Er schlief auf der Couch ein, seine Decke umklammernd, während Nora in die Küche ging, um sich einen neuen Drink zu mixen.

Es war eine kalte, sternenklare Nacht. Es war die Art von Nacht, in der man, wenn man seine beiden Söhne schlafend zurückließ und sich auf die vordere Veranda begab, die Musik von einem Haus fast am Ende der Straße hören konnte. Nora hatte ihren Whisky nach draußen mitgenommen und trank in kleinen Schlucken, während sie die Sterne betrachtete. Vor zehn Jahren, als gerade das Jahr 1950 anbrach, war sie mit Roger tanzen gegangen, und später in der Nacht war er so betrunken gewesen, daß er sich in der Eighth Avenue übergeben hatte. Sie war total in ihn verliebt gewesen. Sie hatte ihn zurück in ihre Wohnung geführt, ihm einen feuchten Waschlappen auf die Stirn gelegt und ihm einen Kaffee gekocht, der ihn nach Luft schnappen ließ. Dann waren sie zu Bett gegangen, auf die am Boden liegende Matratze, und hatten sich geliebt, bis es hell wurde. Vielleicht war er doch ein besserer Zauberer, als Nora je zugeben konnte, weil er es jahrelang so hatte aussehen lassen, als sei das, was sie hatten, genug. Sie wusch die Windeln im Ausguß in der Küche, sie trug ihre Lebensmittel vier Treppen hoch, und es war genug, wenn er sie küßte, wenn er ein goldenes Armband mitbrachte, wenn er seinen Frack anzog und sich mit Wasser das Haar zurückkämmte. Wenn sie niemals Kinder gehabt hätten, wären sie vielleicht noch zusammen, in Las Vegas, wo das Licht dünn und lila war und der Silvesterabend so gefeiert wurde, wie sich das gehörte – eine trunkene und verschwitzte Nacht.

Es verursachte Nora großen Schmerz, die Musik von den Winemans zu hören, körperlichen Schmerz, als hätte sie saure Milch getrunken, die ihr den Magen umdrehte. Wer waren diese Leute, die im Dunkeln tanzten, deren Kinder Billy quälten und Steine warfen? Nette Leute, das mußte sie glauben, Leute, die ihre Kinder abends zudeckten, die mit zärtlicher Fürsorge Schulbrote einpackten, die die gleichen Opfer brachten wie sie, vielleicht sogar noch mehr, damit ihre Kinder im Gras spielen und ruhig schlafen und Hand in Hand zur Schule gehen konnten, sicher auf dem Gehsteig, sicher auf der Straße, sicher die ganze Nacht hindurch. Und es war nicht die Schuld dieser Leute, daß Nora sich in dieser Nacht fühlte, als sei sie als einziger Mensch auf dem Planeten ganz allein.

Zwei Häuser weiter hätte Rickie Shapiro um Viertel vor zwölf alles darum gegeben, allein zu sein. Sie hatte soeben entschieden, daß sie einen schrecklichen Fehler begangen hatte, von dem sie sich, wenn sie nicht aufpaßte, vielleicht nie wieder erholte. Etwas so Einfaches wie dies konnte ihr ganzes Leben ruinieren. Sie hatte nie zuvor jemandem gestattet, sie zu berühren, und er hatte irgendwie seine Hand unter das elastische Taillenband ihres Pyjamas geschoben, und seine Finger bewegten sich in ihr ein und aus. Ihre Lippen brannten von all seinen Küssen, und ihre Haut war heiß und gerötet. Auf ihren Brüsten waren rote Male, als habe seine Berührung sie verbrannt. Wenn sie nicht aufpaßte, würde er ihr die Pyjamahose ausziehen und dann würde er ihre Beine anheben und seine Zunge dorthin führen, wo er sie nicht einmal berühren sollte. Niemand konnte sie dazu zwingen, wenn sie es nicht wollte. Er sah aus wie ein vollkommen fremder Mensch, wie jemand, der brannte und weit weg war. Und was würde sie von ihm bekommen, was hatte er ihr wirklich zu bieten? Nichts. Ihrer Mutter würde das Herz brechen, ihr Vater würde weinen und sich die Haare raufen, und ihr Bruder würde ihr sagen, sie sei eine dumme Gans, und daß er sie doch gewarnt habe. Es gab genügend Jungs, die dafür gestorben wären, fest mit ihr zu gehen, Jungs, die sowohl Cracks in Mathematik als auch im Football waren, Jungs, die zu schüchtern wären, ihr beim Küssen die Zunge in den Mund zu stecken.

Diese Male auf ihren Brüsten würden tagelang da sein. Sie wußte das. Sie würde ihre Bluse aufknöpfen und ihren Büstenhalter aufhaken und mit den Fingern über die Male fahren, und ihre Augen würden sich mit Tränen füllen. Mädchen wie sie taten so etwas nicht, und deshalb änderte Rickie Shapiro ihre Meinung. Denn wenn sie ihn jetzt nicht aufhielt, dann würde sie es nie tun.

»Moment mal«, sagte Ace, als sie ihn von sich stieß. »Das war doch deine Idee.«

»Ich kann's nicht tun«, sagte sie.

Sie hatte ihn vor fast einer Stunde durch ihr Fenster eingelassen. Sie hatte ihm gesagt, er solle seinen Hund draußen im Garten lassen, und hin und wieder hörten sie ein leises Jaulen, aber sie hatten sich weiter geküßt, waren außer sich geraten. Jetzt registrierte Rickie die Laute des Hundes, und sie geriet in Panik. Sie dachte an Cathy Corrigan und all die anderen Mädchen, die zuviel Haarspray benutzten und ihre Augen so dick mit Lidschatten umrandeten, daß sie wie verprügelt aussahen, und die manchmal Wochen vor Schulschluß verschwanden, auf geheimnisvolle Weise weggeschickt zu einem Onkel oder einer Tante oben im Staat New York, und die dann im folgenden Herbst zurückkamen, gezähmt und mürrisch und gemieden wie Gift.

Rickie riß sich los. Sie zitterte, als sie aus dem Bett stieg.

»Schon gut«, sagte Ace. Er hatte sein Hemd ausgezogen. Jetzt griff er danach, zog es an und fing an, es zuzuknöpfen. »Reg dich nicht auf.«

Rickie atmete zu schnell, und Ace dachte, sie werde ihn vielleicht schlagen, wenn er sich zu schnell bewegte.

»Ich hab einen Fehler gemacht«, sagte Rickie. Sie ging zu ihrem Wandschrank, nahm ihren Bademantel heraus und zog ihn an. »Ich könnte niemals mit dir zusammensein.« Sie nahm ihre Bürste von der Kommode, eine teure Bürste, in Frankreich hergestellt, mit einem Griff aus echtem Schildpatt. Sie bürstete ihr Haar mit harten, gleichmäßigen Strichen. »Du kannst nicht mal selbst deine Facharbeiten schreiben.«

Rickie legte die Bürste hin. Ihr war nach Weinen zumute. Ace schaute ausdruckslos zu ihr auf. »Du weißt nicht mal, wann man dich beleidigt hat«, sagte Rickie.

Ace stand auf, stopfte sich das Hemd in die Hose und nahm sein Jackett vom Korbsessel.

»Du darfst keinem von dem hier erzählen«, sagte Rickie. »Das kannst du mir nicht antun.«

Ace ging zum Fenster und öffnete es. Er stieg auf den Korbsessel, um aus dem Fenster zu klettern.

»Es tut mir leid«, sagte Rickie. »Ich wollte dich nicht verletzen.«

»Wieso glaubst du, du hättest mich verletzt?« sagte Ace.

Wenigstens diese Genugtuung wollte er ihr nicht geben. Er wollte sie nicht in seine Seele blicken lassen. Er stieg aus dem Fenster und sprang zu Boden. In der Dunkelheit wartete der Hund; er stand auf, schüttelte sich, kam dann zu Ace und drückte sich an seine Beine.

»Guter Junge«, flüsterte Ace.

Er fühlte sich so leer, daß ihn Rickies Stimmungswandel nicht erboste. Er hatte nie geglaubt, daß ihm sehr viel zustand, und jetzt konnte er sehen, daß er sogar noch weniger bekommen würde, als er sich vorgestellt hatte. Die Luft war so scharf und klar, daß das Einatmen schmerzte. Er ging durch den Garten der Shapiros, und der Hund folgte ihm dicht auf den Fersen. Er hätte weinen können, wenn noch irgend etwas in ihm gewesen wäre. Er blieb in der Einfahrt der Shapiros stehen und nahm eine Zigarette heraus, aber ehe er sie anzündete, hielt er die Hand über das Streichholz, und als die Flamme seine Haut berührte, spürte er nichts.

Er hatte keinen Ort, wohin er gehen konnte. Vielleicht hatte er nie einen gehabt. Trotzdem begann er zu gehen; er mußte sich bewegen, sonst würde er versteinern. Es wurde sehr schnell kalt, jede Sekunde fiel die Temperatur um ein Grad. Als Ace bei den Winemans vorbeikam, konnte er von drinnen Musik hören. Das Geräusch war gedämpft, selbst die Luft war gedämpft, weil ein dünner, weißer Nebel von den Rasenflächen aufzusteigen begann. Er ging weiter, obwohl er Angst hatte, und die Haare auf seinen Armen sträubten sich, als sei er von einer inneren Elektrizität erfüllt. Aber es war die Luft, die elektrisch war. Die Holzapfelbäume und die Pappeln knackten, und ihre Äste wurden blau. Der Gehsteig hatte die Farbe von Knochen, und die Sterne bildeten eine Konstellation, die nie zuvor jemand gesehen hatte, wie das Rückgrat eines Dinosauriers, das sich über den Dächern wölbte, weiß wie Kreide und erschreckend. Es hatte keinen Sinn, weiter zu gehen, denn am anderen Ende der Hemlock Street war Cathy Corrigans Geist im Vorgarten ihres Vaters erschienen.

Sie stand zwischen den Azaleen und dem Efeu, und ihre Füße waren nackt. Er wußte, daß es Cathy war, denn sie war ganz weiß gekleidet, ihre Ohrringe waren bittere Kugeln, und an all ihren Fingern waren Ringe. Er wußte es, weil kein anderer Geist ihn mit solcher Verzweiflung erfüllen oder aus einer Wunde bluten lassen konnte, die nicht einmal existierte. Was war das blaue Licht, das sie umgab wie ein Mond in der falschen Farbe oder der Fingerabdruck der Trauer? Der Hund war neben Ace auf dem Gehsteig stehengeblieben. Er bellte oder knurrte nicht, aber er hörte, was ein Mensch niemals hätte hören können. Er hob den Kopf und ging dann ein paar Schritte vorwärts, als sei er gerufen worden. Ace streckte die Hand aus und packte den Hund am Halsband.

»Bleib hier«, flüsterte Ace.

Der Hund gab tief in der Kehle ein leises Wimmern von sich. Während sie noch hinschauten, verschwand Cathy Corrigan, Molekül um Molekül, als bestünde ihr Geist aus Glühwürmchen. Bald lag ein Teppich von Licht über dem Rasen, und das Licht sank tiefer und tiefer, durch das Eis und ins Gras und endlich zwischen den Halmen hindurch in die Erde hinein.

Ace McCarthy senkte den Kopf und weinte. Er wußte nicht, ob er gesegnet oder verflucht war, und fühlte sich vollkommen verloren. Obwohl er jetzt erst recht keinen Ort mehr hatte, an den er gehen konnte, rannte er los, so schnell er konnte. Der Hund lief neben ihm her, über den Gehsteig und quer durch die Gärten, aber die Luft war so weiß, als würden sie zwischen den Sternen laufen. Sie rannten aus Leibeskräften, Seite an Seite, und bei jedem Atemzug schmerzten ihre Rippen. Sie wären nicht stehengeblieben, sie wären vielleicht ewig weitergerannt, wenn Ace sich nicht plötzlich in Nora Silks Armen wiedergefunden hätte; dort weinte er, so lange er weinen mußte, bis sie ihn ins Haus mitnahm.

1960

Sechstes Kapitel

Das Zeichen des Wolfs

Die Luft war weiß und unbewegt und voller Flüstern, als sä-
ßen Geister auf den Schornsteinen und unter den Betten und
in der Kühltruhe zwischen den Eiswürfelbehältern und den
gefrorenen Pasteten. Mit Einbruch der Dunkelheit würde ein
Spalier von Geistern in der weißen Luft erscheinen, und die
Kinder würden aufhören, Schneebälle zu werfen, und in ihre
Häuser rennen. Spät in der Nacht würde ein Geräusch ertö-
nen, als klopfe jemand ans Fenster, und nicht einmal der
Fernseher oder das Radio würde die Stimmen übertönen können, die einem Sachen sagten, die man lieber nicht gewußt
hätte. Die Menschen begannen sich nach Farbe zu sehnen,
nach einem Streifen Rot über dem Parkway bei Sonnenunter-
gang oder einem blauen Himmel, aber Tag um Tag gab es
nichts als weißen Schnee und Nebel, und in der Stille konnte
man spüren, wie man von Verlangen übermannt wurde, einem Verlangen, das alles schmerzen ließ, Finger und Ellbogen und Zehen.

In der Hemlock Street kam das Verlangen nicht allein; es
legte sich um einen Kern von Unzufriedenheit. Man fand ihn
vielleicht, wenn man die Hand in einen Gummihandschuh
schob, um den Ausguß in der Küche zu scheuern, oder in den
Birnenhälften, die man für ein Baby in Scheiben schnitt. Er

war unten in den Lunchdosen, die man zur Arbeit mitnahm, in den Ärmeln schwarzer Lederjacken, die man überwarf, wenn in der High School die letzte Glocke läutete. Morgens, wenn der Nebel am dicksten war, starrten die Leute einander aus ihren Einfahrten heraus an und fragten sich, was sie in dieser Straße machten, und die Geister stachelten sie auf. Grundlos begannen Dinge zu geschehen; Dinge, die niemand sich vorgestellt oder je erwartet und ganz bestimmt nicht gewollt hatte. Ein paar der Männer aus der Straße vergaßen, ihre Rechnungen rechtzeitig zu bezahlen, und plötzlich begann der Strom im Haus nebenan zu flackern. Es gab Abende, an denen die Frauen sich nicht einmal die Mühe machten, etwas zu kochen, sondern Fertigmenüs in den Ofen schoben und ihre Kinder vor dem Fernseher essen ließen. Freitag abends war es fast unmöglich, einen Babysitter zu bekommen, weil die meisten halbwüchsigen Mädchen beschlossen hatten, sie hätten Besseres zu tun. Sie hatten es aufgegeben, Hüftgürtel und Strümpfe zu tragen. Ein paar der Wilderen trugen überhaupt keine Unterwäsche mehr, und man konnte durch die Jeans und die Faltenröcke ihr Fleisch ahnen. Wenn die Jungs diese Mädchen sahen, wurden sie auf der Stelle verrückt und drehten ihre Transistorradios laut auf. Sie wurden so heiß, daß die Luft um sie herum zischte und sie nach Feuer rochen, selbst wenn sie sauber und tropfnaß aus der Dusche kamen.

Jeder war gereizt und bereit, aus der Haut zu fahren, aber die Geister setzten ihr Geflüster fort, einen Wirrwarr, den man nicht genau verstand. Trotzdem wußte man, daß es etwas damit zu tun hatte, wie man sein Leben lebte, und man wurde nur noch wütender, wenn das Essen nicht um sechs Uhr abends auf dem Tisch stand oder die Tochter einem widersprach. Es war das Wetter, die Feuchtigkeit, die Januardepression. Das sagten sich die Mütter, wenn der wachsende Berg von schmutziger Wäsche ihnen einfach egal war. Das und nichts anderes war es, was die Kinder veranlaßte, Katzen an den Schwänzen zu ziehen, was die Hunde der Nachbarschaft Mülltonnen umwerfen und die Abfälle auf dem Rasen verstreuen ließ. Aber es wurde immer schlimmer, und gegen Mitte des Monats fingen manche Leute an sich einzureden, es sei Donna Durgins Verschwinden gewesen, mit dem die Dinge angefangen hatten schiefzugehen. Die Leute wandten sich ab, wenn sie Donnas Mann sahen, der die beiden Jungen zur Schule brachte, während das kleine Mädchen ihnen nachlief, die Kleider verknittert und die Zöpfe unordentlich geflochten. Sie versuchten, Robert Durgin im Supermarkt aus dem Weg zu gehen, wo er Cornflakes und Mayonnaisegläser aus den Regalen nahm, während die Kinder, alle in den Einkaufswagen gepfercht, nach Tüten mit Kartoffelchips und Dosen mit Cola griffen. Sie brachten den Durgins keine Aufläufe mehr über die Straße, und sie boten sich auch nicht mehr als Babysitter an. Nach einer Weile hatten sie deswegen nicht einmal mehr ein schlechtes Gewissen, weil Robert eine Frau aus Hempstead engagiert hatte, die tagsüber auf Melanie aufpaßte und die Jungen von der Schule abholte. Aus einiger Entfernung hätte man sie fast für die Großmutter der Kinder halten können, obwohl sie sich nie die Mühe machte, ihnen die Socken hochzuziehen oder ihnen die Hosenbeine in die Schneestiefel zu stopfen. Doch obwohl sie Robert Durgin mieden, schien das, was geschah, ansteckend zu sein. Ellen Hennessy stellte fest, daß die Zöpfe ihrer Tochter dauernd aus den Gummibändern rutschten, so daß Suzanne, die gewöhnlich wie ein kleiner Engel aussah, irgendwie unordentlich wirkte. Ellens Sohn Stevie weigerte sich, auf sie zu hören, und widersprach ihr in einer Weise, die sie sich als Kind nie erlaubt hätte, Ellen selbst vergaß, Koteletts und Steaks zum Abendessen aufzutauen, so daß sie tagtäglich Fischstäbchen essen mußten. Obwohl Joe nie ein Wort sagte, fingen die Kinder an, sich zu beschweren.

Ellen hatte noch immer einen von Donna geliehenen Spezialschmortopf in ihrem Topfschrank. Vielleicht war das der Grund, warum sie nicht kochen konnte. Manchmal hatte sie auch das Gefühl, keine Luft zu bekommen. Selbst langsames Atmen in eine braune Papiertüte half nicht. Wenn sie und Joe allein waren, wurde sie ganz zittrig, und Joe hatte sie tatsächlich einmal gefragt, ob es einen anderen Mann gebe. Sie hatte gelacht und gesagt, wer in aller Welt das wohl sein sollte. Er hatte es dabei bewenden lassen, war nicht so weit gegangen wie der Mann ihrer Schwester Jeannie, der ein an die Wand geheftetes Foto von John F. Kennedy abgerissen hatte, weil er zu gutaussehend sei. Was Ellen sich wünschte, war kein anderer Mann. Obwohl auch sie etwas für Kennedy empfand, war es Jacqueline Kennedy, von der sie nicht genug bekommen konnte; sie durchblätterte die Zeitungen nach ihren Fotos und las alles, was sie finden konnte: über die von Jackie bevorzugten Modeschöpfer, über die Bücher, die sie las, über alles, was ihr einen Hinweis darauf geben konnte, wie diese Frau es schaffte, so vollkommen zu sein, so voller Versprechungen. Jacqueline Kennedy war die Zukunft, das konnte jeder sehen, und sobald man das tat, mußte man auch an seine eigene Zukunft denken. Wenn Stevie in der Schule war und Suzanne ihr Mittagsschläfchen hielt, pflegte Ellen sich an die Hintertür zu stellen und zu Donna Durgins Haus zu schauen, und sie fühlte dann etwas in sich aufsteigen, das sie nicht wollte und nicht verstand. Das war das Verlangen. Es traf sie hart, und sie war so wütend über all diese Jahre, in denen sie sich nie etwas gewünscht hatte, daß sie von Tag zu Tag kälter wurde, bis sie vollkommen eisig war und Joe sie nicht mehr berühren, nicht einmal mehr mit ihr im gleichen Zimmer sein konnte.

Hennessy hätte geweint, wenn er sich das gestattet hätte. Er hätte mit dem Kopf gegen die Wand geschlagen, aber statt dessen trank er jeden Tag zehn Tassen schwarzen Kaffee und eine halbe Flasche Pepto Bismal. Er war noch immer mit dem Fall Donna Durgin befaßt, und es war ihm eine Erleichterung, an sie zu denken, statt sich selbst leid zu tun. Hennessy war der einzige Bewohner der Straße, der noch zu den Durgins hinüberging. Es kam so weit, daß er sich Vorwände aus-dachte, um hinzugehen und nach Hinweisen zu suchen. Er durchforschte Donnas Kleiderschrank und blätterte in ihren Kochbüchern nach geheimen Botschaften. Zweimal wöchent-lich rief er ihre Verwandten in Queens an, um sicherzugehen, daß niemand von ihr gehört hatte. Robert redete nicht viel über ihr Verschwinden, nicht einmal, wenn Hennessy ihn dazu drängte. Oh, gewiß, als Hennessy genügend Druck aus-übte, gab Robert den Namen von Donnas Lieblingsrestaurant zur Zeit ihres Kennenlernens preis, als sie in der Nähe des Queens Boulevards gewohnt hatten. Als Hennessy hinging, stellte sich heraus, daß es abgerissen worden war, um Platz für einen Apartmentblock zu schaffen. Selbst wenn er keine Hin-weise hatte, denen er nachgehen konnte, ertappte sich Hen-nessy dabei, daß er zu den Durgins hinüberging. Am Wochen-ende machte er für Robert Botengänge, holte ein Medikament für eines der Kinder aus dem Drugstore oder Essen aus dem chinesischen Lokal. Wenn alle Kinder in ihren Betten lagen, blieb er noch da und schaute sich mit Robert im Fernsehen Sportübertragungen an. Es war nicht so, daß Robert ein Freund gewesen wäre – sie redeten nicht viel und konnten ein ganzes Basketballspiel verfolgen, ohne mehr zu äußern als Kommentare über die schlechten Leistungen der Spieler –, es war mehr ein Gefühl, daß sie beide irgendwie von ihren Frauen verlassen worden waren, obwohl Ellen sich auf der anderen Straßenseite befand und keineswegs fortgegangen war. Und es war noch mehr. Wenn Hennessy drüben bei den Durgins war, konnte er fast das Verlangen auslöschen, das von Tag zu Tag schlimmer wurde. Er hätte fast alles getan, um nicht nach Hause gehen zu müssen. Wenn es zu spät war, um Robert noch zu besuchen, und wenn auf dem Revier keine Überstunden anfielen, dann saß Hennessy in seinem Haus in der Falle, und nach einem Abendessen aus Fischstäbchen und nach zwölf Stunden mit schwarzem Kaffee war er so voller Begehren, daß er alles – sein Haus, seine Familie, seinen Job – für eine Nacht mit Nora Silk gegeben hätte.

Er log sich nichts mehr vor, so groß war sein Verlangen. Bevor er wußte, was er tat, hatte er ein Sparkonto drüben in Floral Park bei einer Bank eröffnet, die er nie zuvor betreten hatte. Jede Woche zahlte er etwas darauf ein, und das Sparbuch versteckte er in der Garage. Warum er das tat, wußte er nicht genau. Er fing an, den Immobilienteil der Zeitung zu studieren und Apartments auf der Insel oder oben in Albany zu besichtigen. Er setzte sich mit der Polizeibehörde in Verbindung und erkundigte sich, was zu tun sei, um versetzt zu werden. Er fand Gründe, um sich im Gericht von Mineola aufzuhalten; nach einer Weile wußten alle, daß er sich besonders für die Scheidungsfälle interessierte, und die Anwälte kannten ihn bei Namen. In Reggie's Bar um die Ecke des Gerichtsgebäudes hatte jeder von ihnen eine Scheidungsgeschichte zu erzählen, die alles andere übertraf: von einer Frau, die lieber ihr Haus niederbrannte, als den Erlös mit ihrem Mann zu teilen; von einem Mann, der sich die Zehen abgeschossen hatte, um arbeitsunfähig zu sein und seiner Ex-Frau keinen Unterhalt zahlen zu müssen; von einem Sportreporter, der das Foto seiner Geschiedenen in Jones Beach mit in die Dünen genommen und darauf geschossen, es aber um eine Meile verfehlt hatte – versehentlich traf der Schuß einen alten Mann, der in einer Hütte aus Strandgras lebte, ihn verklagte und eine Viertelmillion Dollar erstritt.

Hennessy verschlang all diese Scheidungsgeschichten, er konnte nicht genug davon bekommen; je scheußlicher sie waren, desto besser. Die Gauner, die nach Florida flohen, um keinen Unterhalt für die Kinder zahlen zu müssen, die Frauen, die für zwanzig Dollar am Tag Privatdetektive anheuerten, um Nahaufnahmen von der Untreue ihrer Ehemänner zu bekommen – jede Geschichte gab ihm Hoffnung und speiste sein Verlangen. Tatsache war, daß man es machen konnte und daß es auch schon gemacht worden war. In seiner Familie, in seiner Welt hatte es keine solche Möglichkeit gegeben; die Leute heirateten und waren bis in alle Ewigkeit verheiratet, und so war es noch immer, außer hier im Gerichtsgebäude, denn hier im Gerichtsgebäude stritten sich Leute, trennten sich und schossen sich die Zehen ab. Nicht einer von ihnen hatte dafür auch nur halb so viel Grund wie Hennessy, denn Hennessy war verliebt. Es zerriß ihm das Herz, sie auch nur zu sehen. Er schaufelte nicht einmal Schnee, wenn es stark geschneit hatte, denn er hatte Angst, er könnte Nora einfach packen, ins Auto zerren und mit ihr wegbrausen. Sie könnte auch ihre Kinder mitnehmen, sie könnten alle fortgehen. Es spielte überhaupt keine Rolle, ob die verdammte Behörde ihn versetzte oder nicht und ob er seine Rente verlor, und es kümmerte ihn nicht im mindesten, wer die Regale in der Waschküche fertig machen würde oder was seine Kinder von ihm denken würden, weil er sie so sehr begehrte.

Jedesmal, wenn er an sie dachte, bekam er dieses Gefühl im Nacken, und es machte ihn verrückt. Er fing an ihr Haus zu beobachten. Er fand ein altes Fernglas im Keller, reinigte es und schloß sich dann im Badezimmer ein. Abends ließ sie die Jalousetten im Wohnzimmer herunter, machte sie aber nicht ganz zu. Er konnte sehen, wie in der Dämmerung die Lichter eingeschaltet wurden, er konnte sehen, wie sie im Badezimmer auf dem Waschtisch saß, um Wimperntusche aufzulegen und vor dem Spiegel ihr Haar zu schütteln. Zweimal hatte er gesehen, wie sie ihr Baby aufgenommen hatte und mit ihm im Kreis herumgetanzt war, und Hennessy hatte sich das Gesicht mit kaltem Wasser waschen müssen. Als er damit fertig war, war sie fortgewesen.

Auf dem Revier bemerkte niemand, daß Hennessy immer stiller wurde. Es gab jetzt eine Rote Gefahr, da Castro Havanna übernommen hatte. Johnny Knight, der zum Tiefseefischen in Kuba gewesen war, war besonders aufgebracht. Die anderen Detectives sagten, Castro werde kein Jahr überstehen, aber Johnny Knight, der schon Pläne für den Bau eines Bunkers in seinem Keller hatte, meinte, sie sollten diesen Winter alle nach Miami fahren, weil Florida nächstes Jahr rot sein würde bis hinauf nach St. Petersburg.

»Dir ist Castro wohl ganz egal, was?« hatte er eines Tages zu Hennessy gesagt, als sie zu ihren Wagen hinausgingen.

Hennessy war wütend geworden. »Du hast keine Ahnung, was ich denke«, hatte er zu Johnny Knight gesagt. »Du hast überhaupt keine Ahnung, was ich fühle.«

»Schon gut«, hatte Knight gesagt und war zurückgewichen. »Mein Gott!«

Hennessy war zu seinem Wagen gegangen und hatte die Tür zugeknallt, aber er hätte alles darum gegeben, in Kuba zu sein, rot oder nicht, das war ihm vollkommen egal. Da wurde ihm klar, wie weit es mit ihm schon gekommen war, und er wußte, daß er etwas unternehmen mußte. Er wartete einen

Samstag ab, an dem Ellen mit den Kindern zu ihrer Schwester ging, und falls er das Gefühl hätte haben sollen, sie zu betrügen – er hatte es nicht. Warum sollte er auch? Ellen wollte ihn nicht mehr, das war klar, in ihr war kein Verlangen. Hennessy rasierte sich, zog sich an und ging dann nach draußen, um Schnee zu schaufeln. Als er den Gehsteig vor seinem Haus und auch einen Teil des Rasens freigelegt hatte, ging Rickie Shapiro endlich zum Babysitten hinüber. Zehn Minuten später, als Hennessy auch noch den Gehsteig der Winemans freischaufelte, kam Nora heraus und fing an, das Eis von der Windschutzscheibe ihres Volkswagens zu kratzen. Hennessy lehnte seine Schaufel an einen Holzapfelbaum und überquerte die Straße. Sein Nacken prickelte, und auch sein Puls spielte verrückt. Nora trug wegen des blendenden Schnees eine Sonnenbrille. Während sie arbeitete, schlug ihr Armband klirrend an die Windschutzscheibe. Sie hielt inne und winkte Hennessy zu, als sie ihn sah, und Hennessy wünschte sich, er könnte ihre Augen sehen.

»Armand kriegt jedesmal einen Wutanfall, wenn ich zu spät komme, und ich komme immer zu spät«, sagte Nora.

»Ich werd das für Sie machen«, sagte Hennessy. Er nahm ihr den Schaber ab und machte sich auf der Fahrerseite an der Windschutzscheibe zu schaffen.

»Sie sind toll«, sagte Nora.

Als Hennessy zu ihr hinübersah, schob sie ihr Armband zurecht.

»Vielleicht brauchen Sie eines Tages nicht mehr zu arbeiten«, sagte Hennessy. Er hatte das Gefühl zu ersticken, als sei jedes Wort ein scharfes, gefährliches Objekt.

»Oh, nein«, sagte Nora. »Da mach ich mir nichts vor.«

»Wenn Sie wieder heiraten würden...«, sagte Hennessy. Er hatte tatsächlich die Nerven, das zu sagen.

»Selbst wenn ich eigentlich nicht mehr arbeiten müßte, würde ich es tun, nur für den Fall, daß ich es vielleicht doch einmal wieder muß«, sagte Nora. »Wenn Sie verstehen, was ich meine. Ich bin ein gebranntes Kind.«

Hennessy ging um den Wagen herum zur Beifahrerseite und kratzte weiter. Nora griff in ihre Tasche und beugte sich dann vor, um sich im Seitenspiegel sehen zu können, während sie Lippenstift auflegte. Hennessy wischte mit den Fingern das Eis vom Schaber.

»Aber ich habe nicht vor, so bald wieder zu heiraten«, sagte Nora.

Er sah, daß er ihr würde Zeit lassen müssen. Er machte die Windschutzscheibe fertig und ging um den Wagen herum, um ihr den Eisschaber zurückzugeben.

»Das ist aber ein Verlust für alle Männer«, sagte Hennessy, ehe er den Satz zurückhalten konnte.

»Oh, ja, sicher«, lachte Nora. Aus der Nähe duftete sie nach Geißblatt und Lippenstift. Sie griff nach seinem Arm, nur für einen Moment, aber das war lange genug. »Sie sind wirklich ein Schatz«, sagte sie.

Hennessy stand in ihrer Einfahrt, während sie einstieg und den Wagen anließ. Er würde so viel Geld sparen wie möglich, um für den Zeitpunkt, wenn sie ihre Meinung ändern würde, bereit zu sein. Als sie den Rückwärtsgang einlegte und in der Einfahrt zurücksetzte, merkte Hennessy, daß er nicht mehr dieses Übelkeitsgefühl im Magen hatte. Er fühlte sich großartig. Er konnte warten, wenn er mußte, würde sich verhalten, als sei alles wie immer, obwohl in Wirklichkeit nichts, aber auch gar nichts wie früher war. An diesem und am nächsten Abend täuschte er großen Appetit vor und langte zu bei dem Essen, das Ellen zubereitet hatte. Am nächsten Tag beim Lunch hörte er sich Johnny Knights Schimpftiraden auf

Castro an. Er fuhr seine Tochter Suzanne zu ihrer ersten Ballettstunde und gab Stevie eine Ohrfeige, weil er in Gegenwart seiner Lehrerin das Wort »Nutte« gesagt hatte. Nichts von all dem hätte er tun können, wenn er keinerlei Hoffnung gehabt hätte, wenn nicht alles nur noch für kurze Zeit gewesen wäre. Aber das Warten machte ihn gereizt, und nachts konnte er nicht schlafen. Er pflegte um elf zu Bett zu gehen, doch wenn er sicher war, daß Ellen schlief, stand er auf und kochte sich Kaffee und wartete. Manchmal war Noras Katze draußen auf der Veranda, und manchmal brannte in ihrer Küche noch um Mitternacht Licht, wenn der Mond in der Mitte des Himmels stand. Wenn sie vergaß, ihre Jalousetten zu schließen, erriet Hennessy gern, was er in dem verdunkelten Wohnzimmer sah, bevor er sein Fernglas holte. Eine Babydecke auf dem Sofa, ein auf einem Stuhl vergessener Stapel 45er Platten, ein Gummibaum, dessen Blätter sich kräuselten und an den Spitzen bogen.

Und dann sah Hennessy eines Nachts, als die Luft besonders kalt und still war und der Mond blau schimmerte, daß sich in einer Ecke ihres Wohnzimmers etwas bewegte. Es war nicht die Katze, die war draußen auf der Veranda. Vielleicht das Baby, das aus seinem Bettchen geklettert war, oder ein Bündel heruntergefallener Kleider? Hennessy stellte seine Kaffeetasse ab und holte sein Fernglas; sein Nacken war so angespannt, daß er kaum den Kopf drehen konnte. Das Ding stand langsam auf, und erst als es das Zimmer halb durchquert hatte, konnte Hennessy seinen Schatten an der Wand sehen. Es war der Schatten eines Wolfes.

Hennessy ging in sein Schlafzimmer, öffnete die Schublade des Nachttischs und nahm seine Pistole heraus. Seine Hände zitterten, als er sie lud. Sein Atem ging so laut – es war kaum zu glauben, daß Ellen nicht aufwachte. Aber sie schlief weiter, ohne zu merken, daß Hennessy mit der Pistole in der Hand aus dem Haus gelaufen war. Er überquerte die dunkle Straße im Zickzack, und das Geräusch seines eigenen Atems erfüllte seinen Kopf. Als er die Büsche neben der Veranda erreicht hatte, zwang er sich langsamer zu gehen. Vorsichtig und tief gebückt schlich er zum Fenster. Der Wolf lag unter dem Tisch im Eßzimmer und hatte lauschend die Ohren steil aufgerichtet. Das war Schicksal. Es war fast ein Wunder, denn nun würde das Warten gleich vorbei sein. Es spielte keine Rolle, wie das Tier in Noras Haus gelangt war oder ob es Hennessy ein Stück aus dem Bein reißen würde, wenn sie einander gegenüberstanden. Er war im Begriff, Nora zu retten. Wenn er das tat, würde sie wissen, daß er der Mann war, den sie brauchte. Dessen war sich Hennessy sicher, und nun fiel die Furcht von ihm ab. Er richtete sich zu voller Höhe auf, aber dabei stieß er an das Fenster. Der Wolf sah ihn. Und dann war Hennessy nicht mehr ganz so sicher.

Der Wolf erhob sich und kam unter dem Eßzimmertisch hervor. Er war riesig. Seine Pfoten waren so groß wie Männerfäuste. Schnüffelnd bewegte er sich vorwärts. Hennessy hatte freies Schußfeld, direkt durch das Fenster, aber er konnte nicht aufhören, das Tier anzustarren. Dann warf der Wolf den Kopf zurück und heulte, und das Geräusch war so machtvoll und einsam, daß Hennessy den Halt verlor. Sonst hätte er das Tier direkt durch die Scheibe erschossen, aber als der Wolf zu heulen begann, kam Nora ins Wohnzimmer gerannt. Er hätte den Wolf erschießen sollen, doch er tat es nicht. Er stand da, während Nora sich dem Wolf näherte. Sie trug ein weißes Nachthemd und war barfuß. Sie ging geradewegs auf den Wolf zu und gab ihm einen Klaps auf die Nase. Dann beugte sie sich nieder und legte die Arme um ihn und kraulte seine Brust und sagte ihm, er sei ein böser Junge. Hennessy hielt sich am Fensterbrett fest, um nicht das Gleichgewicht zu verlieren; seine Pistole war noch immer gezogen, als er erkannte, daß der Wolf Ace McCarthys Hund war.

Hennessy ging über die Straße zurück. Er schloß die Tür hinter sich und verriegelte sie. Dann ging er nach unten in den Keller und holte all die Zeitungen heraus, in denen er Immobilienangebote rot eingekringelt hatte. Er trug den ganzen Packen nach oben und hinaus in die Garage, wo er sie auf den Boden einer Mülltonne warf. Weil er nicht länger zu warten brauchte, legte er sich völlig bekleidet auf sein Bett und schlief einen langen, traumlosen Schlaf. Am nächsten Morgen fuhr er zur Bank in Floral Park, hob alle Ersparnisse von seinem Konto ab und sah am Schalter zu, wie sein Sparbuch in zwei Hälften gerissen wurde.

In der ersten Nacht, in der Nora ihn in ihr Bett ließ, sprachen sie überhaupt nicht, nicht nur, weil die Kinder vielleicht aufwachen könnten, sondern weil das, was sie zu tun im Begriff waren, weit jenseits aller Worte lag. Sie holte ihn ins Haus und schloß die Tür hinter ihm, und dabei klemmte sie sich in der Windfangtür den Finger ein, aber sie merkte nicht, daß sie blutete. Sie sah erst am nächsten Morgen, daß sie sich geschnitten hatte, als das Baby ihren Finger packte und »bu bu« sagte. Sie hatte gedacht, sie würde in die Küche gehen und ihm ein Glas kaltes Wasser holen, aber nachdem er im Haus war, wußte sie, daß sie kein Wasser holen würde. Er zitterte in ihrem Flur, als sie die Arme um ihn legte, also küßte sie ihn und dachte, der Kuß sei freundschaftlich. Doch das war er nicht.

Sie gingen durch den dunklen Gang in ihr Schlafzimmer und ließen den Hund mitkommen, damit er nicht an der verschlossenen Tür kratzte. Als sie einander auszogen, hörten sie den Hund in der Ecke atmen, wo er zusammengerollt auf einem weißen Nachthemd lag, das vom Haken gerutscht war. Sie zogen sich rasch aus, damit sie ihre Berührungen nicht zu lange unterbrechen mußten. Sie legten sich auf Kissen auf den Boden und hielten sich an dem metallenen Bettrahmen fest. Wenn sie sprachen, so nur, um einander um mehr zu bitten. Der Hund schlief traumlos in seiner Ecke, das Baby schrie nicht nach seiner Flasche, Billy wachte nicht auf, um ins Badezimmer zu gehen, und so machten sie weiter und weiter und hielten einander den Mund zu, damit sie nicht schrien. Um fünf Uhr morgens, als der Himmel milchig wurde und die Sterne verschwanden und das Laken, in das sie sich eingewickelt hatten, völlig zerrissen war, wußten sie beide, daß es mit der Nacht zu Ende war, aber nicht mit ihnen.

Sie sprachen nie darüber, sich wieder zu treffen, aber nach dieser Nacht stand Ace immer früh auf, um zur Schule zu gehen, frühstückte und saß alle Unterrichtsstunden des Vormittags ab; wenn die Mittagsglocke läutete, genau um die Zeit, zu der Nora das Baby zum Schlafen hinlegte, stahl Ace sich aus der Schule, rannte die Poplar Street entlang, durchquerte den hinteren Garten der Amatos, schwang sich über Noras Zaun und ging direkt zur Seitentür, die sie immer für ihn offenließ. Er hielt nicht inne, um zu überlegen, was mit ihm passierte, aber er wußte, was immer es war, es wurde schlimmer. Er konnte nicht abwarten, sie ins Schlafzimmer zu führen, und manchmal tat er es auch nicht. Sie liebten sich auf der Couch im Wohnzimmer und hörten erst auf, wenn das Baby aus seinem Mittagsschlaf erwachte und schrie. Dann zog Ace seine Kleider an, während Nora ein Fläschchen zurechtmachte, ging dann durch die Seitentür und rannte zur Schule zurück und kam rechtzeitig zur achten Stunde.

Die Wochenenden waren schlimm, weil er sie da gar nicht

sehen konnte. Er arbeitete in der Tankstelle und zapfte Benzin, während Jackie und der Heilige Motoren reparierten, und wenn er nur an sie dachte, wurde ihm so heiß, daß er zu explodieren glaubte. Die Nächte waren noch schlimmer, die Nächte machten ihn verrückt. In manchen Nächten ging Nora das Risiko ein, aber in anderen fand Ace die Seitentür verschlossen vor, und dann wußte er, daß Billy Alpträume hatte oder das Baby wieder zahnte. In solchen Nächten konnte Ace überhaupt nicht schlafen. Er begann abzunehmen, weil er sich keine Zeit zum Mittagessen nehmen konnte. Er konnte auch nicht mit seiner Familie zu Abend essen, nicht einmal dann, wenn Marie seine Lieblingsgerichte zubereitete. Immer, wenn Ace Noras Tür verschlossen fand, machte er mit dem Hund lange Spaziergänge durch die ganze Siedlung, und am Ende landete er immer vor dem Haus der Corrigans. Er blieb stehen, wenn er den Rand der Einfahrt erreichte, aber dann sagte er sich, daß nur ein Feigling sich umdrehen und weglaufen würde. Er zwang sich, näher und näher an den Kreis heranzugehen, wo Cathys Geist erschienen war. Das war der einzige Ort, an den Rudy ihm nicht folgte. Der Hund wollte nicht weiter gehen als bis zur Einfahrt; er setzte sich dann hin und jaulte, während Ace den Rasen überquerte. Ganz gleich, wie sehr er sich auch bemühte, Ace konnte sich nicht überwinden, weiter als bis an den Rand dieses Kreises zu gehen. Doch dann, eines Abends, begann er damit; er streckte die Hand in den Kreis, doch sobald er die warme Luft darin spürte, hörte er ein Auto hupen. Ace zog rasch die Hand zurück, und als er sich zur Straße umdrehte, sah er Jackies Bel Air. Den, der eigentlich Ace hätte gehören sollen. Jackie kurbelte sein Fenster herunter und winkte wie wild, und als Ace zu ihm hinüberging, zischte Jackie: »Steig ein, verdammt noch mal.«

Ace öffnete und schloß die Faust. Seine Finger fühlten sich unnatürlich heiß an. Jackie streckte den Arm aus und packte ihn bei der Jacke.

»Verdammt, steig ein«, sagte Jackie. »Sofort.«

Ace ging zur Beifahrertür und stieg ein.

»Herr Gott noch mal«, sagte Jackie. Er hatte lange gearbeitet und stank nach Benzin und Angst. »Was zum Teufel machst du eigentlich hier?«

Der Hund kam zu Aces Tür, und Ace wollte ihn einlassen, aber Jackie hinderte ihn daran.

»Ich will diesen Hund nicht in meinem Wagen haben.«

»Na, gut. War nett, mit dir zu reden«, sagte Ace und öffnete die Tür, um auszusteigen, aber Jackie zog ihn zurück. Sie hatten in letzter Zeit nicht viel miteinander geredet. Es tat schon weh, nur zusammen im gleichen Zimmer zu sein.

»Komm nicht mehr hierher«, sagte Jackie. »Das macht die Dinge nur schlimmer.«

Ace lehnte sich zurück. »Welche Dinge?«

»Laß sie einfach in Frieden ruhen, verstanden?«

»Ja«, sagte Ace. »Ich werd mir deinen Rat merken.«

»Hör zu«, sagte Jackie, »was vorbei ist, ist vorbei. Ich hab mich geändert. Ich bin anders. Ich muß nicht für den Rest meines Lebens dafür bezahlen. Du willst ihren Hund behalten, gut. Aber rühr nicht daran.«

»Was ist los?« fragte Ace. »Hast du Angst vor Geistern?«

Jackie nahm seine Zigarettenschachtel vom Armaturenbrett und schüttelte eine heraus. »Sowas gibt's nicht«, sagte er. Seine Hände zitterten, als er sein Feuerzeug herausnahm, und in diesem Moment wußte Ace, daß er nicht der einzige war, der sie gesehen hatte.

»Doch«, sagte Ace.

»Nicht für mich«, sagte Jackie, aber er war bleich, und er

wandte die Augen nicht vom Rasen der Corrigans. »Ich habe jetzt Respekt vor Sachen, die ich früher nicht mal verstand. Sogar Vater sieht das.«

»Freut mich für dich«, sagte Ace. Er öffnete die Tür und stieg aus, aber ehe er sie zuschlug, beugte er sich noch einmal in den Wagen. »Freut mich wirklich, daß du ruhig schlafen kannst.«

Ace stand auf dem Gehsteig, als Jackie den Wagen startete und nach Hause fuhr. Der Hund kam zu ihm und stupste mit der Nase gegen seine Hand, bis Ace ihm den Kopf tätschelte. Dann gingen sie nach Hause. Sie ließen sich Zeit; es war erstaunlich, daß man, wenn man seine Zeit genau einteilte, mit seinem Bruder in einem Haus leben und keine zwei Worte mit ihm wechseln konnte, ob er sich nun gewandelt hatte oder nicht.

Nora wußte nichts von ihm, und so wollte sie es haben. Sie brauchte nur zu wissen, daß sie ihn wollte; sie brauchte nur an ihn zu denken, und ihr Magen verkrampfte sich und ihre Brüste wurden schwer. Manchmal mußte sie einen nassen Waschlappen nehmen und sich damit über Arme und Beine fahren, und wenn er kalt genug war, stieg Dampf von ihrer Haut auf. Sie begehrte ihn, und sie mußte ihn irgendwo zwischen Wäschewaschen und dem Bezahlen der Rechnungen und der Zubereitung eines Nachmittagsimbisses für Billy unterbringen. Sie hatte gedacht, sie hätte Roger begehrt, aber das hatte weniger mit ihrem eigenen Verlangen zu tun gehabt als mit einem Wunsch, ihm zu gefallen, sein eigenes Licht widerzuspiegeln. Zumindest bis die Kinder kamen und sie nicht mehr die Zeit und Energie hatte, nachts auf ihn zu warten und im Bett das zu tun, was er wollte, oder seinen Frack sorgfältig in den Schrank zu hängen, nachdem sie mit einer Fusselbürste die weißen Kaninchenhaare davon entfernt hatte. Sie hatte Roger einfangen wollen, und sie hatte sich ihr Verhalten während der ganzen Verlobungszeit sorgfältig überlegt. Bei Ace aber überlegte sie überhaupt nicht. Hätte sie es getan, dann hätte sie ihre Seitentür nicht unverschlossen gelassen und von der Minute an, in der sie das Baby zum Schlafen hinlegte, nicht nach ihm Ausschau gehalten. Sobald sie sich geliebt hatten, hätte sie ihn aus dem Haus geschickt, aber nun ließ sie ihn länger und länger bleiben, und manchmal mußte sie sich beeilen, um Billy von der Schule abzuholen, und kam doch zu spät; er war dann das einzige Kind, das noch da war. Sie sah ihn hinter der Glastür stehen, und sie fühlte, wie sich etwas in ihr umdrehte; so war es gewesen, als sie mit ihm schwanger war und er sich plötzlich in ihr bewegte. Trotzdem ließ sie Ace gefährlich lange bleiben, bis das Baby sich so an ihn gewöhnte, daß es anfing, nach Ace zu suchen, wenn es aus dem Mittagsschlaf erwachte. Sie ließ ihn jetzt in ihrem Haus duschen, obwohl es schon zwei Uhr war und sie um vier eine Tupperware-Party in Elmont hatte und noch einen Hackbraten zubereiten mußte, bevor sie Billy von der Schule abholte.

Sie hatte das Hackfleisch zum Marinieren in eine Mischung aus Tomatenpüree, Zwiebelsalz und Büchsenchampignons gelegt. Aces Hund schob seine Nase direkt auf die Arbeitsplatte.

»Rühr das bloß nicht an«, sagte Nora zu ihm.

Der Hund wich einen Schritt zurück und schaute verlegen zu Boden, doch ab und zu schielte er nach dem Fleisch.

»Mir machst du nichts vor«, sagte Nora.

Mr. Popper stand neben dem Toaster, den Rücken gewölbt, angriffsbereit. Wenn der Hund den Toaster auch nur ansah, sträubten sich Mr. Poppers Haare, und er gab ein schreckliches, schlangenähnliches Zischen von sich.

»Du bist zu groß für dieses Haus«, sagte Nora zu dem Hund.

Rudy starrte zu Boden und hechelte. Endlich kam Ace aus der Dusche, ein Handtuch um die Schultern, Hemd und Stiefel in der Hand.

»Dein Hund hat ein Auge auf mein Abendessen geworfen«, sagte Nora, als sie Ace in die Küche kommen hörte. Sie stand an der Spüle und wusch sich Hackfleisch und Paniermehl von den Händen. Als sie sich umdrehte, hatte Ace sich über den Hund gebeugt und kraulte ihn unter dem Halsband, und Nora fühlte, wie ein großer Schmerz sie durchzuckte. Es würde nicht leicht sein, ihn aufzugeben.

»Soll ich dir was zurechtmachen?« fragte Nora.

Ace sah zu ihr auf; wenn sie nicht im Bett waren, war er sehr einsilbig.

»Erdnußbutter und Marmelade?« sagte Nora.

»Mein Gott«, sagte Ace.

»Was?« fragte Nora.

»Ich bin nicht acht Jahre alt«, sagte Ace.

»Das weiß ich«, sagte Nora. Sie ging zu ihm und legte die Hände auf seine Brust.

»Ich hab nachgedacht«, sagte Ace.

»Oh, nein!« sagte Nora scherzhaft.

»Früher oder später werden wir erwischt werden«, sagte Ace. »Billy ist nicht dumm. Er wird es rauskriegen.«

Er trat zurück und zog sein Hemd und dann seine Stiefel an. Nora hob das Gesicht zur Decke, und ihre Kehle fühlte sich trocken an. »Wir können jetzt gleich Schluß machen«, sagte sie, weil sie sehen wollte, ob es das war, was er wollte.

»Nicht wegen mir«, sagte Ace. »Du bist diejenige, der es etwas ausmacht, wenn wir erwischt werden, und ich sage dir bloß, daß das passieren wird.«

Eigentlich wollte er ihr sagen, sie solle ihre Tür heute nacht auf jeden Fall offen lassen, und Nora wußte das. Sie ging zu ihm hinüber und nahm ihn in die Arme.

»Du hörst dich an wie ein alter Mann«, flüsterte sie. Seine Jeans waren eng, aber sie konnte eine Hand in den Hosenbund schieben, ohne den Reißverschluß zu öffnen.

»Bin ich aber nicht«, sagte Ace gepreßt.

»Nein«, sagte Nora. »Das bist du nicht.«

Ace pfiff dem Hund, glitt dann aus der Tür und ging rasch in den hinteren Garten. Er war geschickt darin, sich ungesehen davonzuschleichen. Er überstieg den Zaun so schnell, daß nichts zurückblieb außer seinen Fußabdrücken und manchmal einem Fetzen weißen Stoffs, das wie eine Fahne an dem Metall hing. Der Hund übersprang den Zaun mit einem Satz; er kümmerte sich nicht darum, wohin sie gingen, solange er wußte, daß er bei Ace war. Während sie ihnen nachsah, wußte Nora, daß sie niemals diesen Sprung hätte tun können, nicht mit hohen Absätzen, nicht belastet mit Flaschen und Bratpfannen und Langspielplatten und Nagellack in dreiundzwanzig verschiedenen Farben. Außerdem war es ihre eigene Wahl, an ihrem Küchenfenster zu stehen und zuzusehen, wie sie zwischen den kahlen Sträuchern verschwanden. Aber deswegen sah sie doch, daß der Himmel die Farbe von Pflaumen hatte, daß die gefrorene Rinde der Fliederbüsche sich blau färbte und daß der Junge, der eben noch in ihrem Hintergarten gewesen war, jetzt rannte, so schnell er konnte.

*

Billy ging zum Mittagessen nicht mehr in die Cafeteria. Er verbrachte die fünfundvierzig Minuten in der Jungentoilette, auf eine Schüssel gekauert und mit angezogenen Füßen, damit ihn niemand sah. Er wartete, bis die Glocke läutete und die Gänge sich mit Kindern füllten. Dann nahm er seine Streichhölzer aus der Hosentasche, zerknüllte leere Seiten aus seinem Ringbuch und zündete auf dem Fußboden ein kleines Feuer an. An manchen Tagen, wenn er Glück hatte, löste der Rauch den Feueralarm aus. Das war immer eine Ablenkung, und er konnte aus der Toilette schlüpfen und zurück in seine Klasse gelangen, ohne daß jemand ihn bemerkte.

Manchmal schaffte er es in einem Stück bis in die Klasse, manchmal nicht. Es war ihm fast gelungen, sich in der Schule vollkommen unsichtbar zu machen. Er hatte alles über Houdini gelesen, dessen er habhaft werden konnte, und nach wochenlangem Üben war er imstande, die Füße aus den Schuhen zu winden, ohne die Schnürsenkel zu öffnen; er konnte aus seinem Hemd schlüpfen, ohne die Knöpfe auch nur anzufassen, und er konnte seinen ganzen Körper in einen Hohlraum zwängen, der nicht viel größer war als ein Benzinkanister. In der Turnstunde versteckte er sich neben den Basketbällen in einer Höhlung, die so klein war, daß er die Arme um sich legen mußte wie in einer Zwangsjacke, und wenn er endlich herauskroch, waren seine Glieder schwach und prickelten wie von Nadeln gestochen. Er schaffte es jetzt, in der Badewanne zwei Minuten die Luft anzuhalten, und er arbeitete daran, seine Bauchmuskeln zu straffen. Morgens stand er früh auf und setzte sich hundertmal aus der Rückenlage auf, ohne sich abzustützen oder die Beine zu heben, und abends, ehe er schlafen ging, wiederholte er die Übung.

»Los«, flüsterte er James zu, wenn sie allein waren, »box mich!«

Aber das Baby hob dann nur sein Hemd und kitzelte seinen Bauch, und Billy mußte sich selbst boxen und aufpassen, daß er vorher die Bauchmuskeln straffte.

»Bu bu«, sagte James dann und sah still zu, wie Billy sich wieder und wieder selbst schlug.

Er hatte keine andere Wahl, als sich abzuhärten, denn obwohl die meisten Kinder ihn ignorierten, gab es noch immer eine kleine Gruppe, angeführt von Stevie Hennessy, die ihn nicht in Ruhe ließ. Unmittelbar, bevor sie von hinten über ihn herfielen, fing er ihre Gedanken auf. Sie zogen an seinem Hemd, bis die Nähte rissen; sie spuckten ihm auf den Kopf und die Schultern. Die Bande von Billys Feinden wurde immer mutiger; sie stopften sein Ringbuch in die Mülltonne, zerrissen sein Hausaufgabenheft, schrieben TRITT MICH mit schwarzer Geheimtinte auf den Rücken seines Hemdes und gossen ihm Milch in den Kragen, so daß er den ganzen Nachmittag in einer Pfütze saurer Milch sitzen mußte und die Lehrerin jedesmal, wenn sie an ihm vorbeiging, die Nase rümpfte.

Sie wußten, daß seine Mutter ihn nach der Schule abholte. Daher hielten sie sich fern, wenn die Glocke zum letzten Mal geläutet hatte. Deswegen war Billy am fünfzehnten Januar weniger über sein schlechtes Zeugnis entsetzt als über die Tatsache, daß die Schule schon um zwölf Uhr aus war. Den ganzen Morgen lang hatte er einen Kloß in der Kehle. Als er nach der Mittagsglocke zu seinem Schrank ging, um seinen Mantel und seine Gummistiefel zu holen, hörte er, wie sie darüber nachdachten, was sie ihm antun könnten. Er schob sein Zeugnis in den Hosenbund seiner Cordhose und ließ sich Zeit mit seinen Handschuhen und seinem Schal. Er verließ die Schule als letzter und hoffte verzweifelt, sie hätten ihn vergessen.

Die abfahrenden Schulbusse hinterließen Wolken blauer Auspuffgase, und wenn er ausatmete, bildete sein Atem auch Wölkchen in der kalten, klaren Luft. Die Straße war leer, als Billy das Schulhaus verließ und zur Mimosa Street hinüberging. Nur drei Erstkläßlerinnen hielten einander mit gekreuzten Armen bei den Händen. Als er von der Mimosa in die Hemlock Street einbog, fing Billy die ersten schwarzen Gedankenfetzen auf. *Ich halte ihm die Hände auf dem Rücken fest.* Er schaute die Straße entlang, sah aber niemanden. Keinen Spatz, keine Katze. Billy stand an der Straßenecke, das Ringbuch unter den Arm geklemmt, die Wollmütze tief ins Gesicht gezogen. Er ging weiter, weil er keine andere Wahl hatte; es war unmöglich, in der leeren Straße, in der es nichts als kahle Büsche und schwarze, blätterlose Bäume gab, unsichtbar zu werden.

Als keine Umkehr mehr möglich war, stürmten sie hinter einem Briefkasten hervor. Stevie Hennessy war der erste, und neben ihm waren zwei andere Jungs, Marty Leffert und Richie Mills, beide so groß wie Stevie. Sie grinsten, und alle hatten Steine in den Händen. Billy stand da wie hypnotisiert und dann tat er das Undenkbare. Er drehte sich um und rannte, ließ sein Ringbuch fallen, und kaum hatte er das getan, war er vogelfrei, und sie ließen ihre Steine fliegen.

Der erste Stein traf ihn, als er in die Evergreen Street einbog. Der zweite traf ihn, als er durch die Einfahrt zu einem Haus rannte, das er nie zuvor gesehen hatte. Er lief an die Tür und hämmerte dagegen.

»Laßt mich rein! Laßt mich rein!« hörte er sich schreien.

Er hämmerte weiter gegen die Tür, aber niemand öffnete, und sie kamen immer näher. Der dritte Stein traf ihn am Hals und er fühlte, wie Blut herunterlief. Er rannte durch den Hintergarten hinter dem leeren Haus und stürzte sich über den Zaun in den benachbarten Hintergarten in der Hemlock Street. Es war Stevie Hennessys Garten, und sobald Billy das bemerkte, rannte er schneller, als er für möglich gehalten hätte. Er schaffte es über die Straße und rannte in seinen eigenen Garten, und da blieb er schwer atmend stehen, um den

Schaden zu untersuchen. Er zog seinen Mantel aus, knüllte ihn zu einem Bündel zusammen und schob ihn unter die tief-hängenden Zweige einer kahlen Spierstaude. Er wischte sich mit den Händen das Blut vom Hals, und dann hörte er sie, drüben bei Stevie Hennessy, und weil er nur die Wahl hatte, sich in einen Kellerschacht zu ducken, in dem eine Mäusefami-lie lebte, oder ins Haus zu gehen, trat er durch die Seitentür.

Er kam nicht weiter als bis in den kleinen Flur, der die Kü-che von der Tür zur Garage trennte. Sein Atem ging rauh und heiser. Er hatte vor, sich in den Keller zu schleichen, ehe Nora ihn entdeckte, aber als er in die Küche spähte, sah er Ace McCarthy dort sitzen und Cola trinken, die Stiefel auf einen Stuhl gelegt.

Verblüfft sahen sie einander an.

»Mein Gott«, sagte Ace endlich. Er stellte die Füße auf den Boden und setzte seine Cola ab. »Was zum Teufel ist denn mit dir passiert?«

Billy antwortete nicht. Er hätte nie vermutet, daß es Ace war, obwohl er wußte, daß seine Mutter jemanden im Haus hatte; er hatte sie nachts manchmal flüstern hören, er hatte zusätzliche Handtücher im Wäschekorb gefunden, und manchmal wachte er aus tiefstem Schlaf auf mit dem Gedan-ken irgendeines Mannes im Kopf. Er wußte nicht, was seine Mutter und dieser Mann taten, aber er wußte, daß sie etwas taten, und er wußte, daß er sich nichts anmerken lassen durfte. Wenn er mitten in der Nacht zur Toilette mußte, pin-kelte er in eine leere Orangensaftflasche, die neben seinem Bett stand.

»Mann«, sagte Ace. »Dich haben sie wirklich erwischt.« Er ging zum Spülbecken und ließ das Wasser laufen. »Komm«, nickte er Billy zu, »wir wollen dich säubern.«

Billy ging zu ihm und wusch sich Hände und Gesicht. Seine

Stirn schmerzte. Er konnte sich nicht dazu bringen, Ace anzusehen.

»Wo bewahrt deine Mutter das Jod auf?« fragte Ace.

»Im Flurschrank«, sagte Billy.

»Aha«, sagte Ace. »Wie meine Mutter.«

Ace ging und holte Jod und ein paar Wattebällchen und säuberte Billys Nacken. Billy zuckte zurück und wand sich. Er verstand nicht, was seine Mutter und Ace wohl voneinander wollten.

»Zwei gegen einen?« sagte Ace.

»Drei«, sagte Billy.

»Diese Schweine«, sagte Ace.

»Na, und?« sagte Billy, zu ihm aufschauend. »Mir ist das egal.«

»Sollte es aber nicht«, sagte Ace. Er griff nach dem Zeugnis, das aus Billys Hosenbund ragte, und warf einen Blick darauf. »Junge, Junge«, sagte er. »Erzähl deiner Mutter, du hättest dir beim Turnen am Seil den Hals aufgescheuert. Und versuch bloß nicht, das hier zu fälschen.« Er gab ihm das Zeugnis zurück. »Wieso hast du deiner Mutter nicht gesagt, daß die Schule heute früher aus ist?«

»Dir brauche ich gar nichts zu sagen«, sagte Billy. »Wo ist meine Mutter?«

Ace schluckte schwer. »Sie ist in der Dusche, und ich passe auf das Baby auf.«

»Aha«, sagte Billy.

»Ich hasse freche Kinder«, sagte Ace zu ihm. Billy lehnte sich gegen den Tresen, und er sah so klein und verwundet aus, daß Ace den Anblick nicht ertragen konnte. »Waren diese drei Burschen deine Freunde?« fragte er.

»Nee.«

»Du hast keine Freunde?« vermutete Ace.

»Na, und?« sagte Billy.

»Und mit wem spielst du Ball?«

»Ich spiele nicht«, sagte Billy.

»Was?« sagte Ace. »Hab ich das richtig verstanden?« Er nahm seine Jacke und zog sie an. »Hat dir schon mal jemand gesagt, daß du nicht ganz richtig tickst?«

»Na, und?« heulte Billy.

Sie starrten einander an.

»Also los, hol einen Ball und einen Schläger«, sagte Ace, und als Billy sich nicht rührte: »Du hast doch welche, oder?«

Billy ging in sein Zimmer und holte den Ball und den Schläger, die Nora ihm gekauft hatte.

»Mein Gott«, sagte Ace. Der Schläger war noch in Zellophan eingepackt. »Komm, gehn wir«, sagte er.

Sie gingen durch den Garten und dann zur High School hinunter, ohne ein Wort zu sprechen. Der Sportplatz war nur gefrorener Schlamm, aber sie gingen hinaus auf das Spielfeld.

»Ich werfe sie direkt auf dich zu«, sagte Ace. »Du brauchst nichts weiter zu tun als zurückzuschlagen.«

Billy nickte und hob den Schläger. Er traf alle fünf ihm zugeworfenen Bälle nicht. Ace kam über das Spielfeld auf ihn zu.

»Ich bin ein guter Werfer«, sagte er. »Du brauchst dich bloß zu entspannen und ganz locker zu schlagen.«

Billy sah verblüfft zu ihm auf.

»Hör auf zu denken«, sagte Ace zu ihm.

Sie übten den ganzen Nachmittag, und schließlich verfehlte Billy nur noch zwei von jeweils drei Bällen.

»Ich hätte nicht gedacht, daß ich das kann«, sagte Billy. Er war außer Atem, und er mußte laufen, um mit Ace Schritt zu halten.

»Du kannst es ja auch nicht«, sagte Ace. »Noch nicht.«

Auf dem ganzen Heimweg versuchte Ace herauszufinden,

wieviel der Kleine wußte. Er ließ sich jedenfalls nichts anmerken. »Ich komme morgen wieder«, sagte Ace, als sie Billys Einfahrt erreichten.

»Du wärst ja ohnehin hier«, sagte Billy. »Oder?«

Es war offensichtlich, daß es nicht gut war, dieses Kind zu belügen.

»Nein, um viertel vor drei nicht«, sagte Ace. »Da wäre ich schon längst weg.«

»Du mußt das nicht machen«, sagte Billy. »Ich halte den Mund.«

»Schau«, sagte Ace, »ich muß überhaupt nichts machen.«

»Doch, mußt du wohl«, sagte Billy steif. »Jeder muß ein paar Sachen machen.«

»Hast du gesehen, daß mir draußen auf dem Spielfeld jemand ein Messer an die Kehle gesetzt hat?« fragte Ace.

Billy mußte zugeben, daß er das nicht gesehen hatte. Er schwang den Schläger über die Schulter und sah zu, wie Ace sich entfernte. Als Billy schließlich das Haus betrat, deckte Nora bereits den Tisch für das Abendessen.

»Wo warst du?« fragte sie.

»Ich hab mit Ace McCarthy Baseball gespielt«, sagte Billy. Er ging zum Kühlschrank, nahm sich ein Glas Milch und füllte James' Fläschchen.

»Haben!« jammerte James.

»Du spielst doch sonst nicht«, sagte Nora.

Sie löffelte Kartoffelbrei aus, der wie Leim am Löffel klebte. Sie hatte rosa Flecken auf den Wangen, doch ansonsten wirkte sie ganz normal.

»Ich hab eben damit angefangen«, sagte Billy.

Nora holte Ketchup und setzte sich an den Tisch. Ihr Haar war zu einem Pferdeschwanz zurückgebunden, und sie hatte sich nicht die Mühe gemacht, Make-up aufzulegen. »Gibt's irgendwas, was du mir sagen willst?« fragte sie beiläufig, während sie James' Hamburger in winzige Stückchen schnitt.

Die Wunden an Billys Hals und seiner Stirn brannten, sein Mantel lag zusammengerollt unter dem Strauch, sein Zeugnis hatte er noch immer im Hosenbund, und er wußte etwas über seine Mutter und Ace, das er nicht wissen sollte.

»Nichts«, sagte er.

»Schmeckt dir dein Hamburger?« fragte Nora.

Sie hatte einen Bissen von dem Fleisch genommen, und es war so trocken, daß sie das Gefühl hatte zu ersticken.

»Prima«, sagte Billy.

Nora sah zu, wie er aß; er war wirklich ein besonders guter Lügner, vielleicht ein noch besserer als sein Vater.

»Du weißt, daß du mich alles fragen kannst, was du willst«, sagte sie zu Billy, während sie James fütterte. »Du kannst mir überhaupt alles sagen.«

Billy konzentrierte sich auf sein Essen und murmelte: »Ja.«

»Schau mich an, Billy!« verlangte Nora. Er tat es und fing das Wort Lüge auf, und da wußte er, daß er keine Chance hatte. »Ich will die Wahrheit wissen«, sagte Nora und betete, daß Ace angezogen gewesen war, als Billy ihn im Haus antraf.

Billy legte sein Besteck hin, zog sein Zeugnis heraus und legte es auf den Tisch. Nora betrachtete es verwirrt, faltete es dann auseinander und sah die rot eingekreisten *Ungenügend.*

»Oh«, sagte sie.

»Ich kann nichts dafür«, sagte Billy.

Nora holte einen Stift und unterschrieb das Zeugnis. Sie küßte Billy auf den Kopf, und als sie fragte, ob er noch eine Nachspeise wolle, sagte Billy, obwohl er eigentlich satt war: »Oh, ja, bitte.«

SIEBTES KAPITEL

Gnade

Nora Silk lag im Bett und hörte zu, wie auf ihrem Dach das Eis schmolz. Die Katze hatte sich am Fußende des Bettes zusammengerollt, und die Vorhänge waren nicht ganz zugezogen, so daß Nora ein Stückchen blauen Himmel sehen konnte. Es war der erste März, ein milder, blasser Tag, ein guter Tag, um Wäsche draußen auf die Leine zu hängen. Heute vor einem Jahr war sie in einem Waschsalon in der Eighth Avenue gewesen, einem schrecklichen Ort, wo die Kunden vornübergebeugt saßen und einander ignorierten, während ihre Unterwäsche hinter dem Glas der Wäschetrockner kreiste. Sie nahm die Jungen immer mit, und da saßen sie, Geiseln ihrer eigenen Kleider, denn das eine Mal, als sie den Waschsalon verlassen und mit Billy heiße Schokolade getrunken hatte, mußten sie bei ihrer Rückkehr feststellen, daß ihre Wäsche gestohlen worden war, obwohl sie noch nicht einmal trocken gewesen war. Jemand hatte einfach den ganzen triefenden Haufen genommen und die Tür der Maschine halb offen gelassen. An diesem Tag vor einem Jahr hatte Nora Billy alle möglichen Süßigkeiten gekauft, damit er bloß stillsaß. Sie hatte das Baby auf eine Waschmaschine gelegt, während sie ihre Kleidung in eine andere stopfte. Nachdem sie die Münzen in den Apparat geschoben hatte, hatte sie aufgeblickt und Billy am anderen

Ende des Waschsalons gesehen, ganz zusammengesunken auf einem der orangefarbenen Plastikstühle. Er klopfte mit den Füßen auf den Boden, warf sich Milchbonbons in den Mund und hatte diese schrecklichen kahlen Stellen auf dem Kopf. Noras Magen hatte sich verkrampft, und sie hatte gedacht, daß alles andere besser sei als das. Aber jetzt, nach sechs Monaten in der Hemlock Street, war sie nicht mehr so sicher.

Sie wartete noch immer darauf, daß eine der anderen Mütter in der Straße sie zum Kaffee einladen oder vorschlagen würde, sie solle mit den Kindern zum Spielen herüberkommen. Die Wahrheit war, daß noch immer niemand mit ihr reden wollte, wenn man sich bei A & P begegnete. Am ersten Montag jedes Monats kam Rickie Shapiro herüber, damit Nora zur Elternversammlung in der Cafeteria der Schule gehen konnte, und sie achtete jetzt darauf, daß sie flache Schuhe trug und keine Pfennigabsätze. Und doch, wenn sie die Hand hob, um etwas zu sagen, übersah dies der Vorsitzende, der am ersten Tisch saß, und alle Gespräche stockten, wenn sie nach der Versammlung mit einem Kuchen an den Tisch trat, wo Erfrischungen gereicht wurden.

Als sie die anderen Frauen in der Cafeteria beobachtete, wurde Nora allmählich klar, daß auch sie nicht wirklich miteinander sprachen, nicht einmal diejenigen, die sich fast täglich sahen. Ihre Lippen bewegten sich mit großer Schnelligkeit, aber sie logen einander an, und sie logen über die unwichtigsten Dinge: über die Schulnoten ihrer Kinder, über ihr Verhältnis zu ihren eigenen Müttern, über ihre Ehemänner – als sei jede Wahrheit ein schreckliches Geständnis. Nora wußte immer, wann sie logen, denn dann fuhren sie sich mit der Zunge über die Zähne, als hätten sie einen trockenen Mund. Und wenn Nora aufhörte, den Zucker in ihrem Tee zu verrühren, und zu einer Gruppe trat und »Mein Gott, was bin ich müde« seufzte, nach einem Tag, an dem sie vier Kartons Tupperware verkauft, das Abendessen für die Kinder zubereitet, ihre Wäsche aufgehängt, Lebensmittel eingekauft, Billy bei den Hausaufgaben geholfen, dem Baby neunmal die Windel gewechselt und dreimal frischen Lippenstift aufgetragen hatte, dann starrten die anderen Mütter peinlich berührt zu Boden, als habe sie die obszönste Bemerkung gemacht, die sie je gehört hatten. Ab und an sagte dann eine der anderen Frauen, eine der jüngeren mit drei oder vier kleinen Kindern, »ich auch«. Danach sah sie schuldbewußt aus, begann zu schwitzen und mied Nora fortan wie die Pest.

An den Tagen, an denen Nora aus dem Fenster schaute und die Kettenzäune verdächtig nach Gefängnisgittern aussahen, oder wenn sie sich danach sehnte, tanzen zu gehen oder Ace die ganze Nacht bei sich zu behalten, zwang sie sich, an frisch getrocknete Wäsche zu denken, an die Fußabdrücke ihres Babys im Gras, an Grillen und Flieder und Baseball. Sie gab der Hemlock Street noch höchstens zwei Jahre. Sie wollte nicht, daß ihre Kinder aufwuchsen wie sie selbst, isoliert und voller verzweifelter Sehnsucht nach Menschen, daß sie nach Manhattan floh, sobald sie achtzehn war, und dem ersten Mann ihr Jawort gab, der fragte, ob sie ihn heiraten wolle. Sie arbeitete in einem Scherzartikelgeschäft in der Lexington Avenue; sie hatte Roger kennengelernt, als er dort sechs explodierende Zigarren kaufte, nicht für seine Vorstellung, sondern für Dinnerpartys, wo sie immer ein großer Hit waren. Später sagte er ihr, am meisten angezogen habe ihn der Eindruck, wie glücklich sie dort hinter einer Theke voller Tand gewesen sei. Und warum sollte sie auch nicht glücklich gewesen sein? Als Roger sie kennengelernt hatte, war Nora allein schon durch die Tatsache, nicht mehr in New Jersey zu sein, überglücklich. Sie war bei ihrem Großvater Eli aufgewachsen, und zwar zwanzig

Meilen außerhalb von Atlantic City, jenseits der Marschen, in einem zerfallenen, von Hühnerställen umgebenen Haus. Eli war Elektriker, und zwar ein guter Elektriker; er hätte überall leben können, aber zufällig verachtete er Menschen oder mißtraute ihnen zumindest. Man hätte annehmen können, er glaube an die Wissenschaft oder vertraue wenigstens dem von ihm ausgeübten Handwerk, aber wenn er über die Anschlüsse in neuen Gebäuden sprach, dann spuckte er immer über seine Schulter, damit kein Unglück passierte, und wenn eine Amsel über das Haus flog, dann wollte er es nicht betreten. Wenn Nora krank war, legte er Spinnweben auf ihre Verletzungen, und gegen Bronchitis gab er ihr einen Tee aus Rosmarin, Andorn und Kirschbaumrinde, und niemals brachte er sie zu einem Arzt. Er selbst trank einen Becher von seinem ganz persönlichen Elixier – Waldmeister, Nesseln und Thymian – und ging nur am Weihnachtstag, am Ostersonntag und am Vierten Juli nicht zur Arbeit. So, ganz auf sich allein gestellt, wurde er dreiundneunzig. Er rührte nie einen Tropfen Alkohol an und war überzeugt, Zigaretten hinterließen Teer in den Lungen. Niemals hatte er im Zorn die Hand gegen einen anderen Menschen erhoben. Das brauchte er auch nicht, er hatte seine eigene Art, Dinge wieder ins Lot zu bringen, wenn man ihm Unrecht getan hatte. Vielleicht war das der Grund, warum er gern draußen bei den Marschen lebte, wo das Seegras silbern wurde, wenn der Mond aufging, und niemand sich darüber beschwerte, daß er Hühner hielt.

Wenn Eli bei einer Rechnung übers Ohr gehauen wurde oder ein Vorgesetzter ihn beleidigte, sagte er niemals ein Wort. Aber abends formte er dann kleine Figürchen aus Bienenwachs und Speisefarbe, die er mit seinem feinen Schnitzmesser bearbeitete, und morgens war der Streit auf irgendeine Weise beigelegt. Als Mädchen hatte Nora ihn um einige dieser

Puppen gebeten, um damit zu spielen, aber ihr Großvater, der ihr die ganze Welt geschenkt hätte – zumindest seine Welt –, und der jeden Sonntag zehn Meilen fuhr, um ihr Bonbons zu kaufen, hatte ihr auf die Hand geschlagen, als sie nach den Figuren griff. Später, als sie sich mehr dafür interessierte, aus ihrem Schlafzimmerfenster zu klettern und ihre Freunde zu treffen, um mit ihnen nach Atlantic City zu fahren, waren für Nora die Schnitzereien ihres Großvaters eine Art Volkskunst, etwas wie naive Malerei oder das Quilten.

Als Eli starb, in seinem eigenen Bett während eines Gewitters, hinterließ er Nora alles, obwohl er Roger nur zweimal getroffen und ihn verachtet hatte; aber wen hätte er schon akzeptiert? Nora war mit Billy schwanger, als sie zu seinem Haus fuhr, allein, denn Roger brauchte gut vierzehn Stunden Schlaf an den Tagen, an denen er auftrat. Sie weinte in der Küche, packte die Kleidung ihres Großvaters für die Wohlfahrt ein und nahm für sich selbst nur ein paar persönliche Dinge, seine Uhr und seinen Ehering. Ehe sie zurückfuhr, grub sie neben dem Haus zwei Feuerlilien aus, aber sie welkten, sobald sie Manhattan erreichte, und gingen auf ihrem Fensterbrett ein. Zwei Jahre lang stand das Haus ihres Großvaters zum Verkauf. Dann endlich entschied sich ein Hühnerfarmer dafür, und die dreitausend Dollar, die Nora nach Steuern und offenstehenden Rechnungen blieben, wanderten in eine Zigarrenkiste. Sie erzählte Roger nie von ihrem Erbe, sondern dachte, sie würde ihn eines Tages überraschen, ihn zu einer Reise nach Europa einladen oder ihm zwei neue Fräcke und einen goldenen Ring schenken. Tatsächlich verbrauchte sie einen Teil des Geldes, um die Krankenhausrechnungen zu bezahlen, als Billy und James geboren wurden, und den Rest verwendete sie als Anzahlung für das Haus in der Hemlock Street.

In gewisser Weise war es also das Haus ihres Großvaters, obwohl er die Nachbarschaft bestimmt über alle Maßen gehaßt und gar nicht mehr aufgehört hätte, über seine Schulter zu spucken. Schon lange bevor Nora Billys blutbefleckten Mantel unter dem Strauch fand, hätte er gewußt, daß etwas nicht stimmte. Nora steckte den Mantel in die Waschmaschine, trocknete ihn im Keller und hängte ihn in Billys Schrank, ohne ein Wort zu sagen. Sie kreuzte die Finger und wartete. Sie dachte gute Gedanken, experimentierte mit Aufläufen, die Olivenblätter enthielten, und hoffte, das würde ausreichen. Aber es reichte nicht aus. Stevie Hennessy konnte Billy einfach nicht in Ruhe lassen. Billys andere Quälgeister waren der Sache müde geworden, aber nicht Stevie, und er kannte keine Grenzen. Billys Decke war jetzt so klein wie ein Topflappen. Er konnte sie in die Tasche stecken und festhalten, wenn er nervös war, aber eines Tages vergaß er sie in seinem Pult. Als er sich daran erinnerte, sah er, daß Stevie sie schon an sich genommen hatte und mit einer Schere in Stücke schnitt. Billy stand auf, um sie ihm wegzunehmen, aber die Lehrerin befahl ihm, an seinen Platz zurückzugehen. Also mußte Billy sich wieder hinsetzen und zusehen, wie Stevie seine Decke zerstörte. Er legte den Kopf auf sein Pult, weil er sich schämte, daß er weinte. Er weinte während des ganzen Tages immer wieder, und bei Schulschluß brannten seine Augen, und als er an Stevie vorbeiging, senkte er seinen Blick.

»Du Baby«, sagte Stevie und rieb das letzte Fetzchen Decke zwischen seinen Fingern. »Rotznase.«

Billy ging wortlos an ihm vorbei in den Flur.

»Warum verschwindest du nicht wieder dahin, wo du hergekommen bist?« sagte Stevie, der ihm folgte. »Du Kanalratte. Deine Mutter ist eine Hure.«

Billy drehte sich um und war so überrascht darüber, daß er

es wagte, Stevie Hennessy zu stellen, daß er beinahe über die losen Schnürsenkel seiner eigenen Turnschuhe gefallen wäre.

»Nimm das zurück«, sagte Billy. Als er seine eigene Stimme hörte, dachte er, er müsse wirklich verrückt geworden sein.

Stevie verlor für einen Augenblick das Gleichgewicht; dann fand er es wieder und kam näher. Er war so groß wie ein Fünftkläßler; er grinste, während er auf Billy herabsah. »Was hast du gesagt?« sagte er.

»Du hast es gehört«, sagte Billy. »Du Arschloch.«

Stevie schubste ihn, und Billy schubste zurück. Als er das tat, kam ein Leuchten in Stevies Augen. Er schlug Billy hart ins Gesicht, und unwillkürlich stieß Billy ein Wimmern aus, aber Stevie drückte ihn gegen die Wand und schlug ihn immer wieder und boxte ihn auf den Mund.

»Wer ist das Arschloch?« sagte Stevie, drehte sich um und ging, während Billy nach Luft rang. Er fühlte sich benommen, und sein Mund schmeckte nach rostigem Eisen. Er knöpfte seinen Mantel zu, und dann ging er zum Eingang. Der Volkswagen war schon da; er stand vor den Schulbussen, und Stevie hatte bereits die Straße überquert, so daß Billy keine Wahl hatte. Er ging zum Wagen und stieg ein.

»Mußt du ausgerechnet an dem Tag zu spät kommen, an dem ich nach Newport fahren muß?« sagte Nora.

Billy senkte den Kopf und dachte, er könne schweigen und auf diese Weise davonkommen. Er hatte vor, rasch aus dem Wagen zu springen, wenn seine Mutter vor dem Haus hielt, um ihn abzusetzen.

»Ich werde nicht vor sechs zurück sein. Wenn du vom Ballspielen kommst, kannst du schon mal die Kartoffeln in den Ofen schieben«, sagte Nora, während sie den Gang einlegte. »Schalte den Ofen um zehn vor vier ein. Oder vielleicht auch um drei Minuten vor vier.«

Im Radio wurde »Teddy Bear« gespielt, und Nora drehte die Lautstärke auf und bekam einen träumerischen Gesichtsausdruck, wie immer, wenn sie Elvis hörte. James knisterte auf dem Rücksitz mit einer Tüte Brezeln. Billy rührte sich nicht.

»Oh, Scheiße«, sagte Nora.

Billy meinte, etwas Wichtiges sei mit dem Auto nicht in Ordnung, weil es angefangen hatte, wie ein Pferd zu bocken. Er hoffte nur, daß es nichts allzu Ernsthaftes war, denn er wußte nicht, ob er würde sprechen können. Sein Mund war jetzt heiß. Anscheinend konnte er die Zunge nicht bewegen.

»Oh, Gott«, sagte Nora und hielt den Wagen an.

Billy wandte den Blick vom Boden des Autos und sah, daß sich in seinem Schoß eine Blutlache gebildet hatte. Ehe er etwas dagegen tun konnte, griff Nora mit einer Hand unter sein Kinn und hob sein Gesicht.

»Was haben sie mit dir gemacht?« sagte Nora.

Ihre Finger fühlten sich an wie Eis, aber vielleicht lag es daran, daß sein Mund so brennend heiß war.

»Mach den Mund auf«, sagte Nora.

Billy entwand sich ihrem Griff, drehte sich zum Fenster und begann zu weinen. Nora nahm wieder sein Kinn und drehte seinen Kopf, und als sie das tat, fielen ihr seine Schneidezähne in die Hand.

»Wer?« fragte Nora.

Billy senkte die Augen und fuhr sich mit einer Hand über den Mund; an den Stellen, an denen er sich die Haare büschelweise ausgerissen hatte, waren sie im letzten Herbst wild und störrisch nachgewachsen. »Spielt keine Rolle«, sagte er.

Nora schaute über die Straße. Sie sah, daß Stevie Hennessy sie beobachtete, und sie wußte auf der Stelle Bescheid.

»Dieser kleine Scheißkerl«, sagte Nora.

»Warum muß ich so sein?« sagte Billy.

Er hatte so zarte Knochen und lange, schmale Finger, und alle seine Hemden waren zu klein, so daß die Manschetten ihm nicht bis auf die Handgelenke reichten. Nora zog ihn an sich und auf ihren Schoß.

»Ich hab Kopfschmerzen«, sagte Billy und wandte sich von ihr ab.

»Jeden Morgen, wenn du aufwachst, mußt du dir sagen, daß du genauso gut bist wie alle anderen. Sag dir das dreimal. Verstanden?«

Billy nickte und legte einen dünnen Arm um ihren Hals.

James hüpfte auf dem Rücksitz auf und ab und brachte das Auto zum Schaukeln. Nora lehnte ihren Kopf gegen den von Billy.

»Wer ist mein Allerbester?« flüsterte sie.

Billy zuckte die Achseln und legte seine heiße Wange an ihre.

»Wer?« sagte Nora.

»Ich«, sagte Billy mit belegter Stimme.

Nora fuhr ihn direkt zum Zahnarzt, der sofort daran ging, Abgüsse für Kronen zu machen. Während Billy im Behandlungszimmer war, rannte Nora zur nächsten Telefonzelle und sagte ihre Tupperware-Party ab; sie behauptete, es habe einen Todesfall in ihrer Familie gegeben, und sie müsse sofort nach Las Vegas fliegen. Dann rief sie Marie McCarthy an und ließ Ace ausrichten, Billy sei zu krank, um Baseball zu spielen. Bis sie nach Hause kamen, war es dunkel. James jammerte nach seinem Essen, aber die Zeit reichte nicht mehr, um die Kartoffeln zu backen. Also aßen sie Fertiggerichte und tranken Limonade, und Nora ließ Billy lange aufbleiben, damit er sich *Die Unberührbaren* im Fernsehen ansehen konnte. Als er zu Bett ging, kam Nora herein und deckte ihn zu, etwas, das sie schon lange nicht mehr getan hatte. Billy mochte das Gewicht seiner Mutter auf dem Bettrand; er mochte die Art, wie sie roch, wie eine Mischung aus Limonade und Parfum. Er schlief ein, während er ihre Hand hielt, und Nora saß lange neben ihm. Dann ging sie in die Küche. Sie wusch das Geschirr und cremte ihre Hände mit Cold Cream ein, damit sie nicht faltig wurden. Dann ging sie zur Kommode neben dem Kühlschrank und nahm vier weiße Kerzen heraus. Sie steckte zwei davon in Halter, zündete sie an und schaltete das Licht aus. Die beiden anderen Kerzen hielt sie über die Flamme, bis sie weich und formbar waren. Sie unterbrach ihre Arbeit nur, um sich eine Tasse koffeinfreien Kaffee zu machen; dann arbeitete sie weiter, bis sie die Gestalt eines Jungen modelliert hatte. Sie holte eine Taschenlampe und ging nach draußen und suchte, bis sie den perfekten Stein fand, der leicht in die Hand des Jungen passen würde. Inzwischen war ihr Kaffee kalt geworden, aber sie trank ihn trotzdem. Ihr Großvater pflegte das auch zu tun, er trank immer kalten Kaffee und aß ein altbackenes Brötchen, ehe er sein Schnitzmesser vom Wachs reinigte. Der Kater kam und setzte sich zu Noras Füßen; er rollte sich zusammen, und Nora hörte ihn schnurren. Sie konnte sich nicht aufraffen, das Licht wieder einzuschalten. Also saß sie bei Kerzenlicht da, rauchte eine Zigarette und drehte die Wachsfigur in der Hand. Ehe sie ging, um sich die Zähne zu putzen und ihr Gesicht einzucremen, hielt sie den Jungen über eine der brennenden Kerzen und ließ das Wachs heruntertropfen, bis es eine weiße Pfütze auf dem Küchentisch bildete.

Am nächsten Morgen merkte Stevie Hennessy nicht, daß irgend etwas nicht stimmte, nicht einmal, als er seine Jeans anzog und feststellte, daß er den unteren Rand dreimal umkrempeln mußte. Als er zum Frühstück kam, fragte seine

Mutter, ob er sich nicht wohl fühle, und berührte mit den Lippen seine Stirn. Er sagte: »Mir geht's gut«, obwohl er schon nicht mehr so sicher war. Er fühlte sich irgendwie aus dem Gleichgewicht geraten. Er zwang sich, eine Schale Getreideflocken zu essen und ein kleines Glas Orangensaft zu trinken.

»Sieht aus, als ob er etwas ausbrütet«, sagte seine Mutter zu seinem Vater, als dieser zum Frühstück kam.

Joe Hennessy zog seine Jacke an und befühlte dann Stevies Stirn.

»Alles in Ordnung«, erklärte Hennessy.

»Ich hab's dir ja gesagt«, sagte Stevie zu seiner Mutter, aber trotzdem fühlte er sich eigenartig, als er zur Schule ging. Er lief zum Garderobenschrank und hängte rasch seine Jacke auf, damit er genug Zeit hatte, vor der Morgenandacht noch einen Vorrat an Papierbällchen mit Spucke anzufertigen. Er war gestern abend ein bißchen nervös geworden, hatte Angst gehabt, der kleine Feigling Silk würde zu Hause petzen und seine Mutter würde anrufen und er selbst müßte hoffen, daß sein Vater ihn glimpflich behandeln würde. Als er seinen Schlafanzug angezogen und sie noch immer nicht angerufen hatte, hatte Stevie angenommen, er sei davongekommen. Jetzt grinste er vor sich hin, während er Papierkugeln formte. Als es Zeit zur Morgenandacht war, sorgte er dafür, daß er direkt hinter Billy Silk stand.

»He, Milchgesicht«, flüsterte er leise.

Billy drehte sich um, und Stevie wich zurück. Es kam ihm vor, als sei Billy über Nacht gewachsen, aber er hatte noch immer die gleiche Größe wie Abbey McDonnell, die vor ihm in der Reihe stand. Stevie Hennessy, der immer der größte Junge in der Klasse gewesen war, wollte nicht glauben, daß er selbst während der Nacht irgendwie geschrumpft sein mußte. Aber

eines konnte er jedoch nicht übersehen: Wenn er Billy Silk je
wieder auf den Mund schlagen wollte, dann mußte er den
Mut haben, nach oben zu schlagen.

*

Den ganzen März hindurch spielte Billy nach der Schule mit
Ace Baseball und gab jeden Morgen sein Hausaufgabenheft
ab und wurde nicht ein einziges Mal ins Gesicht geschlagen.
Doch noch immer hörte er Dinge, die er nicht hören sollte, ein
Summen von Wörtern in seinem Kopf, das er nicht einfach
abschütteln konnte. Unten im Süßwarenladen hörte er, wie
Louie sich über seine Frau beschwerte, obwohl er eigentlich
nichts weiter wollte als ein Päckchen Kaugummi. Er hörte
seine Mutter Zahlen addieren und Rickie Shapiro über die
Form ihrer Augenbrauen nachdenken, und einmal, spät
nachts, hörte er jemanden schmerzvoll aufschreien. Der
Schrei war auf eine wortlose Art so grauenvoll, daß Billy aus
dem Bett aufstand und die Jalousetten hochzog; er hörte viel
mehr, als er je zuvor aus einem Schweigen gehört hatte.

Danach brauchte er lange, um wieder einschlafen zu können. Er wachte in der Morgendämmerung auf und saß schon
in der Küche, als Nora erwachte. Er aß eine ganze Schüssel
Cornflakes leer und sah zu, wie seine Mutter das Wasser auf-
setzte und eine Zigarette anzündete. Dann sagte er ihr, er
habe Donna Durgin gesehen. Sie habe einen schwarzen Mantel getragen und weinend draußen vor ihrem Haus gestanden.

»Hast du ihr Gesicht gesehen?« fragte Nora. Als Billy verneinend den Kopf schüttelte, meinte Nora, das müsse nicht
unbedingt Donna gewesen sein.

»Ich hab sie aber gehört«, sagte Billy.

»Ich hab dir schon tausendmal gesagt, daß du die Leute

nicht belauschen sollst«, sagte Nora, drückte ihre Zigarette aus und stand auf, um den pfeifenden Kessel vom Herd zu nehmen. Sie hatte bei Armand's einen schweren Tag vor sich und fühlte sich unbehaglich bei dem Gedanken, daß Rickie Shapiro zum Babysitten kam, denn sie hatte nämlich das Gefühl, daß Rickie in ihrer Abwesenheit herumschnüffelte, ihre Kleider anprobierte und sich ihre Armreifen überstreifte. »Das wird dich noch wahnsinnig machen«, sagte sie zu Billy.

»Schon gut«, sagte Billy. »Aber ich weiß, wo sie ist.«

Nora dachte darüber nach, während sie ihren Kaffee trank, sich schminkte und anzog. Sie versuchte noch immer, zu einem Entschluß zu kommen, als sie den Volkswagen startete; während er warmlief, entschied sie, es sei kein Verrat an Donna, wenn sie es einem einzigen Menschen sagte, also ließ sie den Wagen leerlaufen und überquerte die Straße. Sie suchte in ihrer Tasche nach Streichhölzern und Wechselgeld, als Stevie Hennessy die Tür öffnete. Er war noch im Schlafanzug und sein Haar stand ihm wirr vom Kopf ab. Als er Nora sah, sperrte er den Mund auf, und Nora starrte ebenso überrascht zurück. Seit er aufgehört hatte, Billy zu quälen, hatte Nora ihn ganz vergessen. Jetzt bemerkte sie, daß er mindestens einen Kopf kleiner war als Billy.

»Ich muß deinen Vater sprechen«, sagte Nora.

»Wer ist an der Tür?« rief Ellen Hennessy aus der Küche. Stevie Hennessy starrte Nora an, unfähig, sich zu bewegen.

Nora wurde ungeduldig. »Deinen Vater«, sagte sie langsam, als spreche sie mit einem Schwachsinnigen. »Ist er da?«

Ellen erschien hinter Stevie und machte die Tür weiter auf. Als sie Nora auf der Veranda sah, blieb sie stehen.

»Oh, hallo«, sagte Nora. »Ich weiß, daß es noch früh ist, aber ich muß Ihren Mann sprechen.«

»Meinen Mann«, sagte Ellen.

»Joe«, erinnerte Nora sie. Sie griff nach der Klinke der Windfangtür und öffnete sie. »Ich muß um neun bei Armand's sein, sonst komme ich in Verzug, und meine Stammkundinnen werden sauer.«

Sie kam herein, und Ellen Hennessy legte beide Hände auf Stevies Schultern.

»Ich könnte Sie zum halben Preis bedienen«, sagte Nora. »Kommen Sie doch mal samstags.«

»Ich habe nie Zeit«, sagte Ellen schwach. Sie konnte den Blick nicht von Noras roten Nägeln und ihren langen Fingern wenden.

»Nehmen Sie sich Zeit«, sagte Nora. »Ich könnte auch zu Ihnen kommen. Ihre Nagelhaut könnte es brauchen.«

Ellen sah auf ihre eigenen Nägel herab. In diesem Augenblick kam Hennessy aus dem Badezimmer, geduscht und rasiert und bereit, Ellen und die Kinder zu ihrer Schwester in Rockville Center zu fahren. Als er sah, daß Nora in seinem eigenen Wohnzimmer mit Ellen sprach, blieb er stehen und stützte sich mit einer Hand gegen die Wand.

»Joe!« sagte Nora, als sie ihn sah. »Ich brauche Sie.«

Hennessy sah seine Frau an.

»Ich werde Kaffee machen«, sagte Ellen. »Koffeinfrei?« sagte sie zu Nora.

»Ich habe keine Zeit«, sagte Nora. »Ich muß mich beeilen. Was ich ihm zu sagen habe, ist sozusagen persönlich. Eine polizeiliche Angelegenheit.«

»Oh«, sagte Ellen, und sie warf Hennessy einen Blick zu. Dann schob sie Stevie in die Küche.

»Tut mir leid, daß ich hier so hereinplatze«, sagte Nora.

»Schon gut«, sagte Hennessy.

»Es geht um Donna«, sagte Nora.

Hennessy starrte auf die vergoldete Kette, die Nora um den

Hals trug. Manchmal, wenn er daran dachte, daß Nora und Ace zusammen waren, glaubte er verrückt zu werden. Er wußte, daß sie Knutschflecken am Hals hatte und daß Ace sie die ganze Nacht hindurch vögelte. Gott, als er siebzehn war und sich mit Ellen traf, hatte er sie vermutlich nicht häufiger als zehnmal geküßt.

»Billy hat etwas mitbekommen, was sie gesagt hat, er weiß, wo sie ist, und ich hab mir überlegt, daß ich Ihnen das wohl sagen sollte.«

»Hören Sie«, sagte Hennessy. »Niemand weiß, wo sie ist.«

»Nun ja, Billy weiß es aber«, beharrte Nora. »Sie ist bei Lord und Taylor.«

»Dem Kaufhaus Lord und Taylor?« sagte Hennessy.

Nora und Hennessy starrten einander an und begannen dann zu lachen.

»Gerade weit hat sie es ja nicht geschafft«, sagte Nora.

»Das bedeutet, daß Robert sie wohl nicht in Stücke geschnitten und im Keller versteckt hat«, sagte Hennessy.

»Oh, Gott«, sagte Nora und hielt sich an der Windfangtür fest, weil sie vor Lachen Seitenstiche hatte. »Na ja«, sagte sie schließlich, »ich hoffe, ich hab das Richtige getan.«

»Haben Sie«, sagte Hennessy. »Ich werde mich darum kümmern.«

»Mein Gott«, sagte Nora. »Wenn ich einen Mann wie Sie gehabt hätte, dann wäre ich noch immer verheiratet.«

»Ich hätte Sie niemals gehen lassen«, sagte Hennessy.

Nora hätte beinahe gelacht, aber dann sah sie ihn an und überlegte es sich anders. »Ich bin froh, daß ich es Ihnen gesagt habe«, sagte sie. »Ich hoffe bloß, daß Donna auch froh ist.«

Hennessy sah, wie sie die Straße überquerte, in den leerlaufenden VW stieg und aus der Einfahrt über den Randstein fuhr. Dann merkte er, daß seine Frau hinter ihm stand.

»Ich muß arbeiten«, sagte Hennessy.

Er ging an Ellen vorbei in sein Schlafzimmer, um seinen Mantel und seine Pistole zu holen. Als er sich umdrehte, sah er, daß Ellen ihm gefolgt war.

»Ich schwör's dir«, sagte Hennessy. »Wir treffen uns bei deiner Schwester.«

»Gib dir keine Mühe«, sagte Ellen.

»Zum Abendessen bin ich da«, sagte Hennessy.

»Mach, was du willst«, sagte Ellen zu ihm.

Hennessy hielt auf dem Weg nach Garden City an, um Kaffee zu trinken und die Zeitung zu kaufen. Als er weiterfuhr, wurden die Häuser größer und breiter, waren von weiten Rasenflächen und hohen, glänzenden Rhododendronbüschen umgeben. Er fuhr auf den leeren Parkplatz von Lord und Taylor, wo er den Eingang im Auge behalten konnte; er trank seinen Kaffee aus und öffnete dann das Handschuhfach, um das Pepto Bismal herauszunehmen. Inzwischen kannte er die Durgin-Kinder recht gut; Melanie rannte immer auf ihn zu, und er hatte in den Manteltaschen Lutscher für sie. Als er sie das letzte Mal besucht hatte, hatte er einige von Suzannes alten Kleidern für sie mitgebracht, kleine Kleidchen mit Spitzenkragen und Overalls aus Cordsamt. Er saß im Auto und las die Zeitung. Kurz vor zehn begann sich der Parkplatz zu füllen. Er sah die Verkäuferinnen eintreffen; sie parkten in der letzten Reihe oder kamen aus der Richtung der Bushaltestelle. Sie trugen Seidenstrümpfe und hochhackige Schuhe und fest geknotete Kopftücher, um ihre Frisuren zu schonen. Sie waren gut gekleidet, und Hennessy nahm an, daß sie das sein mußten. Wenn Donna Durgin unter ihnen gewesen wäre, hätte er sie sofort erkannt; sie wäre aufgefallen mit dem langsamen, rollenden Gang der fetten Frau. Um zehn Uhr trafen allmählich die ersten Käufer ein, und Hennessy war froh, daß

Ellen nicht da war und sah, wie sie angezogen waren und mit welchen Autos sie vorfuhren. Sie kauften zum Vergnügen ein. Soweit Hennessy das beurteilen konnte, gab es nichts, was sie brauchten, vor allem nicht die, die aus ihren Cadillacs und Lincolns stiegen und gegen den Wind ihre Kamelhaarmäntel zuknöpften.

Er saß in seinem Wagen bis elf Uhr und dachte, Billy Silk sei sicher nicht der verläßlichste Zeuge mit seinem störrischen Haar und der Art, wie er auf der Veranda saß und Streichhölzer anzündete, wenn seine Mutter ihn nicht sehen konnte, seinen kleinen Bruder neben sich, viel zu nahe an der Flamme. Er kannte Billys Typ – das mickrige Kind, das für jede Mannschaft als letztes gewählt wird, und dann auch nur, weil der Turnlehrer darauf besteht. Tatsächlich wurde auch Stevie in letzter Zeit ein bißchen so. Früher verbrachte er all seine Zeit mit einer Horde von Freunden. Nun klagte Ellen, er komme nach der Schule sofort nach Hause und schalte den Fernseher ein. Er erschien Hennessy irgendwie schwächlicher, als habe sein ganzer Kampfgeist ihn verlassen. Gerade, als Hennessy aufgeben und nach Rockville Center fahren wollte, obwohl er ziemlich sicher war, daß Ellen für den Rest des Tages kein Wort mit ihm reden würde, bekam er dieses Gefühl im Nakken. Da wußte er, daß etwas passieren würde.

Als er hineinging, kam es Hennessy so vor, als sei er der einzige Mann in dem ganzen Kaufhaus. Er fühlte sich wie ein Elefant im Porzellanladen, als er sich seinen Weg an ausgestellten Handtaschen vorbei über den dicken Spannteppich bahnte. Er machte die Runde durch das Erdgeschoß. Einmal betastete er ein langes, schwarzes Abendkleid, das mit Ziermünzen besetzt war, und stellte sich vor, Nora Silk trage es in der Dunkelheit, barfuß, mit zurückgekämmtem Haar und dieser goldenen Kette um den Hals, die sich leicht bewegte, wenn sie atmete. Er sah keine Anzeichen von Donna, aber sein Nacken fühlte sich immer schlimmer an. Also ging er nach oben in die Kreditabteilung und ließ sich ein Formular für eine Kundenkarte geben, das er ausfüllte und an den Schalter zurückbrachte.

»Ihre Frau wird entzückt sein«, sagte die Angestellte zu ihm.

»Bestimmt«, sagte Hennessy. »Sie haben die schönsten Kleider der Welt. Und auch die besten Verkäuferinnen. Meine Frau hat mir von einer von ihnen erzählt. Donna Durgin.«

»Oh, Donna«, sagte die Angestellte. »Ja, die kennt sich in ihrer Wäscheabteilung aus. Sie haben vergessen, Ihre Arbeitsstelle einzutragen.«

Hennessy trug Namen und Adresse einer Anwaltskanzlei ein, in der einer der Scheidungsanwälte, die er kannte, Sozius war. »Schicken Sie die Karte direkt an meine Firma«, sagte er zu der Angestellten, und dann ging er wieder nach unten. Sein Kopf begann zu pochen, sobald er die Wäscheabteilung erreicht hatte. Er nahm ein schwarzes Satinhemd in die Hand und rieb es zwischen den Fingern. Er stellte sich vor, es müsse eine Spezialabteilung für dicke Frauen geben, in der Donna arbeitete, eine etwas abseits gelegene Abteilung, wo in Schränken weite weiße Schlüpfer und in Schachteln geräumige Korsetts mit Drahthaken versteckt waren. Er nahm das schwarze Hemd an die Kasse mit und wartete, während eine Frau drei Spitzenhöschen bezahlte. Hennessy achtete darauf, die Frau nicht anzusehen, die die Höschen kaufte, aber er wurde blaß, als er hörte, daß sie insgesamt vierundzwanzig Dollar zu zahlen hatte. Die Verkäuferin, die Hennessy schließlich half, war eine große Rothaarige, die sich als Tigerin zurechtgemacht hatte.

»Geburtstagsgeschenk?« fragte sie mit einem Blick auf das Hemd.

»Hochzeitstag«, sagte Hennessy, während er seine Brieftasche herausnahm, vorsichtig, damit das Halfter nicht sichtbar wurde.

Das Hemd kostete achtzehn Dollar fünfzig, mehr, als Ellen für die meisten ihrer Kleider ausgab. Aber das war es wert, denn während die Verkäuferin es in Seidenpapier einwickelte, hörte Hennessy Donna Durgins Stimme. Da war er sich sicher; ihre Kleinmädchenstimme fragte, ob die seidenen Morgenmäntel ins Schaufenster gehängt werden sollten. Hennessy sah eine Gruppe von Verkäuferinnen Morgenmäntel aus einem Karton nehmen; orange, rosa und blaßblau schimmernde Seide in der Farbe von Rotkehlcheneiern. Donna war nicht da, aber als Hennessy wartete, sah er sie aus dem seidenen Zelt auftauchen. Es waren ihre Augen, ihr Mund, ihr blaßblondes Haar, das jetzt zu einem Knoten hochgesteckt war; doch wenn er ihre Stimme nicht gehört hätte, hätte er sie niemals erkannt. Nie und nimmer. Sie war jetzt schlank und wirklich schön, vor allem, wenn sie mit den anderen Verkäuferinnen scherzte und die blaßorangene Seide gegen ihre weiße Haut hielt.

Hennessy nahm sein Päckchen und ging hinaus. Er fühlte sich schwindlig in der frischen Luft und lehnte sich an die Ziegelwand, und er blieb dort, bis es zwölf Uhr war und die Verkäuferinnen anfingen, in die Mittagspause zu gehen. Donna kam um halb eins heraus; sie trug einen englischen Regenmantel über einem schwarzen Kleid und war mit einer Gruppe von vier anderen Frauen zusammen. Als sie an Hennessy vorbeigingen, senkte er den Kopf und atmete die Mischung der Parfums ein, die sie trugen.

Während er ihnen in ein Café namens Village Grill folgte,

dachte er an die Staubflocken unter den Möbeln im Haus der Durgins und den besserwisserischen Ausdruck auf den Gesichtern der Jungs, wenn Robert sie rief und sie sich weigerten, zur Abendessenszeit hereinzukommen. Hennessy stand am Zigarettenautomaten und lauschte, wie die Verkäuferinnen sich über Kundinnen und Wochenendpläne unterhielten. Donna bestellte einen Salat und Eistee, aber als ihr Essen kam, spielte sie damit, offensichtlich mehr an dem Gespräch mit ihren Freundinnen interessiert. Was Hennessy brauchte, war eine gute Tasse Kaffee, aber er mußte an die Frau denken, bei der er den Ehestreit hatte schlichten sollen, die, die nach New Jersey gezogen war, und er glaubte nicht, Kaffee auch nur anrühren zu können. Er ging direkt zu Donnas Tisch.

»Donna«, sagte er.

Sie hielt ihre Gabel in der Luft und lauschte der Klage einer anderen Verkäuferin über ihre Mutter; sie schaute mit einem Lächeln zu ihm auf und erstarrte.

»Ich würde gern mit Ihnen reden«, sagte Hennessy.

Donna trug kleine Goldringe in den Ohren, und sie klirrten leise.

»Donna?« sagte eine ihrer Freundinnen besorgt.

»Ich möchte eine Tasse Kaffee mit Ihnen trinken«, sagte Hennessy. »Das ist alles.«

»Donna, alles in Ordnung?« fragte die Verkäuferin neben Donna und sah zu Hennessy herüber.

»Sicher«, sagte Donna zu ihrer Freundin. Sie nahm ihre Tasche und drückte sich an den anderen Frauen vorbei. »Ich komme gleich wieder.«

Donna ging zum rückwärtigen Teil des Cafés, wo es Zweiertische gab, und Hennessy folgte ihr. Sie setzte sich hin und betrachtete ihn aufmerksam, als er ihr gegenüber Platz nahm.

»Gut, daß es Kaffee gibt, nicht?« sagte Hennessy. Er nahm

den Zuckerstreuer in die Hand und klopfte mit den Fingern dagegen. Donna Durgin wartete. Also sagte Hennessy schließlich: »Sie haben sich wirklich verändert. Sie sehen fabelhaft aus.«

Donna beobachtete ihn nur; sie machte es ihm verdammt nicht leicht.

»Man hat sich Sorgen um Sie gemacht«, sagte Hennessy. »Ich meine, um Himmels willen, Donna, was ist denn passiert?«

»Ich kann es einfach nicht erklären«, sagte Donna.

»Ich glaube«, sagte Hennessy geduldig, »eine Frau steht nicht eines Tages einfach auf und sagt sich, zum Teufel, heute verlasse ich meinen Mann und meine Kinder und mein Haus, ohne darüber ein einziges Wort zu verlieren. Offensichtlich wußten Sie, was Sie taten. Keiner hat Sie gezwungen, oder?«

»Sie würden das nicht verstehen«, sagte Donna.

»Himmel, Donna, das wissen Sie doch gar nicht!« sagte Hennessy. Donna biß sich auf die Lippen, und Hennessy wußte, daß sie schwach wurde. »Das wissen Sie doch gar nicht«, sagte er. Er griff in die Tüte von Lord und Taylor und holte das schwarze Hemd heraus. »Ich meine, Herrgott, ich habe gerade achtzehn Dollar fünfzig für ein Hemdchen ausgegeben.«

Unwillkürlich mußte Donna lachen. Die Kellnerin kam, und Hennessy bestellte Kaffee. Als er sich wieder Donna zuwandte, bemerkte er, daß ihre Fingernägel rosa waren und daß sie ein silbernes Armband mit Glücksanhängern trug.

»Kein Ehering«, sagte Hennessy.

»Sie werden das nicht verstehen«, sagte Donna. »Ich war tot.«

»Was ist mit Ihren Kindern?« sagte Hennessy. »Sie haben nicht mal nach ihnen gefragt.«

»Was konnte ich denen schon geben?« fragte Donna. »Ich verschwand jeden Tag ein bißchen mehr. Soll so das Leben aussehen?«

Hennessy schaute sie verständnislos an.

»Soll es das?« sagte Donna.

»Vermutlich ist das Leben so«, sagte Hennessy. »So ist es eben.«

»Nicht für mich«, sagte Donna. »Jetzt nicht mehr.«

Hennessys Kaffee kam, und als die Kellnerin gegangen war, beugte er sich vor. »Wie wär's denn, wenn das jeder täte, wenn jeder weggehen würde? Wie wär's, wenn ich einfach abhauen und Ellen und die Kinder und die Hypothek zurücklassen und mich davonmachen würde?«

»Ich weiß nicht«, sagte Donna. »Wie wäre es denn?«

»Gott«, sagte Hennessy, »ich wünschte, ich wüßte es.«

Sie starrten einander an, und dann sagte Donna plötzlich: »Ich möchte auch einen Kaffee.«

»Gut«, sagte Hennessy. »Ich hasse es, alleine Gift zu trinken.«

Er bestellte für sie, während sie zu ihren Freundinnen zurückging, um ihnen zu sagen, sie sollten nicht auf sie warten. Hennessy konnte sehen, daß ihre Freundinnen aufgeregt waren; sie hielten ihn für einen Liebhaber oder zumindest für einen Anwärter.

»Sie finden Sie süß«, sagte Donna, als sie zurückkam. »Manchmal gehe ich wieder hin«, sagte sie dann. »Ich schaue mir das Haus an, und es kommt mir so vor, als ob ich niemals da gelebt hätte.«

»Was sollen wir also tun?« sagte Hennessy.

Donna nahm zwei Süßstofftabletten aus ihrer Tasche und ließ sie in ihren Kaffee fallen. »Ich weiß nicht. Das hängt von Ihnen ab.«

»Ich habe gestern Kleider für Melanie gebracht«, sagte Hennessy. »Er weiß nicht, wie man ein Mädchen anziehen muß. Er läßt sie die alten Jeans der Jungen auftragen.«

»Mein Gott«, sagte Donna.

»Sie hatte hohe Turnschuhe an, die ihr zwei Nummern zu groß waren.«

Hennessy beobachtete und fühlte nichts, als Donna zu weinen begann.

»Zum Teufel«, sagte er. »Was hatten Sie denn erwartet?«

»Sie Bastard«, sagte Donna.

»Ja«, sagte Hennessy.

Beide schoben ihre Kaffeetassen weg.

»Also«, sagte Hennessy, »möchten Sie sie sehen?«

Donna Durgin starrte ihm direkt in die Augen, bis er den Blick abwenden mußte.

»Mehr als alles in der Welt«, sagte sie.

Als Hennessy die Rechnung bezahlte, hatten sie beschlossen, sich Sonntag in einer Woche beim Police Field zu treffen, einem großen, windigen Grundstück am Stadtrand, das für Baseballspiele benutzt wurde. Neben dem eingezäunten Spielfeld gab es einen kleinen Spielplatz, und Hennessy würde mit den Kindern dort sein. Donna wollte sich den Wagen einer Freundin ausleihen und sie von der Straße aus beobachten. Keinem von beiden war klar, wieso und warum Hennessy beschlossen hatte, sie nicht zu verraten; er konnte es einfach nicht. An diesem Abend fuhr er nicht zu Ellens Schwester in Rockville Center. Er machte sich selbst ein Sandwich, sah im Fernsehen ein Baseball-Spiel, und dann ging er ins Badezimmer, verriegelte die Tür und weinte. Als er damit fertig war, ging er nach draußen zum Auto, holte das Päckchen von Lord und Taylor und legte es in das Bett seiner Frau, direkt unter ihr Kopfkissen.

Donna hatte ein Einzimmerapartment in Hempstead. Obwohl sie nicht viele Möbel besaß, nicht einmal einen Teppich, hatte sie auf allen Fensterbrettern Pflanzen und eine Reihe von Primeln auf dem Tresen hinter dem Spülbecken. Sie hatte nichts mitgebracht, und die Kleider, die sie getragen hatte, als sie von zu Hause fortgegangen war, hatte sie in die Mülltonne geworfen. Sie besaß nur eine ausziehbare Schlafcouch und einen Couchtisch, den sie auf dem Sperrmüll gefunden und weiß gestrichen hatte, sowie einen Schrank voll guter Kleider. Jeden Abend aß sie Thunfisch ohne Mayonnaise und einen Eisbergsalat mit Tomaten, obwohl sie jetzt ihr Idealgewicht hatte.

An dem Tag, an dem sie ihre Kinder sehen sollte, trug sie schwarze Stretchhosen und einen dicken Wollpullover und darüber ihren englischen Regenmantel. Sie borgte sich den Wagen ihrer Freundin Ilene, und ehe sie zum Police Field fuhr, setzte sie eine Sonnenbrille auf und band sich ein Chiffontuch über ihr Haar. Sie dachte, sie sei nicht sonderlich nervös, aber als sie ankam, zitterte sie. Es war nicht so, daß sie nach ihrem Weggehen nicht an ihre Kinder dachte, vielmehr tat sie so, als seien sie bei ihr. Oft ging sie in der Mittagspause in die Kinderabteilung und betrachtete die Blazer und die Samtkleidchen und überlegte, was sie kaufen würde. Wenn sie Pflanzen umtopfte, stellte sie sich den Ausdruck auf den Gesichtern ihrer Kinder vor, wenn sie ihre Küche voller bunter Blumen sehen würden, die sich alle der Sonne zuwandten.

Sie fuhr an den Straßenrand und parkte auf der Seite gegenüber dem schlammigen Feld. Sie kurbelte ihr Fenster herunter, so daß sie die frische Märzluft auf ihrem Gesicht spüren konnte. Hennessy saß auf dem Rand des Sandkastens; er hatte nicht die geringsten Schwierigkeiten gehabt, die Kinder zu bekommen – Robert war ihm für den freien Vormittag dankbar gewesen. Jetzt sah er zu, wie Melanie Sandkuchen buk. Sie trug ein blaues Sweatshirt, das Donna noch nie gesehen hatte, und rosa Cordhosen, die einst Suzanne Hennessy gehört hatten. Die Jungs waren an den Kletterstangen und trugen keine Pullover, sondern nur Jeans und langärmlige T-Shirts, die zerknittert waren und ihnen aus den Hosen rutschten, wenn sie sich an den metallenen Stangen entlanghangelten.

Donna wünschte, sie wäre nicht gekommen. Sie hatte erwartet, die Kinder würden genauso sein wie bei ihrem Weggehen und auch so bleiben, bis sie sie zurückfordern konnte. Aber sie hatten sich verändert, waren ohne sie gewachsen. Trotzdem konnte sie den Blick nicht von ihnen abwenden. Sie merkte nicht einmal, daß Hennessy den Spielplatz verlassen hatte, bis er am Fenster des Wagens erschien.

»Fabelhafte Kinder«, sagte Hennessy.

Donna Durgin nickte.

»Kommen Sie zu ihnen«, sagte Hennessy.

»Was?« sagte Donna.

»Ich hab darüber nachgedacht«, sagte Hennessy. »Sie können ein Besuchsrecht bekommen. Wenn Robert Ihnen Schwierigkeiten macht, können Sie das gerichtlich durchsetzen. Lassen Sie sich scheiden, wenn es das ist, was Sie wollen, aber Sie haben trotzdem noch Rechte.«

»Sie wissen eine Menge über Scheidung«, sagte Donna Durgin.

Hennessy öffnete die Autotür, und Donna blickte ihn an und stieg dann aus. Als Hennessy sah, wie sie zum Spielplatz hinüberging, dachte er, daß alles an ihr anders war, nur ihre Stimme nicht, und er war erstaunt, daß die Kinder sie sofort erkannten. Sie rannten auf sie zu und packten sie am Regenmantel, so daß sie im Wind beinahe umfiel.

Kurz nach elf an diesem Abend klopfte es an Hennessys Tür, nachdem die ganze Familie schon zu Bett gegangen war. Hennessy hatte allerdings noch nicht geschlafen; er hatte gewartet und durch das Fenster den Mond beobachtet.

Ellen setzte sich im Bett auf. »Was ist das?« sagte sie.

»Kümmere dich nicht darum«, sagte Hennessy.

Ellen drehte sich um und sah ihn im Mondlicht an. Das Klopfen ertönte wieder, härter und lauter.

»Joe?« sagte Ellen, die jetzt Angst hatte.

»Er geht wieder«, sagte Hennessy und hoffte, daß er recht behielt.

»Wer?«

Hennessy lauschte auf das Klopfen. »Robert Durgin«, sagte er.

Ellen sah ihn an. Dann stand sie auf und griff nach ihrem Morgenrock. Hennessy blieb, wo er war, lauschte auf Roberts Schreien und das leise Murmeln von Ellens Stimme. Dann stand auch er auf und zog sich etwas über. Einen Moment lang dachte er daran, seinen Halfter anzulegen.

»Sie Schweinehund«, sagte Robert Durgin, als Hennessy ins Wohnzimmer kam.

»Warum reden wir nicht morgen über alles?« sagte Hennessy.

»Geht's den Kindern gut?« fragte Ellen.

Robert antwortete nicht; er stieß sie beiseite, und Ellen keuchte leise und sah ihn dann an, als kenne sie ihn nicht.

»Beruhigen Sie sich«, sagte Hennessy.

»Sie dreckiger Schweinehund«, knurrte Robert.

Suzanne streckte den Kopf aus ihrem Schlafzimmer.

»Mami?« sagte sie.

»Ich bringe sie wieder ins Bett«, sagte Ellen, aber sie wartete auf das Nicken ihres Mannes, ehe sie sich bewegte.

»Sie wissen, wo sie ist«, sagte Robert, als Ellen gegangen war. »Melanie ist aus einem Alptraum aufgewacht und hat mir gesagt, sie weine, weil sie nicht lügen soll, aber Mr. Hennessy und ihre eigene Mutter hätten ihr gesagt, sie solle besser doch lügen. Und ich dachte, Sie wären auf meiner Seite!«

»Hier geht es nicht um Seiten«, sagte Hennessy.

»Dann sagen Sie mir, wo sie ist«, sagte Robert.

»Das kann ich nicht«, sagte Hennessy.

»Können Sie mir wenigstens sagen, warum sie weggegangen ist?« sagte Robert.

»Ich weiß nicht«, sagte Hennessy, weil er nicht den Mut hatte, Robert die Wahrheit zu sagen. »Ich kann die Kinder jeden zweiten Sonntag zu ihr bringen, bis Sie die Scheidung eingereicht haben.«

»Oh, Scheiße«, sagte Robert.

»Werfen Sie ihr vor, was Sie wollen«, sagte Hennessy. »Ihr ist das egal, solange sie ein Besuchsrecht erhält.«

Robert setzte sich schwerfällig auf die Couch.

»Zu Ihrem eigenen Besten, Robert«, sagte Hennessy. »Lassen Sie der Sache ihren Lauf.«

Ellen sah vom Flur aus zu. Sie hatte sich angezogen und ihr Haar gekämmt. Sie kam herein und setzte sich neben Robert. »Ich mache Ihnen Kaffee«, sagte sie zu ihm. »Und ein Sandwich.«

Robert nickte, und zusammen tranken sie Kaffee und aßen Sandwiches, und zwar am Couchtisch im Wohnzimmer, wo sie aus dem vorderen Fenster schauen und ein Auge auf das Haus haben konnten, in dem Roberts und Donnas Kinder schliefen. Nachdem Robert gegangen war, räumte Ellen wortlos das Geschirr ab, aber als sie beide wieder im Schlafzimmer waren, wandte sie sich Hennessy zu und sagte bitter: »Warum du und nicht ich? Warum hat Donna nicht mich angerufen?«

»Sie hat mich nicht angerufen«, sagte Hennessy. »Ich hab sie aufgespürt.«

»Aber sie hätte mich anrufen können«, sagte Ellen, jetzt weinend. »Sie war meine Freundin.«

Joe Hennessy sah, wie seine Frau weinte, und setzte sich neben sie auf das Bett.

»Ich hab nicht mal gewußt, daß etwas nicht stimmte«, sagte Ellen. Sie blickte zu Hennessy auf. »Aber jetzt weiß ich's.«

ACHTES KAPITEL

Brave Jungs

Am 16. April packte Phil Shapiro sein Auto und fuhr nach Manhattan, aber wenigstens besaß er den Anstand, bis nach Mitternacht zu warten, damit keiner der Nachbarn ihn sah. Er hatte einen neuen Job und ein Apartment in der Nähe der Lexington Avenue, und er hatte alles auf der Welt, woran ihm lag, in zwölf braune Kartons gepackt. Wie man Rickie und Danny gesagt hatte, handelte es sich um eine Trennung auf Probe, aber jeder konnte sehen, daß das das Ende war, weil Gloria Shapiro auf der Stelle begann, wie verrückt zu kochen. Sie machte Cremetörtchen mit Cognac und Huhn in Orangensauce, und sie ging sogar hinüber zu Nora Silk und erstand einen ganzen Satz Tupperware. Sie löffelte ihre Erzeugnisse in die Plastikschalen und schob sie in den Tiefkühlschrank, bis er so voll war, daß er sich kaum noch schließen ließ. Sie gab ihren Kindern zu verstehen, daß sie ihre persönliche Krise mit niemandem besprechen und, falls sie gefragt würden, sagen sollten, ihr Vater sei auf einer Geschäftsreise. In gewissem Sinne stimmte das ja auch, und ihre Mutter, die nie fahren gelernt hatte, ging nun mit einem Einkaufswagen zu A & P; sie gab vor, das geschehe nicht deshalb, weil ihr Mann nicht da war, um sie zu fahren, sondern weil sie die Bewegung nötig habe.

Rickie Shapiro weinte viel in der Mädchentoilette im ersten Stock der High School, aber sie war in letzter Zeit ohnehin sehr emotional, weil sie soeben begonnen hatte, fest mit Doug Linkhauser zu gehen, der Kapitän der Football-Mannschaft war und von seinem Vater einen brandneuen Corvair mit blutroter Innenausstattung gekriegt hatte. Obwohl Doug verrückt nach ihr war und sie nach ihm, hatte sie doch das Gefühl, um sie herum falle alles auseinander. Was war mit ihren Eltern passiert? Nora Silk war der einzige Mensch, den Rickie je kennengelernt hatte, und ganz eindeutig verdiente sie das auch. Rickie wußte, daß Nora jetzt einen Mann hatte; als sie Noras Schmuckschatulle durchstöberte, hatte sie Zigarettenkippen einer fremden Marke in dem Aschenbecher auf dem Nachttisch direkt neben dem Bett gefunden. Sie hatte eines der Kissen vom Bett genommen. Der Kissenbezug hatte nach Schweiß und Tabak gerochen, und sie hatte ihn angewidert zu Boden fallen lassen. Sie konnte es nicht einmal mehr ertragen, auf die Silk-Kinder aufzupassen. An manchen Samstagen rief sie Nora an und log ihr vor, sie sei krank. Nora geriet dann in große Bedrängnis, weil sie ihrerseits nun Armand anrufen und ebenfalls vorgeben mußte, krank zu sein. Rickie fing auch wieder an, ihr Haar auf dicke Drahtwickler aufzudrehen, statt es einfach trocknen zu lassen, und wie sich herausstellte, fand Doug Linkhauser sie in Rosa ganz besonders schön.

Wenn sie herauszufinden versuchte, was mit ihren Eltern schiefgegangen war, kam sie zu keinem Ergebnis. Sie hatten nicht einmal miteinander gestritten, und es sah ihnen gar nicht ähnlich, Rickie so zu demütigen; daher mußte sie dieses schreckliche Geheimnis vor allen bewahren, sogar vor ihrer besten Freundin Joan Campo. Danny war nutzlos, denn er weigerte sich, überhaupt über ihre Eltern zu sprechen. Die ganze Angelegenheit machte Rickie richtig krank. Ihre Mutter kochte so viel, daß in der Küche ständig eine große Hitze herrschte; wenn man durch die Seitentüre hereinkam, fiel man fast in Ohnmacht. An Sonntagabenden konnte Rickie nicht mit Doug ausgehen, weil Phil aus Manhattan kam und Rickie und Danny in Tito's Steakhouse auf der anderen Seite der Southern State ausführte, und sie bestellten alle Steaks und Pommes und Zwiebelringe, und keiner von ihnen konnte etwas essen. Rickie mußte die ganze Zeit Konversation machen, weil Danny nicht reden wollte. Wenn sie zu Hause abgesetzt wurden, wartete Gloria auf sie, um sie auszufragen, so daß Rickie tatsächlich anfing, Listen von allem aufzustellen, was sie bei Tito's bestellt und was ihr Vater angehabt hatte. An Freitag- und Samstagabenden, wenn Rickie sich anzog, um mit Doug auszugehen, konnte sie ihre Mutter draußen im hinteren Garten hören, wo sie die Pflanzen ausdünnte. Es war ein schreckliches Geräusch, wie ein wildes Tier, das herumscharrt, aber Gloria gab nicht auf, und sie hörte nicht auf, Wurzeln auszureißen, bis neben dem hinteren Patio ein großer Haufen davon lag.

»Gott, du bist vollkommen«, pflegte Doug Linkhauser zu flüstern, wenn er sie küßte, nachdem sie den Corvair beim Police Field geparkt hatten. Rickie hätte ihm dann am liebsten den Schädel gespalten. Oh, sie liebte ihn trotzdem, sie war verrückt nach ihm – warum sollte sie auch nicht? Alle wollten mit ihm ausgehen. Aber manchmal ertappte sie sich dabei, daß sie an Ace dachte, während sie Doug küßte. Dann löste sie sich von ihm und spürte, wie ihr das Blut ins Gesicht stieg.

Nichts war vollkommen, das war Rickie Shapiro jetzt klar. Was hatte ihre beste Freundin gesagt, als Rickie ihr schließlich doch von der Trennung ihrer Eltern erzählt hatte? »Gott, das ist ja entsetzlich, deine Familie ist zerstört.« Sie hätte Joan treten mögen, aber sie konnte nicht zeigen, daß sie verletzt war. Alles schien jetzt auf wackligen Füßen zu stehen, auf Treibsand. Rickie hatte gelernt, brav die Regeln zu befolgen, um jeden Preis, selbst wenn sie dadurch ihre Chance mit Ace verlor. Jetzt kam es ihr so vor, als sei sie möglicherweise betrogen worden. Eltern wie die ihren sollten sich eigentlich nicht trennen; ein so kluger und gutaussehender Junge wie Danny sollte eigentlich beliebt sein, statt seine ganze Zeit allein in seinem Zimmer zu verbringen; selbst Joan Campo, die seit sechs Jahren ihre beste Freundin war, hatte sie enttäuscht. Die Regel hatte immer gelautet, daß man sich von einem Jungen küssen und über dem Büstenhalter berühren lassen darf, aber jetzt hatte Joan mehr oder weniger zugegeben, daß sie mit Ed Laundy bis ans Ende gegangen war, und vermutlich würde sie es wieder tun. Als Rickie sie schockiert angesehen hatte, hatte Joan sie ausgelacht und gefragt: »Was glaubst du eigentlich, was alle beim Police Field draußen machen?« Rickie hatte aus Verlegenheit nicht zugeben können, sie habe geglaubt, alle verhielten sich so wie sie, nämlich artig. Wenn sie das nicht geglaubt hätte, wäre sie mit Ace zusammen gewesen, statt sich freitags abends auf dem Rücksitz des Corvair herumzudrücken und sich von Doug Linkhauser die Zunge in den Mund stecken zu lassen.

Etwas war passiert, wie ein Riß im Universum, und man konnte sich nicht mehr darauf verlassen, daß etwas so war wie erwartet. Obwohl Rickie anfangs überzeugt war, alles würde wieder normal werden, begann sie sich bald zu fragen, ob es jemals wieder sein würde wie früher. Ihre Mutter war mit dem Ausdünnen im Garten fertig, und das Kochen hatte sie aufgegeben. Jetzt rauchte sie nur noch Zigaretten und sah entgegen ihrer Gewohnheit fern, außer an den Nachmittagen, an denen sie ihre Fahrstunden hatte. Die Fahrstunden waren das Schlimmste von allem. Gloria hatte nie fahren müssen, Phil hatte sie überall hingebracht, wohin sie gehen mußte. Jetzt gaben die Fahrstunden und die Tatsache, daß sie sich nach Autopreisen erkundigte, der Trennung etwas Endgültiges. Als Gloria tatsächlich ihre Führerscheinprüfung bestand, schien überhaupt keine Hoffnung mehr zu bestehen, daß ihr Leben wieder normal werden würde.

Tatsächlich wirkten alle in der Nachbarschaft ein bißchen aufgekratzt, besonders die Mütter. Marie McCarthy zum Beispiel, die ihr ganzes Eheleben lang sich nur um ihr Haus und ihre Familie gekümmert hatte, fand sich plötzlich mit einem Job wieder. Sie ging immer einmal im Monat zu Armand's, um sich das Haar färben und schneiden zu lassen, aber sie wich Nora aus. Sicher, aus dem Augenwinkel beobachtete sie immer ihre Nachbarin, aber bei ihrem April-Termin, als sie mit einer Gummihaube auf dem Kopf am Waschtisch saß, bemerkte sie, daß Nora das Baby in einem Laufstall in einer kleinen Nebenkammer abgestellt hatte. Armand hatte das ebenfalls bemerkt. Als Nora sich hineinschlich, um dem Baby ein Brötchen zu geben, folgte er ihr und sagte, es sei ihm völlig gleichgültig, ob ihr Babysitter unzuverlässig sei; er brauche sie mindestens an zwei Wochentagen, oder er müsse sich eine neue Maniküre suchen. Nachdem er wieder aus der Kammer gestürmt war, stand Nora in der Tür, das Baby auf dem Arm, und knabberte an dem Brötchen. Ehe Marie den Blick abwenden konnte, hatte Nora sie erspäht.

»Hallo, Mrs. McCarthy«, rief sie, kam und setzte sich auf den Stuhl neben Marie. »Die Welt ist wirklich nicht für Frauen mit Kindern geschaffen«, sagte Nora düster.

Das Baby beugte sich vor und griff nach Maries silbernen Armreifen; es löste sich aus Noras Griff und krabbelte auf Maries Schoß.

»Hei!« sagte es zu Marie.

»Was soll ich denn bloß machen?« sagte Nora. »Meine Kinder zeitweilig narkotisieren?«

»Ich könnte mich um ihn kümmern«, entfuhr es Marie.

Damit war die Sache entschieden. Sie hatte den Mund aufgemacht, und Nora war nur zu froh, Rickie entlassen und das Baby mittwochs und freitags und, zusammen mit Billy, Samstag vormittags zu den McCarthys bringen zu können. Marie hatte nun wieder zwei kleine Jungen im Haus, nur, daß sie diesmal dafür bezahlt wurde. Tatsächlich machte es ihr so sehr viel mehr Spaß. Sie kaufte in einem Secondhand-Laden einen Hochstuhl und brachte James bei, Gabel und Löffel zu benutzen, »Winke Winke« zu machen und bis drei zu zählen. Sie nahm ihn mit zu Lynne Wineman und Ellen Hennessy und brüstete sich mit ihm, und selbst sie mußten zugeben, daß er ein süßes Baby war. »Marie«, sagte James eines Nachmittags, als er aus seinem Mittagsschlaf erwachte. Marie erklärte ihn auf der Stelle für höchst aufgeweckt und außerdem zum Fressen süß.

John McCarthy und Jackie machte es nervös, ein Baby im Haus zu haben; sie meinten, Marie sei überfordert. Aber Ace hatte überhaupt nichts dagegen. Er ging mit dem älteren Jungen Baseball spielen oder den Hund ausführen, und obwohl Marie eine Weile brauchte, um Billy zu gewinnen, gelang es ihr schließlich, indem sie ihm Nudeln mit Butter und Sahne kochte, am Kartentisch mit ihm Mah Jongg und Rommé spielte und ihm beibrachte, Pistazienkerne mit den Zähnen zu knacken.

Wenn sie mit den anderen Müttern zusammen war, bewunderten diese zwar das Baby, aber die Fragen, die sie stellten, drehten sich um Nora. Marie bemerkte das nicht. Lynne wollte wissen, wo sie ihre Kleider kaufte und ob sie einen Freund habe. Ellen Hennessy war nur daran interessiert, wie

Nora es schaffte, sich um ihre Kinder zu kümmern und gleichzeitig berufstätig zu sein. Den ganzen April hindurch besuchte sie an jedem Werktag, nachdem sie Stevie zur Schule und Suzanne zu Lynne Wineman gebracht hatte, einen Maschinenschreibkurs. Bevor er zu Ende war, hatte sie sich bereits um Jobs beworben. Es gab einen Job, den sie sich mehr als alles andere wünschte, als Empfangssekretärin in der Praxis eines Zahnorthopäden. Am Tag des Einstellungsgesprächs nahm sie tatsächlich Suzanne mit zu Nora Silk und ließ sich maniküren. Nora war im Morgenrock, als sie die Tür öffnete, aber sie lächelte erfreut und führte Ellen in die Küche. Das Haus war ein einziges Durcheinander, schlimmer, als irgendeine Frau aus der Straße sich hätte vorstellen können. Nora legte Fingerfarbe und Papier für James und Suzanne auf den Fußboden und mußte dann Haferflockenschachteln und Lehm vom Küchentisch räumen, ehe sie mit Ellens Maniküre beginnen konnte.

»Hach, ich bin ganz begeistert von Ihrem Mann«, sagte Nora zu Ellen, während deren Hände in zwei Schalen mit warmem Seifenwasser einweichten.

»Ja?« sagte Ellen. Sie blickte hinunter und sah, daß Suzanne sich bereits mit Fingerfarben beschmiert hatte.

»Mein Ex-Mann war nicht so wie Joe. Er konnte überhaupt nichts reparieren«, sagte Nora. »Er war nicht einmal imstande, einen Wecker zu stellen.«

»Blaßrosa«, sagte Ellen, als Nora ihre Nagellackflaschen hervorholte.

»Probieren Sie Fuchsienrot«, sagte Nora. »Verlassen Sie sich auf mich.«

»Ich habe mich um einen Job beworben«, platzte Ellen heraus. »In der Praxis eines Zahnorthopäden oben am Turnpike.«

»Das ist ja fabelhaft«, sagte Nora. »Wahrscheinlich bekommen Sie dann einen tollen Preisnachlaß, wenn eines Ihrer Kinder eine Zahnspange braucht.«

»Glauben Sie?« sagte Ellen erfreut. Sie nahm die Hände aus dem Seifenwasser und sah zu, wie Nora ihr die Nägel feilte. »Ich mache mir bloß Sorgen wegen der Kinder.«

»Dazu haben Sie noch Zeit, wenn sie erwachsen und aus dem Haus sind«, sagte Nora. »Würde es Sie stören, wenn ich ein bißchen Musik mache?«

Nora ging ins Wohnzimmer, legte einen Stapel 45er Platten auf, kam dann zurück, zündete sich eine Zigarette an, legte sie in den Aschenbecher und schraubte die Flasche mit fuchsienrotem Nagellack auf.

»Machen Sie sich keine Sorgen, wenn Sie bei der Arbeit sind?« fragte Ellen.

Nora nahm ein paar Crackers aus einer Tupperware-Dose und reichte sie den Kindern, ohne sich die Mühe zu machen, ihnen vorher die Hände zu säubern.

»Aber natürlich«, sagte sie. »Ich mache mir die ganze Zeit Sorgen.«

Als Ellen Hennessy den Job bekam, war Nora die erste Person, die sie anrief.

»Das ist ja großartig«, sagte Nora. »Aber ich merke, daß Sie daran denken, den Job nicht anzunehmen.«

Sie ließ James in einen Küchenschrank krabbeln, wo er mit den Töpfen und Pfannen spielen konnte. Ace hatte Mittagspause und trank gerade eine Cola, bevor er wieder über den Zaun kletterte und zur achten Stunde in die Schule eilen würde.

»Was soll ich Joe sagen?« fragte Ellen.

»Was Sie ihm sagen, ist ganz egal«, sagte Nora. »Wichtig ist, wo Sie es ihm sagen.«

Ace stellte seine leere Colaflasche auf den Küchentresen, trat dann hinter Nora und legte die Arme um sie.

»Sagen Sie's ihm im Schlafzimmer«, sagte Nora.

Ace küßte ihren Nacken, dann ging er zu dem Baby und hockte sich neben James auf den Boden.

»Tschüs, mein Kleiner«, sagte Ace zu dem Baby.

Nora drehte sich zu ihm um und legte einen Finger auf den Mund, um ihn zum Schweigen zu bringen.

Ace stand auf und machte eine spöttische kleine Verbeugung. Dann pfiff er nach seinem Hund und verließ das Haus durch die Seitentür. In der Küche auf der anderen Straßenseite setzte sich Ellen Hennessy verwirrt an den Tisch.

»Ich weiß nicht, was Sie meinen«, sagte sie verlegen. Einen Augenblick lang dachte sie, sie müsse komplett verrückt sein, Nora anzurufen und sich ihr anzuvertrauen.

»Sie wissen schon, was ich meine«, sagte Nora.

»Nora«, sagte Ellen.

»Ach, Sie wissen ganz bestimmt, was ich meine«, beharrte Nora. »Geben Sie ihm was Wichtigeres zum Nachdenken als die Frage, ob seine Frau arbeitet oder nicht.«

Joe Hennessy hatte ohnehin andere Sorgen. Die ganze Woche hatte er an einem Fall gearbeitet, den er haßte, hatte abends draußen vor einem Eisenwarenladen Wache geschoben, in den in diesem Monat bereits dreimal eingebrochen worden war. Während er Wache hielt, war überhaupt nichts passiert, aber ausgerechnet an dem Abend, an dem er zu einem Schnellimbiß gefahren war, um sich ein Sandwich zu holen, geschah es. Bei seiner Rückkehr entdeckte er, daß während seiner Abwesenheit jemand einen Stein in die Scheibe geworfen und sich mit sechs Transistorradios davongemacht hatte. Da haßte er den Fall noch mehr, denn offenkundig handelte es sich um Jugendliche, und Jugendliche würden vermutlich da herauswachsen, es sei denn, er verhaftete sie. Aber natürlich stand er auf dem Revier nun als Narr da, weil er sich irgendwie hatte übertölpeln lassen.

Dann, eines Abends, zwanzig Minuten vor der Ablösung durch Johnny Knight, bekam Hennessy via Funk eine Meldung. Er wußte sofort, daß es schlimm werden würde, noch ehe man ihm sagte, drüben in der Mimosa Street sei wahrscheinlich ein Mord passiert. Er setzte die Sirene auf das Wagendach und fuhr in Richtung Harvey's Turnpike, als der tiefblaue Himmel gerade schwarz zu werden begann. Als er vor der Mimosa Street Nummer 445 hielt, waren schon drei andere Detectives da, darunter auch Johnny Knight, der ihn in der Einfahrt erwartete.

»Laß dir 'nen guten Rat geben«, sagte Johnny, als er Hennessy eine Zigarette und Feuer anbot. »Wende den Wagen und fahr in die andere Richtung, und zwar sofort.«

Sie gingen zusammen auf die vordere Veranda und rauchten im Dunkeln ihre Zigaretten.

»So schlimm?« fragte Hennessy.

»Unglaublich«, sagte Johnny Knight.

Hennessy kannte die Familie, die hier wohnte, zumindest gut genug, um Roy Niles unten in der Milchbar, die ihm gehörte, jedesmal zu grüßen, wenn er im Sommer seine Kinder hinbrachte. Wenn er sich richtig erinnerte, hieß Niles' Frau Mary, und es gab zwei Kinder, ein Mädchen, das die Junior High School besuchte, und einen Jungen, der im Sommer in der Milchbar arbeitete. Sobald sie das Haus betreten hatten, hörten sie eine Frau schreien. Die Ehefrau lebte also noch.

»Wir haben gerade einen Anruf bekommen, aus dem Krankenhaus. Tod durch Fremdeinwirkung«, sagte Knight. »Der Mann. Niles.«

Hennessys Schuhe waren schmutzig, und er streifte sie auf der Matte im vorderen Flur ab.

»Du bist hier, um mit dem Jungen zu reden«, sagte Knight. »Raymond.«

»Wie hat man ihn getötet?« fragte Hennessy.

»Mit einem Messer«, sagte Johnny Knight. »Elf Stiche.«

»Oh, mein Gott«, sagte Hennessy. »Irgendwelche Verdächtigen?«

»Wir haben ihn schon in Gewahrsam«, sagte Johnny Knight. »Der Junge war's. Seine Mutter und seine Schwester sind im Schlafzimmer und schreien sich die Seele aus dem Leib. Er hat's unten im Keller gemacht. Weißt du, daß Niles da unten einen kompletten Bunker hatte? Lebensmittelkonserven für sechs Monate. Amateurfunkgerät. Wasser. Alles.«

»Ist es da drin passiert?« fragte Hennessy.

Knight schüttelte den Kopf. »In der Waschküche. Ein einziges Chaos.«

Der Junge war in der Küche und saß da, den Kopf zwischen den Knien. Hennessy begrüßte die beiden anderen Detectives und einen Pathologen, der aus Hempstead herübergeschickt worden war.

»Er ist total übergeschnappt«, sagte einer der Detectives, Ted Flynn, zu Hennessy. »Sie können zwar mit ihm reden, aber dann nehmen wir ihn mit und bringen ihn gleich in die Psychiatrie.«

Raymond war gerade siebzehn geworden. Er besuchte wie Rickie Shapiro die zweite Klasse der High School, aber sie wußte nicht einmal, daß er existierte. Er war dünn, und sein Haar war so kurz geschnitten, daß man seine Kopfhaut sehen konnte. Seine Haut, normalerweise blaß, war jetzt aschfarben. Er trug ein braunes Hemd und dunkelbraune Hosen und weiße Turnschuhe, und er sah aus, als werde er sich jeden

Moment übergeben. Hennessy warf einen Blick auf den Jungen und dachte, verdammt, warum muß gerade ich das machen, aber er bat die Männer, ihn zehn Minuten mit dem Jungen allein zu lassen. Als sie ins Wohnzimmer gegangen waren, öffnete Hennessy den Kühlschrank und nahm zwei Cola heraus. Er setzte sich Raymond gegenüber, öffnete beide Flaschen und hielt dem Jungen eine hin.

»Trink das«, sagte Hennessy. »Das bringt deinen Magen wieder in Ordnung.«

Der Junge blickte auf und schluckte schwer. Er starrte die Cola an, als sterbe er vor Durst. Hennessy stellte sie auf den Tisch. Raymond ergriff sie, trank sie auf einen Zug halb leer und setzte die Flasche dann ab.

»Sie halten dich für verrückt«, sagte Hennessy. »Sie denken, der Fall sei sonnenklar. Du brauchst nicht mal eine Geschichte zu erzählen.«

Der Junge erschauerte und blickte zu Boden, aber Hennessy merkte, daß er zuhörte.

»Wie zum Beispiel, daß es Notwehr war. Oder vielleicht bloß ein Unfall. Oder vielleicht warst du es gar nicht, und diese Arschlöcher wollen sich's bloß leicht machen.«

»Ich war's«, sagte Raymond.

Hennessy trank einen Schluck Cola. »Willst du ein paar Kekse?« fragte er. Raymond schüttelte den Kopf, aber Hennessy nahm trotzdem einige Kekse aus einer Dose auf dem Tresen. Ihm war ebenfalls übel, aber er zwang sich, einen zu essen. »Das sind deine Mutter und deine Schwester, die da nebenan weinen«, sagte er.

»Lassen Sie mich in Ruhe«, sagte Raymond. »Sorgen Sie dafür, daß man mich dahin bringt, wohin man mich bringen will.«

»Elfmal«, sagte Hennessy.

»Was wollen Sie eigentlich!« sagte Raymond. Er war ein magerer, unscheinbarer Junge, den niemand auch nur bemerkte.

»Ich will deine Version der Sache hören«, sagte Hennessy.

Seine Version der Sache begann unten in der Waschküche, wohin sein Vater ihn immer brachte, wenn er ihn prügeln wollte. Er ließ Raymond warten, einen Tag, vielleicht auch zwei, und dann gab er es ihm. Nur hatte Raymond diesmal beschlossen, daß es dazu nicht kommen würde; er hatte gedacht, er brauche seinem Vater nur mit dem Messer zu winken, und dann würde er ihn gehen lassen. Aber sein Vater drehte durch, als er das Messer sah, und da konnte er nicht mehr zurück. Nachdem er einmal auf seinen Vater eingestochen hatte, konnte er nicht mehr aufhören; er meinte daher, verrückt zu sein, und wollte irgendwohin, wo er seine Mutter nicht mehr weinen hören konnte.

»Trink deine Cola aus«, sagte Hennessy, als der Junge zu Ende gesprochen hatte.

»Keiner wollte mir glauben«, sagte der Junge. »Meine Mutter drehte das Radio immer so laut auf, daß sie es nicht zu hören brauchte.«

»Ich glaube dir«, sagte Hennessy.

Er ließ den Jungen in der Küche zurück und ging zu den anderen Detectives.

»Sein Vater hat ihn brutal verprügelt«, sagte Hennessy.

»Ach ja?« sagte Johnny Knight. »Und darum hat er elfmal auf ihn eingestochen?«

»Er hat es nicht vorgehabt«, sagte Hennessy. »Es passierte einfach.«

»Ach, kommen Sie«, sagte Ted Flynn. »Das kaufen Sie ihm ab? Daß er einfach zufällig ein Messer bei sich hatte?«

Ein paar Leute in der Nachbarschaft, vor allem die Jungs

aus Raymonds Klasse, die die blauen Flecken an seinen Beinen und auf seinem Rücken gesehen hatten, wenn er sich zum Turnunterricht umzog, kauften ihm das ab, andere dagegen nicht. Am Ende spielte es keine Rolle, weil es keine Beweise gab und niemand außer Hennessy sich für den Jungen einsetzte. Also brachten sie ihn in die Psychiatrische Klinik. Die Nachricht von dem Vorfall verbreitete sich wie ein Lauffeuer. In dieser Nacht konnten die Väter der Siedlung nicht schlafen, und die Mütter erforschten die Gesichter ihrer kleinen Söhne nach Anzeichen für mögliche Probleme. Wie konnte so etwas passieren? Das fragten sich die Leute, wach und in ihren Träumen. Eltern und Kinder waren übermäßig höflich zueinander, als erwarteten sie, jemand anderer werde ausrasten. Sie wollten sicher sein, daß das niemand aus ihrem eigenen Haus war und schon gar nicht sie selbst. Man hörte ein Murmeln zwischen den Hecken, aber niemand sprach laut über die Familie Niles. Hennessy versuchte drei Tage lang, Lehrer und Verwandte zu befragen, bis er merkte, daß er damit überhaupt nichts erreichte. Sie sagten Termine mit ihm ab, sie gaben einsilbige Antworten, und selbst die Kollegen auf dem Revier wollten nichts davon hören; sie gingen ihm sogar aus dem Weg. Als er schließlich seinen Bericht einreichte, in dem kein einziges abfälliges Wort über den Vater des Jungen stand, lud Johnny Knight ihn zu einem Pokerspiel ein. Als Hennessy hinkam, klopften ihm die anderen Detectives auf die Schulter und boten ihm Zigaretten an, erleichtert, daß er aufgegeben hatte, und mehr als bereit, ihn wieder als einen der Ihren willkommen zu heißen.

Er gewann vierzehn Dollar und kam nach Mitternacht nach Hause. Gewöhnlich machte er sich selbst ein Sandwich, wenn er so spät heimkam, aber Ellen hatte mit dem Abendessen auf ihn gewartet. Es gab Lammkoteletts, in Butter gekochte Karotten und eine gebackene Kartoffel mit saurer Sahne.

»Mir war eben nach Kochen zumute«, sagte Ellen abwehrend, als Hennessy das Essen anstarrte.

»Schon gut«, sagte Hennessy schließlich. »Prima.«

Ellen setzte sich ihm gegenüber und sah ihm beim Essen zu. »Willst du darüber reden?« fragte sie.

Hennessy spießte seine gebackene Kartoffel auf und schüttelte den Kopf.

»Vielleicht täte es dir gut, darüber zu reden«, sagte Ellen.

Da sah Hennessy sie an. Sie meinte das wirklich ernst. »Danke«, sagte er. »Ich kann nicht.«

Mehr als alle anderen hatte Ellen darauf gewartet, daß Hennessy im Falle Niles aufgab. Als Hennessy sich ein Bier nahm und sich auf die Couch setzte, ging sie ins Schlafzimmer. Ihre Hände zitterten, während sie sich auszog. Sie schaltete alle drei Birnen der Stehlampe aus und zog sich dann das schwarze Satinhemd an. Es war drei Monate her, seit sie das letzte Mal mit ihrem Mann geschlafen hatte, und sie war gewiß nicht mit dem Herzen dabeigewesen. Sie ging zur Kommode und bürstete sich im Dunkeln das Haar; dann nahm sie das Jasminöl, das Nora ihr gegeben hatte, und träufelte drei Tropfen davon auf ihr Kopfkissen.

Als Hennessy sein Bier ausgetrunken hatte, schaltete er alle Lichter im Haus aus. Nach Donna Durgins Verschwinden hatte Ellen ihn gebeten, nachts alle Türen abzuschließen, und jetzt war es zur Routine geworden, obwohl sich jedesmal etwas in seinem Magen zusammenzog, wenn Hennessy ein Schloß zusperrte. Er sah nach den Kindern und breitete die Decken, die heruntergefallen waren, wieder über sie. Er dachte an den Jungen, der am Küchentisch Cola getrunken hatte, dachte daran, wie bleich der Junge gewesen war und wie verzweifelt durstig er gewirkt hatte. Er dachte an die Frau, der er nicht geholfen hatte, die Hamburger gebraten hatte, nachdem sie verprügelt worden war. Er dachte an den Ausdruck auf Donna Durgins Gesicht, wenn sie jeden zweiten Sonntag ihre Kinder aus seinem Auto steigen sah. Morgen würde er wahrscheinlich wieder vor dem Eisenwarenladen Wache schieben müssen, und diesmal würde er sich über den Job nicht beschweren. Er würde Zeitung lesen, während er hinter dem Steuerrad saß, und er würde Kaffee trinken, und wenn der dumme Junge, der eingebrochen hatte, es wagte, sich wieder zu zeigen, dann würde er fest auf die Hupe drükken, um ihn zu verscheuchen.

Als er sein Schlafzimmer betrat, machte der Duft von Jasmin ihn schwindlig, und einen Augenblick lang hatte er das Gefühl, in ein falsches Haus geraten zu sein. Ellen hatte die dämmrige Nachttischlampe eingeschaltet und drehte ihm den Rücken zu; einer der Träger des schwarzen Satinhemdes war abgerutscht, so daß er eine weiße Schulter sah.

Hennessy zog sich aus und steckte seine Kleider in den Wäschekorb.

»Warum kommst du nicht her«, sagte Ellen, als er auf sein eigenes Bett zuging.

Er setzte sich neben sie auf das Bett. Weil sie zu warten schien, fuhr er mit den Händen über das Satinhemd. Er hatte tatsächlich Angst, seine eigene Frau zu küssen, denn das letzte Mal, als er sie lieben wollte, hatte sie sich abgewandt. Aber nun legte Ellen die Hände um sein Gesicht und zog ihn an sich, und nachdem sie angefangen hatte, ihn zu küssen, wußte Hennessy, daß sie sich nicht abwenden würde. Er liebte sie, als sei sie nicht seine Frau. Als sie sich nach unten wandte, um ihn in den Mund zu nehmen, dachte Hennessy, er würde explodieren. Sie hatte das noch nie zuvor getan, sie hatte nicht einmal hinhören wollen, wenn er sie früher darum gebeten, sie förmlich angefleht hatte. Jetzt machte sie es ganz von selbst. Danach, als sie sich auf ihn schob, liebte Hennessy sie so, wie er es nie zuvor gewagt hatte, aber er wußte, sie wollte nicht, daß er aufhörte, denn sie hatte die Arme um seinen Hals geschlungen und küßte ihn.

Sie schliefen im gleichen Bett ein, während am Himmel der rosa Mond aufging. Morgens wachten sie früh auf, vor den Kindern, und zogen sich schweigend an, als seien sie verblüfft über das, was sich nach all den Ehejahren zwischen ihnen abgespielt hatte. Ellen fand das schwarze Satinhemd zerknittert zwischen den Laken. Sie faltete es sorgfältig zusammen und legte es in die oberste Kommodenschublade. Als sie ihm nach dem Frühstück sagte, sie habe beschlossen, einen Job anzunehmen, war Hennessy so verwirrt, daß er nicht mit ihr stritt. Er löffelte Zucker in seine erste Tasse Kaffee und starrte sie so lange an, daß Ellen sich ans Spülbecken lehnte und lachte, und wenn die Kinder nicht schon wach gewesen wären und nach ihren Kleidern gerufen hätten, dann hätte sie ihren Mann wieder ins Bett gelockt.

*

In der letzten Aprilwoche fand für die wenigen Schüler der letzten Klasse, die den Fortgeschrittenenkurs in Mathematik hatten belegen dürfen, eine Prüfung statt. Die Prüfung war vor allem eine Sache des persönlichen Stolzes; alle zwölf Schüler des Kurses würden schon in wenigen Tagen ihre Zulassungen zum College bekommen. Deshalb war es besonders eigenartig, daß Danny Shapiro am Tag der Prüfung nicht erschien. Der Mathelehrer, Mr. Bower, wartete nach dem Glockenläuten noch zehn Minuten, aber dann mußte er schließlich die

Aufgabenblätter verteilen. Es war eine Arbeit, mit der Danny keine Schwierigkeiten gehabt hätte. Er hätte sie als Bester bestanden. Doch als Mr. Bower die Ersatzstifte austeilte, war Danny Shapiro bereits in Carolina, und es war schon so heiß im rückwärtigen Teil des Busses, daß er nur Jeans und ein weißes T-Shirt trug.

Wenn er darüber nachgedacht hätte, wäre er wahrscheinlich nicht fortgegangen, aber er ließ sich keine Zeit zum Nachdenken. Am Samstag hatte er in seinem Zimmer gesessen und etwas Marihuana geraucht. Nebenan hatte er das Radio spielen hören, im Zimmer seiner Schwester, die sich für ihren neuesten Idioten aufputzte. Danny hatte gewußt, daß sie nicht den Mumm haben würde, bei Ace McCarthy zu bleiben. Er bemitleidete sie, weil sie nicht mutig genug war, um etwas anderes zu tun als das, was die Leute von ihr erwarteten. Er bemitleidete auch seine Mutter. Auf gewisse Themen reagierte sie jetzt sehr aggressiv. Wenn jemand zufällig und in aller Unschuld Lucys und Desis bevorstehende Scheidung erwähnte, fiel sie mit Ausdrücken über Desi her, von denen Danny nicht einmal geahnt hatte, daß sie sie kannte. Sie verachtete Autos und Autoverkäufer. Sie hatte darauf bestanden, daß Danny zu der Testfahrt mit ihrem neuen Ford Falcon mitkam. Sie hatte den Verkäufer angeschrien und beschuldigt, er wolle sie betrügen, bis schließlich Danny so verlegen gewesen war, daß er sie leise gebeten hatte, sie solle aufhören.

Was Danny wirklich zu schaffen machte, war nicht nur der Weggang seines Vaters, sondern die Bürde, die er Danny aufgehalst hatte. Nach ihrem ersten Sonntagsessen bei Tito's hatte sein Vater ihn tatsächlich beiseite genommen und hatte ihm allen Ernstes gesagt, nun sei er der Mann im Haus. Himmel, er hatte sich nicht um diesen Job beworben, hatte ihn nicht gewollt, aber sein Vater tat so, als handele es sich um ein königliches Erbe, und Danny sei der nächste in der Erbfolge. Ob er es wollte oder nicht, er mußte jetzt wach bleiben und hinausgehen zur Garage, um sich zu vergewissern, daß Rickie freitags nachts nach Hause kam. Eigentlich war Danny ganz froh gewesen, als er erfahren hatte, daß sein Vater nach Manhattan ziehen würde. Columbia war Dannys erste Wahl, und er dachte, er könne allerhand Geld sparen, wenn er bei seinem Vater wohnte. Er war dumm genug gewesen, seinem Vater zu helfen, die Kartons ins Auto zu tragen, und während er zusah, wie Phil sie im Lieferwagen stapelte, hatte er das Thema angeschnitten, hatte erwähnt, er könnte nach dem Abschluß doch zu ihm ziehen. Sofort begann Phil zu erklären, wieso er das für ganz und gar keine gute Idee hielt: Danny würde das lustige Leben im Studentenwohnheim verpassen, die Wohnung wäre nicht groß genug, es würde einfach nicht gutgehen. Da wußte Danny, daß sein Vater nicht nur aus seiner Ehe floh, sondern vor ihnen allen.

Darum bemitleidete er seine Mutter und seine Schwester. Er sah ihren blinden Glauben, ihre Überzeugung, daß sie das täten, was von ihnen erwartet wurde – und sie erreichten damit gar nichts. Nach dem Abendessen sah er zu, wie sie die weißen Teller mit den Goldrändern abwuschen, bis sie glänzten, und dabei über nichts schwatzten, über absolut nichts, wie Vögel, die mit den Flügeln schlagen und sich selbst die Federn ausrupfen, und er begann sie zu verachten. Als Raymond Niles seinen Vater erstach und die ganze verdammte Nachbarschaft verstummte und so tat, als seien die Niles ihnen vollkommen fremd, da spürte Danny, wie etwas in ihm zerbrach. Er konnte es nicht ertragen, da zu sein, wo er war, die Gegend erstickte ihn. Als er Rickie mit Doug Linkhausers Namensarmband sah, hatte er Lust, ihr das Handgelenk zu brechen. Wenn sie neben Ace den Parkway entlanggegangen war, hatte ihr rotes Haar hinter ihr wie ein Feuerstrom geweht, aber jetzt schien sie kleiner, eingesperrt in Petticoats und Namensarmbänder, und wenn sie mit Doug Linkhausers Arm um die Schultern durch die Gänge ging, schien sie neben ihm völlig zu verschwinden.

Am Tag vor seiner Flucht wartete Danny nach der Schule auf dem Schülerparkplatz auf Linkhauser. Er stand wie ein Wahnsinniger neben dem neuen Corvair, und sogar Linkhauser spürte seine Wut.

»Hallo, Danny«, sagte Linkhauser leichthin, als er sich dem Irren näherte, der bei seinem Wagen wartete.

Danny hatte seine Bücher in seinem Garderobenschrank gelassen, aber in einer Hand trug er einen Baseballschläger.

»Du gehst mit meiner Schwester aus«, hatte Danny gesagt.

»Ja, sicher«, sagte Linkhauser verwirrt. Jeder wußte das.

»Und?« sagte Danny.

»Und?« hatte Linkhauser verständnislos wiederholt.

»Was hast du diesbezüglich für Pläne?« sagte Danny.

»Oh«, hatte Linkhauser gesagt, und er hatte sich an seinen Wagen gelehnt, um darüber nachzudenken. Er hatte vor, das staatliche College in Farmingdale zu besuchen und zu Hause wohnen zu bleiben. Also würde er Rickie natürlich weiterhin sehen. »Ich nehme an, wenn ich mit der Ausbildung fertig bin, werde ich sie bitten, mich zu heiraten.«

Er lächelte, weil er dachte, er habe das Richtige gesagt. Sein Vater besaß mehrere Teppichgeschäfte, und Doug hatte nie darüber nachgedacht, was er wohl tun würde, weil er immer gewußt hatte, daß er in die Teppichbranche gehen würde. Jetzt fühlte er sich, als sei er einer Prüfung unterzogen worden und habe sich ziemlich gut geschlagen. Es gab viel schlimmere Dinge, als Rickie Shapiro zu heiraten.

»Verdammte Scheiße«, sagte Danny.

»Was?« hatte Doug Linkhauser alarmiert gesagt.

»Vielleicht willst du Rennfahrer werden«, sagte Danny.

Doug Linkhauser starrte ihn an.

»Vielleicht willst du zur Fremdenlegion, und Rickie hat keine Lust, nach Italien oder Syrien zu reisen. Verdammt, hast du dir das jemals überlegt, Linkhauser?«

»Ich glaube, du reagierst etwas übertrieben«, hatte Doug Linkhauser gesagt.

Danny hatte sich an den Corvair gelehnt. »Ja«, sagte er, »vielleicht.«

Und wie er da schweigend neben Doug Linkhauser stand und auf den blauen Himmel und die Fenster der Turnhalle starrte, hatte Danny Shapiro gefühlt, wie ein Schmerz durch seine linke Seite zuckte bis hinauf in seine Schulter und seinen Arm. Er wünschte sich, er wäre wieder zwölf Jahre alt und könnte Ace auf dem Sportplatz treffen, um Baseball zu üben. Er wünschte, er könnte einfach alles ausblenden, was er fühlte, aber das konnte er nicht. Schließlich ging er zur Chemical Bank neben dem A&P und hob all seine Ersparnisse ab. Er machte sich nicht einmal die Mühe, nach Hause zu gehen und zu packen.

Als der Bus durch New Jersey kam, wurde der Himmel blauer, und mit jeder Meile wurde er weiter und noch blauer. In Virginia blühten schon die Azaleen, und als sie North Carolina erreichten, wurde es heiß. Danny hatte zwei Sitze für sich bis auf eine Stunde, in der eine alte Frau neben ihm saß. Dann war er wieder allein, bis Raleigh, wo irgendein Typ Ende Zwanzig einstieg und sich in den Sitz neben Danny klemmte. Der Bursche zündete sich sofort eine Zigarette an und holte ein Kartenspiel heraus.

»Spielst du Poker?« fragte er Danny, und als Danny den Kopf schüttelte, fragte er: »Siebzehn und vier?«

»Ich spiele nicht Karten«, sagte Danny.

»Aha«, sagte der Bursche. Er hatte einen ausgeprägten Akzent, und Danny mußte sich anstrengen, um ihn zu verstehen. »Was spielst du denn?«

»Baseball«, sagte Danny.

»Scheiße«, sagte der Mann. »Baseball ist was für Kinder.«

»Nicht, wenn ich spiele«, sagte Danny.

»Wo ist das?« fragte der Mann und drückte seine Zigarette in dem Aschenbecher zwischen ihnen aus, so daß der Rauch Danny in die Augen stieg.

»Frühjahrstraining«, sagte Danny. »Yankees.«

»Kein Scheiß?« sagte der Typ. »Und du reist in einem Greyhoundbus?«

»Klar«, sagte Danny. »So kriegt man was vom Land zu sehen.«

Im Augenblick allerdings konnte man nur den dunklen Highway und eine Reihe von Baracken hinter einem Metallzaun sehen.

Der Bursche hieß Jimmy, und er besuchte seine Mutter in Clearwater, die er seit ungefähr sieben Jahren nicht mehr gesehen hatte. »Sie wird mich nicht wiedererkennen«, sagte er dauernd zu Danny. »Als ich wegging, war ich noch ein Baby. Jünger als du.«

Sie schliefen nur wenig, und am Morgen stiegen sie zusammen aus, als der Bus südlich von Greensboro anhielt, damit sie frühstücken konnten. Der Himmel war so weit und offen, daß Danny vor Freude schwindlig wurde. Beinahe hätte seine Heimatstadt ihn verschluckt, und nun war er bereit für die Welt, nicht für eine sichere, enge Vorstadt oder einen beschützten Campus wie Cornells, seine zweite Wahl. Wenn er nach St. Petersburg käme, würde er sich neue Kleider kaufen, vielleicht sogar Cowboystiefel wie die, die Jimmy trug. Aber was er sich jetzt wünschte, war das größte Frühstück, das er je gehabt hatte, Pfannkuchen und Eier und zwei Gläser Orangensaft.

»Wir sollten uns besser zuerst waschen«, sagte Jimmy zu ihm. »Sonst laufen die Kellnerinnen vor uns davon.«

Danny lachte, und während die übrigen Fahrgäste zum Restaurant gingen, eilte er auf den außenliegenden Waschraum zu.

»He, nicht da!« rief Jimmy ihm zu. Er folgte ihm und holte ihn grinsend ein. »Du bist wirklich einer von den Yankees. Diese Toilette ist für Nigger.«

Ein Schwarzer kam aus der Toilette und sah Danny Shapiro direkt an. Danny hätte am liebsten erklärt, er sei nicht wirklich mit diesem Irren da in seinen Cowboystiefeln zusammen, aber er tat es nicht. Er folgte Jimmy in das Restaurant und ging in den Waschraum hinter der Theke. Er wusch sich, pinkelte, kämmte sich die Haare und merkte, daß ihm übel war. Jimmy bestellte Frühstück für sie beide. Danny konnte sich nicht einmal überwinden, seinen Teller mit Ei auf Toast zu leeren, und als sie wieder in den Bus stiegen, war ihm nicht mehr nach Reden zumute. Die Luft wurde süßer, als sie fuhren. Nach einer Weile fand Jimmy eine leere Sitzbank, wo er sich ausstrecken und schlafen konnte. Noch später fand er jemanden, mit dem er Poker spielen konnte, und das war Danny nur recht. Jimmy hatte keinen Dunst von Baseball oder sonst was, und Danny wollte nichts weiter als endlich in Florida sein.

Ihm dämmerte, daß er seinen Weggang von zu Hause besser hätte planen sollen. Er schaute aus dem Fenster und kam sich vor, als wirbele er durch den Raum, gewichtlos und vollkommen der Gnade der Schwerkraft ausgeliefert. Als sie die Florida State Line kreuzten, ertönten Rufe im Bus, und der

Fahrer drückte auf die Hupe, aber Danny fühlte sich elender denn je. Er war mit seinen Eltern mehrmals in Miami gewesen, doch dies hier schien nicht der gleiche Staat, nicht einmal das gleiche Land zu sein. Alles sah ausgewaschen aus, die Palmwedel waren braun statt grün, die Erde wirkte wie alter, flachgetretener Schmutz. Er hatte keinerlei Gepäck, daher suchte er direkt nach dem Aussteigen aus dem Bus eine Unterkunft. Zwei Straßen von der Haltestelle entfernt fand er ein Motel. Nachdem er sich gewaschen hatte, ging er in einen kleinen Supermarkt und kaufte ein paar Pasteten und eine Flasche Cola und verzehrte sie auf der Straße stehend, hungrig und gerädert. Er wünschte sich, er hätte eine Sonnenbrille, weil das Licht hier draußen ihn fast blind machte. Die Luft war warm und feucht und drückend, und man schwitzte auch dann, wenn man nur still dastand.

Am ersten Tag beobachtete er das Trainingslager nur durch den Zaun. Er hatte sich ein paar neue T-Shirts und eine dunkle Brille gekauft. Nachdem er ein paar von den Rookies gesehen hatte, fühlte er sich so außer Form, daß er vor dem Schlafengehen dreihundert Rumpfbeugungen machte. Im Traum spielte er die ganze Nacht. Morgens machte er ein paar Liegestütze, um sich zu lockern, und ging dann zum Trainingslager, so früh, daß die Hitze ihn noch nicht lähmte. Bei dieser Gelegenheit merkte er, daß er nicht der einzige war, der auf das Öffnen des Büros wartete; eine ganze Gruppe von Anwärtern stand am Zaun, Jugendliche und erwachsene Männer, von denen einige ihre eigenen Schläger mitgebracht hatten. Da wußte Danny Shapiro, daß ihm etwas einfallen mußte. Die Haut auf seiner Nase war von der Sonne verbrannt, und wenn er noch sehr viel länger hier bliebe, würde sein Haar platinblond. Er machte sich auf den Weg zum Büro, sobald er die Lichter aufleuchten sah, aber direkt vor dem Tor wurde er von einem Wachmann angehalten, einem Schwarzen mittleren Alters, der eine blaue Uniform trug.

»Ich habe einen Termin wegen einer Bewerbung«, sagte Danny zu ihm.

»Und das soll ich dir glauben?« sagte der Wachmann.

»Ich bin Buchprüfer«, sagte Danny. »Amtlich beglaubigt.«

»Beweise es«, sagte der Wachmann.

»Was wollen Sie?« sagte Danny. »Daß ich Ihre Steuererklärung mache?«

Der Wachmann lachte und winkte Danny durch das Tor. Er führte ihn zum vordersten Büro: »Warte hier.«

Der Staub vom Spielfeld stieg Danny in die Nase, während er vor dem Büro wartete. Seine Hände waren feucht, deshalb wischte er sie an seinen schmutzigen Bluejeans ab, schaute zum Himmel auf und versuchte, nicht zu schnell zu atmen. Der Wachmann kam mit einem älteren Mann heraus, der einen schwarzen Anzug aus Wollstoff trug – zu jeder Jahreszeit viel zu schwer für Florida.

»Ist das der Buchprüfer?« fragte der Mann.

»Das ist er«, sagte der Wachmann.

»Wie heißt du?« fragte der Mann.

»Danny Shapiro.« Hier draußen blendete die Sonne sogar trotz der Sonnenbrille.

»Jüdischer Abstammung?« sagte der Mann.

»Hören Sie«, sagte Danny. »Ich spiele Ball.«

»Was für eine tolle Überraschung«, sagte der Mann. »Wer tut das nicht?«

»Ja«, sagte Danny, »aber ich bin gut.«

»Wer hat dir das gesagt?« fragte der Mann. »Dein Trainer in der High School?«

Danny schluckte schwer und wischte sich die Hände an seiner Hose ab.

»Buchprüfer«, lachte der Mann. »Das ist gut. Das hat noch nie einer gesagt.«

Er nickte und Danny blieb verblüfft stehen, weil er erkannte, daß das eine Aufforderung war, dem Mann zu folgen. Draußen bei einer Bank in der Nähe der Trainingsbox standen drei Rookies und lehnten sich an die hölzerne Wand hinter ihnen. Der Mann schrie einen Namen. Ein großer Bursche, nicht älter als neunzehn, mit langen, nervösen Armen, richtete sich sofort auf.

»Könntest du ein paar Bälle für meinen Buchprüfer werfen?« fragte der Mann.

»Natürlich, Mr. Reardon«, sagte der Rookie.

Danny erkannte, daß der Mann, Mr. Reardon, zu den Trainern gehörte, denn der Rookie dienerte beinahe vor ihm. Danny aber streifte er nur mit einem kurzen, desinteressierten Blick, als sei Danny nichts weiter als ein Stück Holz.

Danny nahm seine Sonnenbrille ab und steckte sie in seine Tasche. Dann ergriff er einen Schläger und ging auf seinen Platz. Der Himmel sah jetzt weiß aus und war der Erde erstaunlich nahe. Draußen auf dem Feld wand der Rookie seine langen, schlaksigen Arme. Danny schloß die Augen und stellte sich Ace in der Wurfposition vor. Er hörte die Grillen so, wie sie im Sommer immer sangen, und er hörte das ächzende Geräusch, das Ace von sich gab, wenn er zu werfen begann. Die ersten beiden Bälle verfehlte Danny total. Er fing an, daran zu denken, wie die Mülltonnen in der Hemlock Street aufgereiht waren, wie die Rasenflächen um diese Jahreszeit grün wurden. Den nächsten Ball schlug er, so hart er konnte, und er hatte das Gefühl, sein Herz fliege mit ihm in den Himmel hinauf. Nun traf er weiter, und mit dem letzten Schlag holte er einen Spatz vom Himmel; er fiel mit einem Platschen auf das Spielfeld. Danny ging zurück und gab Mr.

Reardon den Schläger. Er zitterte so sehr, daß er gefallen wäre, wenn er zu laufen versucht hätte.

Mr. Reardon zündete sich eine Pall Mall an und betrachtete das Spielfeld. »Du bist gut«, sagte er zu Danny. »Aber ich sehe jede Woche mindestens ein Dutzend Jungs, die genauso gut sind.«

»Sie haben mich nur einmal gesehen«, sagte Danny.

»Hör zu«, sagte Mr. Reardon, »bedank dich, daß ich dir die Chance gegeben habe, und dann verschwinde vom Spielfeld.«

Danny machte sich davon, so schnell er konnte, aber nachdem er den Wachmann am Tor passiert hatte, mußte er sich vornüber beugen, um überhaupt atmen zu können. Dann überquerte er die Straße, stellte sich in den Schatten eines Baumes und beobachtete durch den Zaun, daß der Rookie, der ihm den Ball zugeworfen hatte, nun für einen anderen Rookie warf, der den Schläger zur Hand genommen hatte; er war ein richtiger Spaßvogel, der dem Werfer die Zunge herausstreckte. In dem Moment, in dem der Rookie einen angeschnittenen Ball warf, wurde Danny klar, daß er gnädig mit ihm verfahren war, denn jetzt flog der Ball schneller als vorstellbar, und der Junge mit dem Schläger schlug ihn weiter, als Danny Shapiro es je schaffen würde, selbst wenn er für den Rest seines Lebens nichts anderes täte. Der Rookie mit dem Schläger war ein Nichts, ein Niemand. Er würde vermutlich nicht einmal in die Auswahl kommen, aber sobald er den angeschnittenen Ball schlug, wußte Danny, daß er keine Chance hatte, weder jetzt noch in Zukunft.

Vom Rest seines Geldes kaufte er ein Flugticket nach La Guardia und eine Steige Orangen für Gloria. Die Sonnenbrille ließ er auf der Ablage über dem Waschbecken in seinem Motel liegen. Als er in New York gelandet war, fuhr er mit dem Taxi nach Hause und sagte seiner Mutter, es sei nichts weiter gewesen, er habe nur einmal wegfahren müssen. Dasselbe sagte er zu Mr. Hennessy, der herübergekommen war, um mit ihm zu reden, denn Gloria Shapiro hatte ihn als vermißt gemeldet. Er sagte Hennessy, von vermißt könne keine Rede sein, als sie einander im Wohnzimmer gegenübersaßen. Hennessy versicherte Gloria, alle Jungs hätten solche Anfälle von Wildheit, das sei natürlich, und es sei besser, das zuzulassen und wegzulaufen als zu enden wie Raymond Niles. Sie aßen zwei Wochen lang Orangen, in Viertel geschnitten und zu dickem, fleischhaltigem Saft verarbeitet. Wenn die Müllabfuhr kam, brachte Danny immer ohne Aufforderung die Mülltonnen heraus und lauschte dem Geräusch der Southern State, während er sie am Randstein aufreihte. Als er sowohl in Columbia als auch in Cornell aufgenommen wurde, schickte er, ohne darüber nachzudenken, die Anmeldung an Cornell zurück.

Neuntes Kapitel

Wenn der Flieder wächst

Jackie McCarthy sah seine Freunde kaum noch. Er arbeitete bis Geschäftsschluß in der Tankstelle, mied Bowlingbahnen und Kinos und machte niemals mehr Spritztouren. Er wischte jeden Samstagmorgen für seine Mutter den Küchenboden und sah jeden Abend fern; manchmal schlief er vor dem Apparat ein. Als Lucys und Desis Scheidung bekanntgegeben wurde, war er außer sich.

»Ma!« rief er, als er die Neuigkeit in den Abendnachrichten hörte, und Marie eilte aus der Küche herbei, in der Befürchtung, er sei von der Couch gefallen und habe sich das Bein gebrochen. Er schickte sogar ein Geschenk für Little Ricky an die Fernsehstation in Hollywood, das Modell eines Rennautos, das er an Samstagabenden zusammengesetzt und bemalt hatte. Marie drängte ihn, abends auszugehen. Geh ins Kino, schlug sie vor. Verabrede dich. Jackie lächelte und behauptete, er habe Besseres zu tun, aber in Wirklichkeit fürchtete er sich vor der Dunkelheit. Er fürchtete sich überhaupt vor vielen Dingen, darunter auch vor dem Hund seines Bruders, der jetzt voll ausgewachsen war und hundertzwanzig Pfund wog. Immer, wenn Jackie und der Hund allein im Haus waren, fletschte der Hund die Zähne, und aus seiner Kehle kam ein schreckliches Geräusch. Wenn sonst jemand aus der Familie zu Hause war, ließ Rudy den Kopf auf den Pfoten liegen, aber die Haare in seinem Nacken sträubten sich, und seine Augen betrachteten Jackie unverwandt. Manchmal, spät in der Nacht, hörte Jackie ein Klopfen am Fenster.

»Da ist keiner, Mann«, flüsterte Jackie sich selbst zu, aber dann sah er, daß der Hund das dunkle Fenster anstarrte und mit schräg gelegtem Kopf lauschte.

Jackie gelobte, noch besser, noch reiner zu werden. Wenn jemand seinen Wagen in der Garage ließ, pflegte er den Kunden zur Arbeit zu fahren und abends wieder abzuholen; er lieferte jeden reparierten Wagen mit ausgeleertem Aschenbecher und gewaschener Windschutz- und Heckscheibe ab. In der ersten Maiwoche, als die Knospen der Ahornbäume gelb oder grün aussahen, je nachdem, wie das Licht einfiel, hängte Jackie seine schwarze Lederjacke in den Keller und ging hinunter zu Robert Hall, um sich einen blauen Anzug zu kaufen, ganz ähnlich dem, den der Heilige immer an Ostern trug. Er ging zum Friseur, und der Heilige nickte überrascht und erfreut, als er mit kurzgeschnittenem Haar nach Hause kam. Sie redeten nicht viel, wenn sie Seite an Seite in der Tankstelle arbeiteten, aber das war auch nicht nötig. Jeden Morgen machte Jackie den Kaffee in der silbernglänzenden Kaffeemaschine, und jeden Abend nach Geschäftsschluß wischte er die Garage und das Büro. Sie hatten eine ruhige, wortlose Routine, die nur samstags unterbrochen wurde, wenn Ace zur Arbeit kam. Meistens zapfte Ace draußen Benzin und betrat das Büro nur, um Wechselgeld zu holen, aber immer, wenn er zufällig in die Garage kam, konnte Jackie nicht mehr arbeiten. Er spürte jedesmal, daß Ace ihn anstarrte, und fing an, an Geister und böses Blut zu denken. Dann wurde er linkisch und ungeschickt, und schließlich fluchte er laut los, etwas, das ihm ganz und gar nicht ähnlich sah.

An einem Samstag im Mai, als die Glyzinien blühten und der Flieder in den Hintergärten grüne Blätter trieb, hielt Jakkie es nicht mehr aus. Aces Blicke brannten in seinem Rücken. Er stand von dem fahrbaren Montagegestell auf, auf dem er gesessen hatte, und schrie: »Hör auf damit!«

Ace starrte ihn bloß weiter an. Jackie trat näher, packte seinen Bruder und drückte ihn an die Wand.

»Hör auf, mich anzusehen!« schrie Jackie.

Ace starrte ihn weiter an, ein zufriedenes Grinsen auf dem Gesicht, als habe Jackie soeben seine Meinung über ihn bestätigt. Ace wehrte sich nicht, aber der Hund kam mit gesträubtem Fell von draußen herbeigelaufen, blieb vor Jackie stehen und bellte wie ein Höllenhund.

»Raus hier«, sagte Jackie zu ihm, aber Rudy umkreiste die Brüder in immer engeren Kreisen. Jackie ließ Ace los und trat zurück, aber der Hund lief weiter um sie herum und packte mit den Zähnen Jackies Hosenbein.

»He!« rief Jackie in Panik.

Ace beobachtete seinen Bruder ausdruckslos.

»Ruf deinen verdammten Hund zurück!« sagte Jackie.

»Rudy«, sagte Ace.

Der Hund hörte auf zu bellen und stellte sich neben Ace, aber er knurrte noch immer und wandte keinen Blick von Jakkie. Sobald Jackie einen Schritt machte, bewegte sich der Hund auf ihn zu und begann wieder zu bellen, und Jackie rief: »Oh, Scheiße!«

Ace sah einen Moment lang zu. Dann ging er hin und packte Rudy am Halsband.

»Ich hab dir doch gesagt, daß ich mich geändert habe«, schrie Jackie. »Aber du gibst mir keine verdammte Chance!«

Der Heilige war aus dem Büro gekommen und stand nun am Eingang der Garage. »Jetzt reicht es«, sagte er.

Die Brüder drehten sich beide zu ihm um, und jeder hoffte, der Vater meine den anderen.

»Du«, sagte der Heilige zu Ace. »Schaff diesen Hund hier raus und bring ihn nie wieder mit.«

»Vater«, sagte Ace, und seine Stimme brach; er fühlte sich verraten.

»Wir können nicht mit einem bösartigen Hund leben«, sagte der Heilige.

»Bösartig ist doch nicht der Hund«, sagte Ace.

»Das ist genug«, sagte der Heilige zu ihm.

»Vater«, sagte Ace jetzt bittend, weil er erkannte, daß eine Entscheidung fiel, eine, die nichts mit dem Hund zu tun hatte. »Auf wessen Seite bist du?«

»Ich bin auf niemandes Seite«, sagte der Heilige, aber er sah Jackie an; Ace spürte einen Schauder im Rücken, vielleicht, weil beide zum gleichen Friseur gegangen waren und die gleichen Kleider trugen.

Er führte den Hund nach draußen und band ihn an die Luftpumpe. Dann ging er zurück ins Büro. Der Heilige blickte nicht auf, als Ace hereinkam.

»Vielleicht sollte ich nicht mehr hier arbeiten«, sagte Ace. Jetzt, da sie beide allein waren, brauchte Ace ein Zeichen, ein winziges Lächeln, ein Nicken, irgend etwas, dann würde er wissen, auf welcher Seite sein Vater stand.

»Das ist deine Sache«, sagte der Heilige. »Aber irgendwo mußt du arbeiten.«

Als sei Ace der Sohn, dem man sagen mußte, wo seine Verantwortung lag.

»Ich kann einen Job bei A&P bekommen«, sagte Ace und wünschte sich verzweifelt, sein Vater werde sagen, das solle er nicht tun, er habe immer damit gerechnet, daß Ace mit ihm zusammenarbeiten werde.

»Wenn du das willst«, sagte der Heilige.

»Ja«, sagte Ace kurz, »das will ich.«

Er bekam eine Stelle als Wagenjunge; er mußte die Einkaufswagen zurückholen, die die Kunden auf dem Parkplatz hatten stehen lassen, und älteren Frauen oder Schwangeren, die ihre Einkäufe nicht selbst tragen konnten, die Tüten zu ihren Autos bringen. Er arbeitete samstags und nach der Schule. Statt nach Hause zu gehen, holte er immer Billy Silk zum Training ab, und danach bestand Nora darauf, ihn zum Abendessen einzuladen. Ace und Billy spielten, bis es dunkel wurde. Billy traf nun jeden Ball, den Ace für ihn warf, konnte ihn sogar über den Zaun schlagen, der repariert worden war und dem man nicht mehr ansah, daß Jackies Wagen ihn durchbrochen hatte.

In der Dunkelheit gingen sie Seite an Seite nach Hause, verschwitzt und nach Gras riechend, den Hund neben sich. Es würde spät genug sein, James würde bereits gebadet sein und im Bett liegen, und Ace würde fernsehen und Limonade trinken, bis Billy seine Hausaufgaben beendet hatte und schlafen ging. Nora hatte Ace gestattet, den Hund tagsüber bei ihr zu lassen, und wenn sie in ihr Schlafzimmer gingen, folgte der Hund ihnen immer. Er legte sich in eine Ecke, während sie sich liebten. Ace ging gewöhnlich gegen elf nach Hause; dann war Jackie schon zu Bett gegangen. Manchmal war Marie in der Küche, faltete Wäsche zusammen oder trank eine Tasse Tee. Sie wußte, daß es Schwierigkeiten wegen des Hundes gegeben hatte. Sie war dankbar für Noras Angebot, ihn aufzunehmen, und sie war ihr auch dankbar dafür, daß sie Ace aufgenommen hatte wie ihren eigenen Sohn. Wenn er ins Haus ging, ließ Ace den Hund im Hintergarten; dann nahm er sich ein Mineralwasser aus dem Kühlschrank, während Marie ihn beobachtete.

»Warst du drüben bei den Silk-Jungs?« fragte sie.

»Ja«, sagte Ace dann leichthin.

Marie wußte, daß er ein besonderes Interesse an Billy hatte. Sie hörte gern von Billys Fortschritten beim Baseball.

»Besser als Danny Shapiro?« fragte sie immer, und Ace lächelte dann und sagte nein, noch nicht, es gebe niemanden in der Nachbarschaft, der Danny das Wasser reichen könne. Danach zeigte Marie Ace die Malereien mit Fingerfarbe, die James gemacht hatte, falls sie an diesem Tag auf ihn aufgepaßt hatte, oder die Törtchen, die sie für die Jungen gebacken hatte, wenn es ein Freitagabend war und sie am nächsten Morgen beide bei sich haben würde. Wenn Ace schließlich in sein Zimmer ging, öffnete er das Fenster und pfiff dem Hund. Rudy sprang dann durchs Fenster, legte sich auf den Teppich und sah zu, wie Ace sich auszog und zu Bett ging. Manchmal hob er seinen großen Kopf und berührte Aces Hand mit der Nase. Dann war Ace nach Weinen zumute, aber er tat es nie. Er streichelte mit der offenen Handfläche den Kopf des Hundes, und dann schlief er ein, zusammengerollt, die Knie an der Brust.

Sonntags fuhr Jackie McCarthy seine Mutter zur Kirche. Er ging zwar nie mit ihr zur Messe, aber er wartete in seinem blauen Anzug vor der Kirche St. Catherine auf sie. Am dritten Sonntag im Mai sah er Rosemary DeBenedict, wie sie aus dem Wagen stieg und ihre Haare mit einem Spitzentuch bedeckte. Sie war in der Oberklasse der katholischen Schule, trug einen karierten Rock und schlichte schwarze Schuhe, und ihr Haar war dunkel und glatt. Sie war mit ihrer Mutter und zwei jüngeren Schwestern da, und als Jackie sie sah, wußte er, daß sie das richtige Mädchen war. Er dachte, sie schaue zu ihm hinüber, aber er war sich nicht ganz sicher. Sie hatte große blaue

Augen und trug keinerlei Lippenstift, wohl aber kleine Perlohrringe und ein goldenes Medaillon.

Nach der Messe, als Marie in den Wagen stieg, duftete sie nach Gardenien und Weihrauch. Sie streifte die Schuhe ab und seufzte. Jackie startete den Wagen, aber er hielt weiter Ausschau nach Rosemary.

»Meine Knie bringen mich um«, sagte Marie. »Ich werde alt«, lachte sie. Dann drehte sie sich zur Seite und sah, daß ihr Sohn ein Mädchen anstarrte, das auf den Stufen der Kirche stand, und sie erkannte, daß es stimmte, sie hatte einen Sohn, der alt genug war, um sich zu verlieben.

Am folgenden Sonntag lieh sich Jackie eine Krawatte von seinem Vater und stieg aus dem Auto, um vor der Kirche zu warten. Nach der Messe wurde ihm das Herz weit, als er Rosemary weggehen sah, und er grinste wie verrückt, als Marie herauskam und ihm sagte, Rosemary würde sich freuen, am folgenden Sonntag neben ihm zu sitzen.

Er war seit Jahren in keiner Kirche mehr gewesen, abgesehen von Weihnachten und Ostern, aber er fühlte sich nicht annähernd so unbehaglich wie befürchtet. Als er neben Rosemary saß, roch sie wie Seife, und er konnte den Blick nicht von ihr wenden, nicht einmal hinterher, als er ihren Eltern und ihren Schwestern vorgestellt wurde. Bis er den Mut gesammelt hatte, sie zu fragen, ob sie mit ihm ausgehen wolle, hatte er den Jungen, der er früher gewesen war, vollkommen vergessen.

Sobald er konnte, begann Jackie zu sparen, um Rosemary einen Verlobungsring zu kaufen. Sie würde im Juni mit der Schule fertig sein, und sie hatte sich nie große Gedanken um die Zukunft gemacht. Sie würde in der Bäckerei ihres Vaters arbeiten, und irgendwann würde es sicherlich einen Ehemann geben. Sie akzeptierte rasch, daß Jackie dieser Mann sein würde. Zur Feier des Tages gab es ein Abendessen im Haus ihrer Eltern. Der Heilige und Marie brachten Wein und Mandelplätzchen mit. Rosemary sah Jackie den ganzen Abend lang nicht an, aber als er ging, ließ sie sich zum ersten Mal von ihm küssen. Jackie war so überrascht von der Weichheit ihrer Haut, daß ihm die Luft wegblieb.

An einem Dienstagnachmittag ging Marie mit ihm zum Juwelier Goldman in Hempstead, nachdem Jackie seinen Vater um Erlaubnis gebeten hatte, zwei Stunden wegbleiben zu dürfen. Sie wählten einen Ring aus, der klein, aber mit funkelnden Diamantsplittern besetzt war. Marie weinte, als Jackie den Ring bezahlte, bar, und sie umarmte ihn so fest, daß er glaubte, keine Luft mehr zu bekommen. Am gleichen Abend gab er Rosemary den Ring; er ließ sich auf ein Knie nieder, und als er ihr den Ring überstreifte, merkte er, daß sie köstlich roch, wie ein Zitronenkuchen aus der Bäckerei ihres Vaters. Ihm wurde klar, daß er für den Rest seines Lebens jeden Tag vergeblich versuchen würde, gut genug für sie zu sein.

An Jackies einundzwanzigstem Geburtstag trug die Spalierstaude große weiße Blütendolden, die die ersten Bienen der Saison anzogen. Cathy Corrigan war seit fünf Monaten tot, doch was Jackie betraf, so hätten es ebensogut fünf Jahre sein können. Er hatte zwar noch immer schlechte Träume, aber die hatte jeder ab und an. Und, ja, er fürchtete sich vor Hunden. Kleine Pudel und Beagles ließen sein Herz stocken, aber jeder, der von einem Monstrum wie dem Hund seines Bruders angegriffen worden war, würde dieselbe Phobie haben. Und die Dunkelheit, nun ja, das schien schlimmer zu werden. Daher gewöhnte er sich an, eine Taschenlampe bei sich zu tragen. Am Abend seines Geburtstags würde er nach Einbruch der Dunkelheit ausgehen müssen, weil Rosemary ihm in der Bäckerei einen besonderen Kuchen gebacken hatte, mit Kirschen und Marzipan und Schokoladenstückchen. Als er am Morgen seines Geburtstages aufwachte, roch er noch einen Kuchen, der schon im Ofen buk, den Vanilleschaumkuchen seiner Mutter, den sie jedes Jahr für jeden ihrer Söhne zubereitete.

Ace hatte nicht vorgehabt, an Jackies Geburtstag zum Abendessen zu Hause zu sein, aber Marie bat ihn darum, und schließlich willigte er ein. Sie setzten sich alle um halb sieben zu Tisch. Marie hatte gefüllte Muscheln und Knoblauchbrot, Fruchtsalat mit Scheiben von rosa Grapefruit und den Vanilleschaumkuchen vorbereitet. Wegen des Kuchens war sie ein bißchen deprimiert, obwohl Billy Silk am Nachmittag dagewesen war, die Schüssel ausgeleckt und erklärt hatte, das sei der beste Kuchen, den er je probiert habe. Aber Marie wußte, daß er nicht so gut wie Rosemarys Kuchen sein würde. Sie konnte nicht ganz fassen, daß ihr Erstgeborener nun einundzwanzig Jahre alt wurde; wenn sie versuchte, ihn sich als Baby vorzustellen, sah sie immer James' Gesicht, und sie hatte jedesmal das Bedürfnis, James nach seinem Nachmittagsschläfchen in den Arm zu nehmen und seinen süßen Duft zu riechen.

Dennoch servierte sie voller Stolz die gefüllten Muscheln. Sie hatte in einer Tupperware-Schüssel einige für James' Mittagessen am nächsten Tag aufgehoben, und sie hatte sich entschlossen, eine Extraportion zu den Durgins zu bringen, weil sie wußte, daß Robert ihre Sauce liebte. Der Heilige und Jakkie grinsten. Sie stießen mit ihren Weingläsern an. Ace schaute seinen Vater an, und ihm sank das Herz; sie waren alle so daran gewöhnt, daß er nicht mehr mit am Tisch saß, daß der Heilige kein viertes Glas mitgebracht hatte. Marie holte rasch ein weiteres aus dem Schrank.

Jackie behielt seinen Vater im Auge und wartete auf den

richtigen Moment. Bevor sie die Tankstelle verlassen hatten, um zum Abendessen nach Hause zu fahren – Jackie hatte gerade die Garage gewischt –, war der Heilige in der Tür stehengeblieben, um ihm zuzusehen.

»Hallo, Vater«, hatte Jackie gesagt. »Sauber genug, um davon zu essen.«

Der Heilige war näher gekommen und hatte ihm einen Umschlag gegeben.

»Vater?« hatte Jackie nervös gesagt, aber der Heilige hatte nur genickt. Jackie mußte das Dokument, das in dem Umschlag war, zweimal lesen, bis er es glauben konnte. Es war eine Urkunde, die die Tankstelle betraf. Der Heilige war zu einem Anwalt gegangen und hatte Jackie zum gleichberechtigten Partner gemacht. Jetzt nickte der Heilige, und Jackie räusperte sich.

»Wir haben eine Neuigkeit«, sagte Jackie und reichte seiner Mutter die Urkunde.

Ace wandte den Blick nicht von seinem Teller; wenn er jetzt bei Nora wäre, würde er Bohnenauflauf essen und Cola mit Eis trinken, und er würde ihre Hände beobachten, wenn sie James seine Portion in kleine Stücke schnitt.

»Oh, mein Gott«, sagte Marie, drückte Jackie an sich.

Ace blickte auf und sah die Urkunde. »Was ist das?« sagte er.

»Vater und ich sind Partner«, sagte Jackie.

Ace ignorierte ihn und wandte sich ihrem Vater zu. »Vater?« sagte er. »Was zum Teufel ist das?«

»Psst«, sagte Marie. »So sollst du nicht reden.«

»Und was ist mit mir?« sagte Ace. »Wo bleibe ich?«

»Du hast dich nicht dafür interessiert«, sagte der Heilige. »Jackie jedoch schon.«

»Aha«, sagte Ace. Er schob seinen Stuhl zurück, so daß er

über das Linoleum kratzte. »Ihm gibst du also alles? Du verzeihst ihm alles?«

»Ja, das tue ich«, sagte der Heilige.

»Ich aber nicht«, sagte Ace.

Er stand auf, griff nach seiner Jacke, stieß die Seitentür auf und ging hinaus. Der Flieder blühte an Noras Zaun, als Ace den Hund aus ihrem Garten holte. Rudy kam gelaufen und stieß ihn an, um gestreichelt zu werden, aber Ace schob ihn sanft zur Seite. Von da, wo er stand, konnte er das Klappern der Teller in der Küche seiner Eltern hören. Das war eigenartig in dem Augenblick, in dem seine Zukunft begann. Die Schule dauerte noch vier Wochen, und Ace war immer davon ausgegangen, nachher in der Tankstelle zu arbeiten; der Job bei A & P war für ihn nur eine vorübergehende Sache gewesen, aber jetzt sah plötzlich alles ganz anders aus. Er wollte nur eines: mit Nora schlafen und nicht denken müssen. Aber es war noch hell draußen. Joe Hennessy mähte seinen Rasen, die Kinder der Nachbarschaft spielten Fußball, und es kam ihm einfach nicht richtig vor, mit einer so lausigen Zukunft wie seiner Noras Haus zu betreten.

Er blieb neben den Fliederbüschen stehen. Er sah Billy draußen im Garten mit dem Schläger trainieren und wünschte sich, im gleichen Alter zu sein wie Billy. Er wünschte sich, er hätte im Gras hocken können, bis es dunkel wurde, um zu sehen, ob die Glühwürmchen zurückgekommen waren. Statt dessen ging er die Hemlock Street entlang. Rudy schnappte sich einen Tennisball aus Noras Garten, dann folgte er Ace. Ab und zu legte er Ace den Ball zu Füßen und sah erwartungsvoll zu ihm auf.

»Nein, Junge«, sagte Ace, hob den Ball auf und steckte ihn in die Tasche.

Die Luft duftete süß, und die Straßenlaternen brannten

schon, obwohl es noch eine Weile hell sein würde. Als sie Cathy Corrigans Haus erreichten, blieben Ace und Rudy in der Einfahrt stehen. Mr. Corrigan lud leere Kisten aus seinem Lieferwagen. Ace schaute eine Weile zu, dann ging er zum Lieferwagen und ergriff eine Kiste. Mr. Corrigan blickte zu Ace hinüber. Obwohl er nichts sagte, hörte er nicht zu arbeiten auf, und er befahl Ace auch nicht wegzugehen.

Nachdem Ace ein halbes Dutzend Kisten in die Garage getragen hatte, sagte Mr. Corrigan: »Leg sie nicht auf die Seite.« Ace richtete die Kisten auf und sah, daß in einer Ecke ein Frisiertisch mit einem Volant aus rosafarbenem Stoff stand.

»Sie trug immer zuviel von dem verdammten Make-up«, sagte Mr. Corrigan.

Ace hatte nicht gemerkt, daß Mr. Corrigan neben ihn getreten war, und fuhr zusammen, als er sprach.

»Lidschatten«, sagte Mr. Corrigan.

Er schüttelte eine Zigarette aus seiner Packung Marlboro und bot Ace eine an. Es war kühl in der Garage, und an einer Wand standen volle Kisten mit Limonade und Mineralwasser. Von ihrem Standort aus konnten sie Rudy in der Nähe der Einfahrt sitzen sehen.

»Du hast den Hund ganz gut erzogen«, sagte Mr. Corrigan. »Wie machst du das? Sagst du ihm einfach, er solle dort bleiben, und dann tut er's?«

Ace wußte, daß Rudy um keinen Preis in die Nähe des Hauses kommen würde, aber er sagte: »Handzeichen.« Er hielt die Hand hoch wie ein Verkehrspolizist.

»Donnerwetter«, sagte Mr. Corrigan.

Sie hatten gerade ihre Zigaretten zu Ende geraucht, als ein durchdringendes Geräusch Mr. Corrigan erstarren ließ; dann merkte er, daß es nur der Hund war, der mit zurückgeworfenem Kopf auf dem Gehsteig saß und heulte.

»Rudy!« schrie Ace.

Der Hund sah ihn an und verstummte.

»Mein Gott«, sagte Mr. Corrigan. »Der Ruf der Todesfee.« Er trat seine Zigarette auf dem Garagenboden aus. »Sie war zu gutherzig«, sagte er. »Das ist mir jetzt klar.«

Ace griff in die Tasche seiner Lederjacke, nahm die Hundemarke, auf der Cathys Namen eingraviert war, heraus und reichte sie Mr. Corrigan. Dieser drehte sie zwischen den Fingern und gab sie Ace dann zurück.

»Mein Chef stellt meine Route ein«, sagte er. »Die Leute lassen sich ihr Mineralwasser nicht mehr ins Haus liefern. Ich gehe nach Maryland. Da gibt es mehr Jobs.«

»Und was wird aus dem Haus?« sagte Ace. Sein Hals fühlte sich eng an, und er merkte, daß es in der Garage nach Parfum roch, als habe jemand den Volant des Frisiertisches damit besprüht.

»Ich verkaufe es mit allem, was drin ist«, sagte Mr. Corrigan. »Ich habe meiner Frau versprochen, ihr alles neu zu kaufen.« Er starrte auf den Frisiertisch. »Jemand anderer soll ihre Sachen wegwerfen, der neue Besitzer. Ich kann's nicht.«

Ace sah, daß alles, was Cathy besessen hatte, hier in der Garage war: Kartons mit Heften und Tüten mit Röcken und Kleidern, Schuhkartons mit Turnschuhen und Pumps. Morgen würde die Müllabfuhr kommen, und die Jungs aus der Straße würden die Mülltonnen herausstellen.

»Ich werd's machen«, sagte Ace.

»Du brauchst mir keine Gefälligkeiten zu erweisen«, sagte Mr. Corrigan.

Ace nickte, aber als Mr. Corrigan ihn ansah, wußten sie beide, daß er es tun würde. Nachdem Mr. Corrigan seinen Lieferwagen abgeschlossen hatte, blieb Ace in der Garage und rauchte noch eine Zigarette. Als er fertig war, war es endlich dunkel – die weiche Dunkelheit des Spätfrühlings, eine violette Dunkelheit, die sich warm und feucht anfühlte. Jetzt würde Cathys Mutter nicht aus dem Fenster schauen und sehen müssen, was für die Müllabfuhr bereitgestellt wurde. Ace trug zuerst den Frisiertisch hinaus, dann stapelte er die Kartons ordentlich am Randstein. Rudy kam herbei, näher und näher, bis er sich schließlich auf den Grasstreifen zwischen Gehsteig und Rinnstein legte. Cathy mußte alles aufgehoben haben; da gab es einen Karton mit Stofftieren und Puppen, eine Schachtel mit alten Schminkutensilien, kunterbunt durcheinander, und viele Tüten mit Kleidern, von denen einige sich anfühlten wie ein Körper, als Ace sie aufhob und an die Brust drückte. Als er fertig war, erstreckten sich Cathys Habseligkeiten von der Einfahrt bis zu der großen Ulme, die die Grenze von Corrigans Grundstück markierte. Ace setzte sich auf den Randstein und senkte den Kopf wie ein Mann, der ertrinkt und dann an die Oberfläche gespült wird ohne anderen Grund als die Tatsache, daß sein Körper stärker ist als gedacht. Er pfiff dem Hund, und Rudy kam zu ihm und setzte sich neben ihn. Als Ace den Arm um ihn legte, merkte er, daß der Hund zitterte.

Es war die Zeit, zu der die jüngsten Kinder schon im Bett lagen und die älteren Kinder ihr Bad nahmen oder darum bettelten, noch ein Fernsehprogramm sehen zu dürfen. Um diese Abendstunde pflegte Cathy Corrigan sorgfältig ihre Kleider für den nächsten Morgen herauszulegen. Unter ihren Sachen hatte Ace ein Notizbuch mit den wöchentlichen Plänen gefunden, die sie aufstellte und in denen sie die komplette Garderobe für jeden Tag mit allen Accessoires festlegte. Sie trug nie zweimal in der Woche dasselbe. Die Hälfte des Geldes, das sie bei A&P verdiente, gab sie ihrer Mutter, die andere Hälfte verwendete sie für sich selbst, hauptsächlich, um Ohrringe und Schuhe zu kaufen. Die größten Kartons waren voll mit Schuhen gewesen; alle waren geputzt, und in den Turnschuhen waren besondere rosa Schnürsenkel.

Ace blickte in die Dunkelheit und lauschte dem Summen des Parkway. Er hatte den Arm um den Hals des Hundes gelegt, so daß er die tiefe Vibration eines Knurrens fühlen konnte, bevor er es hörte. Da, mitten auf der Straße, stand ein Paar von Cathys Schuhen. Rudy wäre ihnen nachgelaufen, hätte Ace nicht sein metallenes Halsband gepackt und ihn festgehalten. Er zog den Hund auf den Randstein zurück und zwang ihn, sitzen zu bleiben, als die Schuhe sich zu bewegen begannen. Es waren rote, hochhackige Schuhe mit Riemchen und einer kleinen Schnalle; Rudy hätte leicht beide in sein riesiges Maul nehmen können, wenn Ace ihm erlaubt hätte, sie zu apportieren. Ungehindert gingen die Schuhe die Hemlock Street entlang. Als sie das andere Ende erreichten, an Nora Silks Haus vorbei, verfärbte sich der Asphalt unter ihnen zu einem schwachen fluoreszierenden Blau, wie Spuren aus leuchtendem Staub, und als die Schuhe verschwunden waren, lösten sich die Spuren in der stillen Mailuft auf.

Ace lockerte seinen Griff um das Halsband des Hundes, da er die Schuhe jetzt nicht mehr einholen konnte. Rudy winselte. Dann warf er den Kopf zurück und gab ein leises, heulendes Geräusch von sich, das Ace durch alle Glieder fuhr. Sterne standen jetzt am Himmel, und in den Wohnzimmern der Hemlock Street wurden die Lampen eingeschaltet. Ace blieb noch eine Weile sitzen. Als er schließlich aufstand und sich auf den Rückweg zum Haus seiner Eltern machte, wußte er, daß er nicht mehr dort wohnte.

*

Als Nora von Armand's zurückkam, machte Marie McCarthy ihr eine Tasse koffeinfreien Kaffee, während sie darauf warteten, daß das Baby aus seinem Mittagsschlaf erwachte. Im Ofen buk ein Blaubeerkuchen, und der Duft machte Nora schläfrig. Sie warf zwei Süßstofftabletten in ihren Kaffee.

»Kein Wunder, daß er so gut schläft«, sagte Marie stolz. »Er muß die Kellertreppe mindestens fünfzigmal rauf- und runtergekrabbelt sein, als ich gewaschen habe.«

Marie nahm den Kuchen aus dem Ofen, und die Kruste war so perfekt, daß Nora aufstand. Sie stellte sich neben Marie vor den Ofen und sah zu, wie Dampf von dem goldenen Teig aufstieg.

»Wie machen Sie das?« fragte Nora ehrfürchtig.

»Das Geheimnis eines Kuchens ist die Kruste«, vertraute Marie ihr an. Ihre zukünftige Schwiegertochter Rosemary konnte so gut backen, daß Marie hocherfreut war über Noras Lob für ihren Kuchen.

»Ich kann alles backen, nur keine Kuchen mit Kruste«, sagte Nora. »Bei mir sieht sie immer weiß aus, wie Leim.«

»Sie verwenden Butter«, vermutete Marie.

»Butter und Zucker«, sagte Nora.

»Nie«, sagte Marie zu ihr. »Nehmen Sie Margarine.«

»Aha«, sagte Nora.

Nora und Marie sahen einander an und lächelten.

»Stechen Sie siebenmal mit einer Gabel in die Abdeckung, nachdem Sie die Ränder zusammengedrückt haben«, sagte Marie.

Nora legte die Arme um Marie und dankte ihr.

»Was ist schon eine Kuchenkruste?« sagte Marie achselzuckend.

»Sie wissen, was ich meine«, sagte Nora.

Marie kümmerte sich nicht nur um Billy und James, sondern hatte Nora auch mit allen anderen Müttern in der Nachbarschaft bekannt gemacht, und als Freundin von Marie war Nora akzeptiert worden. Jetzt war es nicht nur Ellen Hennessy, die Nora anrief, sondern auch Lynne Wineman. Lynne war schrecklich beeindruckt gewesen, als Nora es geschafft hatte, die Warze ihrer Tochter zu entfernen. Nora hatte nur einen Faden um die Warze gebunden und das andere Ende des Fadens am Griff der Toilettenspülung befestigt. Dann hatte sie einmal gespült, den Faden in die Toilettenschüssel geworfen und weggespült, genau, wie ihr Großvater Eli es immer gemacht hatte. Am Morgen war die Warze verschwunden gewesen, und Lynne Wineman hatte angerufen, um Nora zum Mittagessen einzuladen.

Beim letzten Elternabend war Nora zur Vorsitzenden des Spielplatzkomitees gewählt worden, nachdem sie gelobt hatte, dafür zu sorgen, daß die gefährliche alte Rutschbahn durch eine neue ersetzt werden würde. Sie bekam viel Unterstützung, als sie vorschlug, im September sollten der ganzen Straße entlang Tulpenzwiebeln gesetzt werden. Manchmal, wenn Nora um Viertel vor drei draußen vor der Schule auf Billy wartete, kam ein Stein über den Gehsteig gerollt, und Nora tat einen Satz, aber es war nur ein Kieselstein, der über den abfallenden Zement des Gehsteiges rollte: Nora war nicht länger jemand, nach dem Kinder mit Steinen warfen.

Marie aber fühlte Nora sich besonders nahe, und während sie dasaß, Kuchen aß und Kaffee trank, dachte sie: »Ich vögle den siebzehnjährigen Sohn dieser Frau.«

Ihr wurde schwindlig, und sie mußte sich mit der Hand Luft zufächeln.

»Schauen wir mal nach ihm«, sagte Marie, und auf Zehenspitzen gingen sie ins Wohnzimmer, wo das Bettchen aufgestellt war. Marie war der Meinung, James sei kein passender Name für ein Baby, und obwohl sie versuchte, ihn so zu nennen, war er für sie doch Jimmy. Im Schlaf umklammerte er einen alten Teddybär, der gelbe Glasaugen hatte.

»Er liebt diesen Bären«, flüsterte Nora.

»Guga«, sagte Marie, denn diesen Namen hatte der Bär bekommen.

Früher an diesem Tag hatte Marie Guga in einen Kopfkissenbezug gesteckt und ihn im Schongang kalt gewaschen. James hatte neben der Waschmaschine gesessen und geduldig gewartet, bis sein Bär von Schmutz und Marmelade gereinigt war. Marie hatte aufgehört, über Nora zu urteilen. Was machte es schon, daß Guga schmutzig war oder daß die Turnschuhe, die James trug, Löcher hatten? Was machte es schon, daß sie Aces bösartigen Hund im Haus bei ihren Kindern duldete oder daß sie Elvis hörte, obwohl Nora ihr anvertraut hatte, daß Elvis' Charme sich eigentlich etwas verbraucht hatte, seit er in die Armee eingetreten war?

»Was hören Sie von Ihrem Ex-Mann?« fragte Marie manchmal.

»Gar nichts«, antwortete Nora gewöhnlich, aber ab und zu räumte sie ein, daß sie eine Postkarte bekommen hatte und Roger in einem Motel auftrat, oder daß er einen Umschlag mit zwanzig Dollar für die Kinder geschickt hatte. Sie hätte Marie liebend gern die Wahrheit gesagt, daß es nämlich nicht ihr Ex-Mann war, an den sie dachte, sondern Ace. Manchmal war Ace abends nicht in der Lage, herüberzukommen und seinen Hund zu holen. Nora sah dann, wie der Hund an der Vordertür wartete, und sie ging zu ihm, setzte sich hin, nahm seinen Kopf in den Schoß und streichelte ihn zwischen den Augen und über die Ohren. Sie wußte, früher oder später würde Ace nicht mehr kommen. Zumindest nicht zu ihr.

In den Nächten, in denen sie es wagten, zusammen zu sein, war Ace so wild, daß Nora oft vergaß, wo sie war. Im Bett sprach er jetzt fast nie mehr mit ihr, aber Nora ertappte ihn oft dabei, daß er sie ansah, wenn er sich unbeobachtet fühlte. Sie wußte, etwas war in ihm vorgegangen. Er war nicht mehr derselbe, und der Hund wußte das auch. Wenn Ace in der Nähe war, blieb er ihm dichter auf den Fersen, doch selbst mit dem Hund an seiner Seite war Ace allein. Der einzige, bei dem er sich wohl fühlte, war Billy, und das nur draußen auf dem Sportplatz. Es war seine Idee, daß Billy in die Mannschaft der Jugendliga eintreten sollte, und in der Woche vor den Aufnahmewettbewerben trainierten sie jeden Abend bis zehn. Billy bestand darauf, daß sie den Wettbewerb vor Nora geheimhielten, aber er wollte unbedingt, daß Ace mit ihm hinging.

»Du brauchst mich nicht«, sagte Ace zu ihm.

»Doch«, beharrte Billy. »So gut bin ich nicht, aber wenn du da bist, dann werd ich mein Bestes tun.«

»Hör zu«, sagte Ace zu ihm. »Du bist gut.«

»Oh, ja, sicher«, sagte Billy. »So gut wie Danny Shapiro?«

Ace dachte darüber nach. »Nein«, sagte er. »Besser.«

Am Tag des Wettbewerbs gingen sie zusammen zum Police Field. Auf dem ganzen Weg hatte Billy einen Kloß in der Kehle. Er dachte über Aces Worte nach, bis er daran glaubte. Der Tag war heiß und schön und blau. Die Zuschauertribünen waren voll. Billy blieb am Tor zum Spielfeld stehen. Er hatte Löcher in seiner Jeans, und er hatte vergessen sich zu kämmen. Ohne nachzudenken streckte er die Hand aus und griff nach Aces Hand.

»Na, los«, sagte Ace. »Glaubst du, du bist so besonders, daß sie extra auf dich warten?«

Billy ließ verlegen Aces Hand fallen. »Vielleicht laß ich's lieber«, sagte er.

»Na, geh schon«, sagte Ace. »Ich schau dir von hier aus zu.«

Billy betrat das Spielfeld allein. Er hoffte bloß, daß sie ihn nicht zu den Pee Wees stecken würden, Erst- und Zweitkläßlern, mit denen er um keinen Preis etwas zu tun haben wollte. Er wartete auf der Bank mit den anderen Neulingen, bis er an die Reihe kam. Die meisten waren jünger als er. Als er zum Schlagen aufgerufen wurde, blickte er zum Zaun zurück. Er sah Ace McCarthy nicken, und er schlug den Ball so hart, wie er ihn geschlagen hätte, wenn Ace ihn geworfen hätte. Der Ball flog auf, hoch und weit, über das Feld und über den Zaun, der den Park von der Southern State trennte.

»Klasse!« rief einer der beurteilenden Trainer Billy zu, als dieser zur Bank zurückrannte.

Billy war so glücklich, daß er meinte, es nicht für sich behalten zu können. Wenn ihn jemand berührt hätte, wäre er geplatzt. Er bemerkte Stevie Hennessy nicht einmal, bis Stevie direkt auf ihn zukam und sich neben ihn setzte.

»Du bist nicht schlecht«, sagte Stevie.

»Glaubst du?« sagte Billy vorsichtig.

»Vielleicht stecken sie uns am Ende in dieselbe Mannschaft«, sagte Stevie.

Draußen auf dem Spielfeld wirbelte Staub durch die Luft, und er roch scharf und süß. Man hörte Verkehrsgeräusche und das Geschrei der Jungs auf dem Platz, und vielleicht konnte Billy deshalb überhaupt nichts hören, als er versuchte, Stevies Gedanken zu belauschen.

»Da wir doch sowieso in der gleichen Straße wohnen«, erklärte Stevie.

»Ja«, sagte Billy, »könnte sein.«

Er hörte nichts, nur einen der Trainer, der draußen auf dem Feld etwas rief, und ein Flugzeug hoch über ihnen.

»Letztes Jahr war ich bei den Wolverines«, sagte Stevie. »Da hätten wir dich gebrauchen können.«

Billy legte sich beide Hände auf den Kopf und rieb sanft mit den Fingerspitzen seine Kopfhaut. Das ständige Summen, das er sonst immer hörte, war verschwunden, und mit ihm die Kopfschmerzen, die er immer bekam, wenn er die Gedanken von jemand anderem auffing. Draußen am Tor war Aces Schatten lang und dünn, als er sich umdrehte und sich auf den Heimweg machte. Es gab ja auch keinen Grund für ihn, noch länger zu bleiben. Billy hatte die Aufnahme in die Mannschaft geschafft, das konnte jeder sehen. Als er aufgerufen wurde, um die Eintrittsformulare zu unterschreiben, rannte er so schnell, daß seine Turnschuhe keine Spuren im Staub hinterließen.

Zehntes Kapitel
Die Southern State

Am Tag des Schulabschlusses war es so heiß, daß der Asphalt dampfte. Einige der Schulabgänger, die mehr als zwei Stunden draußen in der Sonne stehen mußten, wurden ohnmächtig, andere mußten große Mengen Eiswasser trinken, nachdem die Feier endlich vorbei war, und wieder andere legten die Arme um ihre Klassenkameraden und weinten Tränen, die so heiß und salzig waren, daß ihre Wangen winzige rote Brandmale davontrugen. Danny Shapiro war Jahrgangsbester geworden, was alle erwartet hatten, und Ace McCarthy hatte die Abschlußprüfung bestanden, was kaum jemand erwartet hatte. Die Tradition eines gemeinsamen Essens in Tito's Steakhouse, die vor sechs Jahren von der allerersten Abschlußklasse der High School eingeführt worden war, wurde fortgesetzt. Gloria Shapiro fuhr Rickie und Danny in ihrem neuen Ford Falcon hin. Phil war zu spät zur Abschlußfeier erschienen und früh gegangen, weil er nicht mit Gloria zusammentreffen wollte. So hatte er Dannys Rede verpaßt.

»Ich könnte ihm den Hals umdrehen«, sagte Gloria, als ihre Steaks serviert wurden. »Ich könnte zusehen, wie er Dreck frißt.«

»Mami«, sagte Rickie Shapiro. »Bitte.«

Rickies Augen waren gerötet, weil sie mit Doug Linkhauser

Schluß gemacht hatte und noch immer nicht wußte, warum. Jeder sagte, er wolle sie heiraten. Man erzählte sich, er halte schon nach Ringen Ausschau, aber als er das letzte Mal versucht hatte, Rickie zu küssen, war sie vollkommen in Panik geraten. Sie fing an, seinen Telefonanrufen aus dem Weg zu gehen, und schließlich schickte sie ihm mit der Post sein Namensarmband zurück, was ein feiger Ausweg war, aber immerhin ein Ausweg. Manchmal sah sie nachts aus ihrem Fenster, beobachtete das Haus der McCarthys und versuchte, Ace durch Willenskraft dazu zu bewegen, an ihr Fenster zu kommen, aber es funktionierte nie, und das wußte sie auch. Einmal, in einer klaren, blauen Nacht, hatte sie ihr Fenster geöffnet und daran gedacht, nach draußen zu klettern, aber da hatte sie Ace auf dem Heimweg von Nora Silks Haus den vorderen Rasen überqueren sehen. Sie hatte ihre Ellbogen auf die Fensterbank gestützt, und ein paar von den ersten Glühwürmchen der Saison hatten sich in ihrem Haar verfangen; obwohl sie die meisten herausbürstete, ehe sie zu Bett ging, leuchtete die ganze Nacht ein schwaches, grünliches Licht zwischen ihren Haarsträhnen.

Danny saß seiner Mutter und Schwester gegenüber. Er trug ein weißes Hemd und einen blauen Anzug und eine neue Seidenkrawatte. Nach seiner Rede waren einige von den Eltern und Lehrern zu ihm gekommen, um ihm zu gratulieren, und er hatte sich höflich bedankt, aber in Wirklichkeit konnte er sich nicht einmal erinnern, worum sich seine Rede gedreht hatte. Hoffnung, dachte er. Glaube an die Zukunft. Er sah zu, wie seine Mutter den Kellner rief, um Gin und Tonic zu bestellen, und er wußte, daß er sie aus dem Restaurant würde nach Hause fahren müssen. Er wollte diesen Sommer im Labor arbeiten, um zusätzliches Geld zu verdienen für alles, was sein Stipendium in Cornell nicht decken würde. Er war bereits für zwei Mathekurse eingeschrieben, obwohl ihm an Mathe nicht mehr viel lag. Er war nicht sicher, ob ihm überhaupt an irgend etwas lag, außer, an einen Ort zu kommen, wo es grüne Felder gab und wo im Winter die Schneewehen so tief waren, daß man von der Außenwelt abgeschnitten war.

»Ace ist nicht da«, sagte Rickie, nachdem sie sich im Raum umgesehen hatte.

»Warum sollte er auch?« sagte Gloria. »Sie haben ihn bestehen lassen, weil sie ihn loswerden wollten.«

Danny schaute sich im Restaurant um. »Nicht da«, stimmte er zu. »Sie konnten ihn nicht mitschleppen«, lächelte er. Er sah über den Tisch hinweg seine Schwester an, während ihre Mutter das Eis in ihrem Drink verrührte. Was war sie für eine Idiotin, daß sie auf seinen Rat gehört hatte! Aber so war sie immer gewesen. Er wünschte sich, jemand würde sie ohrfeigen, nur, um sie aufzuwecken.

»Vermißt du ihn?« fragte er Rickie boshaft.

Rickie nahm einen Zwiebelring von ihrem Teller. Sie betrachtete ihren Bruder, und plötzlich wurde ihr klar, daß sie gar nicht so verschieden waren, wie sie immer gedacht hatte. Die Klimaanlage im Restaurant war so weit aufgedreht, daß ihre Fingerspitzen sich blau gefärbt hatten. »Nicht so sehr wie du«, sagte sie und bedauerte ihre Worte augenblicklich, weil sie sehen konnte, daß sie stimmten.

Ace hatte sich geweigert, zum Dinner auszugehen, trotz Maries Drängen. Statt dessen ging er zu Noras Haus, ohne sich die Mühe zu machen, Anzug und Krawatte abzulegen. Es war ihm gleich, wer ihn sah. Er marschierte direkt auf die Vordertür zu, obwohl Lynne Wineman in ihrem Vorgarten war und die Hecke schnitt.

»Eigentlich solltest du nicht hier sein«, sagte Nora, als sie die Tür öffnete, und das war in diesem Augenblick und die ganze Zeit über so zutreffend, daß sie beide lachen mußten.

Nora führte ihn in die Küche, wo auf dem Tisch noch uneingepackt sein Geschenk lag. Es war die Taschenuhr ihres Großvaters. Ace nahm sie auf und drehte sie in der Hand.

»Das kann ich nicht annehmen«, sagte er. »Sie ist aus Gold.«

»Vergoldet«, sagte Nora, und dann schloß sie seine Finger um die Uhr.

Wochenlang hatte sie an einem Pullover für ihn gestrickt, ehe ihr klar wurde, daß das nicht das richtige Geschenk sein würde. Sie hatte die Uhr in ihrer Schmuckschatulle gefunden, in die Hand genommen und aufgezogen. Sie ging zehn Minuten vor, und das würde sie immer tun.

Billy kam herein und pfiff, als er Ace sah. »Du solltest doch bei Tito sein. Deine Mutter hat letzte Woche einen Tisch bestellt.«

»Tja«, sagte Ace, »aber ich hab keinen Hunger.«

Trotzdem aß er zwei Portionen Nudeln mit Käse und dann zwei Törtchen und Eis als Nachtisch.

»Wie fühlt es sich an?« fragte Billy, während Nora die Teller abräumte.

»Wie Blei im Magen«, scherzte Ace, und Nora drehte sich zu ihm um und schnitt eine Grimasse.

»Frei zu sein«, sagte Billy. »Stell dir bloß vor, du brauchst nie, nie wieder zur Schule zu gehen.«

James kam herbei und kletterte auf Aces Schoß, und Ace ließ automatisch sein Bein auf- und abwippen und den Kleinen darauf reiten.

»Es fühlt sich anders an als erwartet«, sagte er schließlich.

Nora setzte sich wieder an den Tisch. »Deine Mutter hat einen Kuchen gebacken«, sagte sie.

Ace schaute sie ärgerlich an. Der Nerv an seinem Kinn zuckte. »Na und?« sagte er. »Wieso wissen alle so viel über mein verdammtes Leben?«

»Einen Vanilleschaumkuchen«, sagte Nora.

Ace grinste wider Willen. »Und?«

»Also geh nach Hause«, sagte Nora. »Es hat sie gestern den ganzen Tag gekostet. Der Backofen war stundenlang an, trotz der Bruthitze. Sie hat ihn in den Schrank über dem Kühlschrank gestellt, damit du ihn nicht siehst.«

Ace setzte das Baby auf den Fußboden und starrte Nora an. »Wirfst du mich raus?« fragte er.

»Muß ich das?« sagte Nora.

»Tut sie das?« fragte Ace Billy.

Billy schaute zu seiner Mutter auf und versuchte zu hören, was sie dachte. Er bemühte sich, trotz der klappernden Geräusche, die James mit Töpfen und Pfannen machte, und des Hundegebells im Hintergarten etwas zu hören, aber nichts drang durch. Seine Mutter sah so ruhig aus wie Glas; sie hatte die Hände um einen Krug gelegt und starrte Ace an.

»Sie wirft dich nicht raus«, sagte Billy und hoffte, daß das stimmte.

»Da sieht man, wie wenig Ahnung du hast, Kleiner«, sagte Nora zu Billy. Sie dachte an den Waschsalon in der Eighth Avenue und an die Feuerlilien ihres Großvaters, die auf ihrer Fensterbank nicht hatten wachsen wollen, sie dachte daran, wie ihre Kinder in ihren Betten schliefen, wenn der Mond aufging, und dann fiel ihr auf, daß sie das Dröhnen der Southern State gar nicht mehr hörte. Es war wie das Geräusch eines Flusses geworden, glatt und beständig und blau. Sie schloß die Augen, als Ace vom Tisch aufstand. Nach den ersten paar Schritten, die er über den Küchenboden ging, konnte sie ihn nicht mehr hören.

Es war jetzt dunkel, aber noch immer so heiß wie am Mittag. Ace sah den Wagen, als er aus Noras Haus trat, und er stand auf ihrer Veranda und fragte sich, wieso er in der Einfahrt seiner Eltern geparkt war. Dann sah er, daß sein Vater am Kühlergrill lehnte. Die Zigarette seines Vaters leuchtete wie ein Glühwürmchen. Der Wagen war ein blauer Ford mit vier Weißwandreifen. Ace lockerte seine Krawatte. Er hatte die Uhr von Noras Großvater in die Tasche gesteckt, und sie war schwer wie ein Stein. Er überquerte den Rasen. Gras klebte an seinen Schuhsohlen.

»Deine Mutter wartet«, sagte der Heilige, als Ace in die Einfahrt trat. »Sie hat einen Kuchen gebacken.«

»Ich hab's gehört«, sagte Ace.

Er ging auf die Fahrerseite des Wagens und fuhr mit der Hand über den Lack.

»Guter Wagen«, sagte der Heilige zu ihm, während er seine Zigarette rauchte.

Ace nickte und schaute durch das offene Fenster der Fahrerseite.

»Acht Zylinder«, sagte der Heilige. »Ich hab ihn instand gesetzt.«

Der Heilige wirkte kleiner als sonst, wie er so an den Wagen gelehnt dastand, angespannter, als könne man durch die Haut seine Muskeln arbeiten sehen.

»Vater«, sagte Ace.

»Ich weiß, daß du einen Chevy wolltest, aber glaub mir, dieser hier hält länger«, sagte der Heilige.

Ace wollte die Arme um seinen Vater legen, aber statt dessen trat er neben ihn und lehnte sich an den Kühlergrill. Er sah, daß im Haus die Lampen brannten. Die drei Birnen der Deckenlampe im Wohnzimmer wirkten wie weiße Monde.

»Ich dachte immer, du würdest derjenige sein, der mit mir

arbeitet. So hatte ich mir's gewünscht, aber es ist anders gekommen«, sagte der Heilige.

Ace merkte jetzt, daß der Atem seines Vaters mühsam ging. »Vater«, sagte er. »Ich habe auf einen Wagen gespart. Ich hab genug Geld.«

Der Heilige warf seine Zigarette auf den Boden und trat sie aus. »Das ist etwas, was ich dir geben kann!« sagte er heftig.

»Schon gut«, sagte Ace erschrocken.

»Herrgott noch mal!« sagte der Heilige, wandte sich ihm zu und sah ihn so intensiv an, daß Ace einen Schritt zurückwich. »Kannst du nicht einfach den verdammten Wagen annehmen?«

Ace legte die Arme um seinen Vater und erkannte, was er schon lange gemerkt hätte, hätte er nur hingesehen; nach all dieser Zeit war er jetzt größer als der Heilige.

*

Irgendwann nach Mitternacht wachte James auf. Er öffnete die Augen, gab aber keinen Laut von sich. Sein Teddybär Guga lag bei ihm im Bettchen, und er streichelte das Gesicht des Bären und seine Glasaugen. Durch das Drahtfenster konnte er die ersten Zikaden hören; er sah ein paar helle Sterne. Er schloß die Augen, und die Sterne verschwanden; er öffnete sie, und da waren sie wieder, in einer schwarzen Schüssel über seinem Haus.

James war jetzt achtzehn Monate alt und tanzte schrecklich gern. Immer, wenn seine Mutter ihre Elvis-Platten auflegte, klatschte James in die Hände und hob einen Fuß und dann den anderen, und wenn er sehr kühn war, hob er beide Füße gleichzeitig und hüpfte wie ein Hase. Immer, wenn er das tat, nahm seine Mutter ihn in die Arme und küßte ihn auf den

Hals und sagte, er sei wunderbar. Er hegte eine Leidenschaft für Bonbons mit Zitronengeschmack und Graham-Crackers und dafür, sich hinter Türen zu verstecken, vor allem, wenn seine Mutter ihn rief und er durch den Türspalt sehen konnte, wie sie besorgt nach ihm Ausschau hielt. Er nahm gerne das Kartenspiel mit, wenn er zu Marie ging, damit sie auf ihn aufpaßte. Dann ließ er alle Karten auf einmal zu Boden fallen, und danach hob er sie sorgfältig einzeln wieder auf. Er saß gern auf Maries Schoß, wenn sie mit ihm in die Hände klatschte und ihm Liedchen vorsang mit ihrer rauchigen Stimme, die nach einem freundlichen Frosch klang. Er verstand jetzt alles, was man zu ihm sagte, sogar, wenn er Billys Zimmer durcheinanderbrachte und Billy sagte: »Zieh Leine, Kleiner!« Er verstand »süßer Kuchen« und »bring mir deine Schuhe«. Er konnte sprechen, aber außer ein paar Worten – »Mama«, »Marie«, »Wauwau«, »Kuchen«, »Nase«, »Butter« – wollte das, was er wußte, einfach nicht als Sprache herauskommen. Immer, wenn ihm das passierte, stampfte er mit den Füßen auf, warf sich auf den Boden und umklammerte Guga, und dann ging es ihm viel besser.

Er liebte es, sich einfach in seinem Zimmer umzusehen, vor allem durch die Holzstäbe seines Gitterbettchens hindurch, und wenn er früh oder mitten in der Nacht aufwachte, vergewisserte er sich immer, daß alles noch unverändert war. Die Lampe auf seiner Kommode war noch da, die Spielzeugkiste in der Ecke, der rotweiße Teppich in der Mitte des Zimmers, auf dessen Fransen er manchmal gern herumkaute, wenn ihn niemand sah. Heute nacht, wo alle anderen schliefen, war sein Zimmer genauso wie beim Schlafengehen. Weil es noch dunkel war, wußte er, wenn er seine Mutter rufen würde, würde sie ihm keine Flasche mehr geben, dazu war er schon zu groß. Sie würde nur an die Tür kommen und »Pssst« sagen; aber jetzt machte er einen Versuch und schlug mit dem Kopf gegen die Gitterstäbe. Er schlug fester und fing dann an, mit den Füßen zu treten. Er hörte jemanden aufstehen und dann Schritte im Flur, und am Tapsen von Krallen auf dem Holz erkannte er, daß es der Hund war, Rudy.

Rudy stand vor der Tür, atmete heftig und lauschte. James trat fester gegen sein Bettchen, und schließlich stieß Rudy mit der Nase die Zimmertür auf. Die Augen des Hundes waren feucht und schwarz, seine Nase war auch feucht, und sein Fell war schwarz-beige gemustert. James setzte sich in seinem Bett auf und umklammerte Guga und seine Decke. Als der Hund näher kam, steckte er die Finger durch die Gitterstäbe. Rudy ließ sich stupsen. Dann schob er die Nase durch die Stäbe und stieß die Hand des Babys weg.

»Schlaf jetzt«, sagte der Hund, aber James nahm die Decke und warf sie sich über den Kopf.

Rudy richtete sich auf die Hinterbeine auf und beugte sich über das Bettchen, so daß er mit den Zähnen die Decke wegziehen konnte.

»Böser Junge«, sagte Rudy und ließ die Decke auf die Matratze fallen. Dann setzte er sich neben das Bett und ließ das Baby seine große, schwarze Nase berühren.

»Nase«, sagte James.

Im dunklen Zimmer starrten sie einander an. Das Geräusch der Southern State klang fern, fast wäßrig.

»Hinlegen«, sagte Rudy.

James legte sich hin, faßte seine Decke und drückte sie an sich, während er noch immer in die schwarzen Augen des Hundes starrte. James roch gut, wie Milch, und so leckte der Hund ihm durch die Gitterstäbe das Gesicht.

»Guter Junge«, sagte Rudy leise, tief in der Kehle.

Kühle Nachtluft kam durchs Fenster, und das Gras duftete

süß. Früher, als die Siedlung noch eine Kartoffelfarm war, pflegten in der Dämmerung Kaninchen zwischen den Pflanzenreihen aufzutauchen, und sie blieben bis lange nach Mitternacht und suchten sich in der weichen Erde ihr Abendessen. Jetzt gab es nur noch ausgestopfte Kaninchen in Spielzeugkisten, obwohl Rudy manchmal, wenn er in Noras Hintergarten war, in der Erde scharrte und tiefer und tiefer grub, bis er eine Kartoffel fand, die trotz des Rasens gewachsen war.

Der Hund blieb neben dem Bettchen sitzen, bis das Baby sich den Daumen in den Mund steckte und die Augen schloß. Dann stand er auf, ging zum Teppich, drehte sich ein paarmal um sich selbst, bis er genau die richtige Stelle gefunden hatte, legte sich hin und bettete den Kopf auf die Pfoten. Er hielt die Augen offen und lauschte dem Geräusch menschlichen Atems, einem so hilflosen Geräusch, daß es sogar einen Hund zu Tränen rühren konnte. Unter dem Geräusch des Atems gab es das Rascheln von Faltern an den Drahtfenstern, das Knacken der Dielenbretter, den Laut, mit dem ein Fensterladen in einem anderen Zimmer gegen eine hölzerne Fensterbank schlug. Manchmal, in Vollmondnächten, wenn die ganze Welt silbern wurde, oder in schwarzen Nächten, wenn er schneller als alle menschlichen Füße zwischen den Schatten und den geparkten Wagen hätte hindurchschlüpfen können, spürte der Hund etwas in seinem Blut, das ihn drängte zu rennen. Er hätte diese Kaninchen aufscheuchen können, die zwischen den Kartoffelreihen saßen, sie mit einem Biß schnappen und ganz verzehren können. Er hätte schneller rennen können als alle Autos auf der Southern State, und wenn jemand versucht hätte, ihn zurückzuhalten, hätte er einen Oberschenkelknochen glatt durchbeißen können, bis Knochensplitter durch die Luft flogen. Wenn er gewollt hätte, hätte er aufspringen und mit einem Stoß seines riesigen Kopfes die Drahtfenster herausschleudern können, und die Zäune in den Hintergärten hätten ihn nicht aufgehalten. Aber die Laute menschlichen Atems sorgten dafür, daß er auf dem rotweißen Flickenteppich liegenblieb. Er wußte nicht, wer sein Vater war, aber er wußte, wozu er gezüchtet worden war. Es spielte keine Rolle, daß er schneller laufen konnte als jeder Mensch, oder daß es noch irgendwo Kaninchen gab, die die Ohren anlegten und in der Dunkelheit zitterten. Selbst wenn er schlief, harrte er auf den Pfiff oder Klaps eines Menschen, der ihn aufweckte. Er sehnte sich danach, gerufen zu werden. Selbst in seinen Träumen, wenn er dicht neben dem Mond dahinrannte, einem Vollmond, der so weiß war, daß er einen Menschen binnen Sekunden geblendet hätte, war er bereit für den Ruf des Menschen, zu dem er gehörte.

Im Schlafzimmer, wo er neben Nora lag, wußte Ace, daß er nie wieder eine andere Frau so lieben würde, wie er Nora liebte. Sie schlief noch, aber er konnte sie nicht in Ruhe lassen. Er strich mit den Händen über ihre Arme, ihre Brüste, dann ihren Bauch. Sie hatte Dehnungsstreifen auf Bauch und Hüften von ihren Schwangerschaften; Bande der Hingabe, die Ace nicht verstehen konnte und vielleicht nie verstehen würde. Als er sie bat, mit ihm zu gehen, sagte sie, er solle still sein und sie küssen und nicht ihre gemeinsame Zeit verschwenden. Und er nahm an, daß sie recht hatte; jetzt, da er die Uhr ihres Großvaters besaß, war er erstaunt zu sehen, wie schnell die Zeit verging.

Gestern abend, als er sein Zimmer aufgeräumt hatte, hatte er nur so wenige Dinge gefunden, die das Mitnehmen lohnten, daß ein einziger kleiner Koffer ausreichte. Der Heilige und Jackie waren lange in der Tankstelle geblieben, hatten sich eine Pizza aus dem Karton geteilt und die Bürofenster mit

Windex geputzt, damit sie sich nicht von ihm verabschieden mußten. Ace verstand das, er wußte es sogar zu schätzen. Mit seiner Mutter war es nicht so einfach; sie weinte in der Küche, während sie ihm zwei Roastbeefsandwiches und eine Dose Kekse für unterwegs vorbereitete. Sie warf ihm die Arme um den Hals, als er mit seinem Koffer hereinkam, und tat so, als weine sie nicht. Als Marie ihn schließlich losließ, belud Ace den Ford, den der Heilige ihm geschenkt hatte, und fuhr mit Rudy neben sich zu einem Feld neben Dead Man's Hill. Er hatte vorgehabt, sofort loszufahren, aber als er die Auffahrtsstraße zur Southern State sah, parkte er den Wagen und ging zu Fuß zurück zu Noras Haus. Ihre Tür war unverschlossen. Sie wartete in der Küche auf ihn mit dem Glas Wasser, das sie ihm hatte geben wollen, als er das erste Mal in ihr Haus gekommen war.

Jetzt war Morgen, noch Dämmerung, aber dennoch Morgen. Er hatte es getan, er war die ganze Nacht geblieben und hatte gesehen, wie sie aussah, bevor sie die Augen aufschlug, die Art, wie ihr schwarzes Haar auf dem weißen Kopfkissen lag. Er beobachtete ihren Schlaf. Dann stand er auf und zog seine Kleider an. Er ging zum Fenster und hob einen Streifen der Jalousette an, so daß er sein Haus sehen konnte; seine Mutter machte wahrscheinlich bereits Kaffee, und sein Vater stand unter der Dusche. Jackie griff nach den frischgebügelten Arbeitskleidern, die in seinem Schrank hingen. Was sie betraf, so war Ace bereits fort. Aber er war nicht fort. Er nahm sich eine Zigarette und setzte sich auf den Bettrand. Jedesmal, wenn er eine Frau mit einem Armband voller Anhänger sehen wird, wird er an Nora denken; jedesmal, wenn er mittags seinen Lunch essen oder einer Frau die Bluse ausziehen wird, wird er an sie denken; wenn er auf dem Weg nach Kalifornien durch die Wüste fahren wird, dann wird er an den Straßenrand fahren und in die purpurne Dämmerung schauen und ihren Namen laut aussprechen.

Er ging zurück zum Bett, und Nora erwachte und setzte sich auf. Sie legte die Arme um ihn und lehnte ihr Gesicht an seinen Rücken. Dann griff sie nach der Zigarette in seiner Hand und nahm einen Zug, ehe sie sie in dem Aschenbecher auf ihrem Nachttisch ausdrückte.

»Nora«, sagte Ace.

»Heute werd ich Sonnenblumen pflanzen«, sagte Nora zu ihm. »Um den ganzen Patio herum. Ich werde waschen, und dann muß ich Lebensmittel einkaufen. Wir haben kein Brot mehr.«

Sie hielt ihn in den Armen, und er lehnte sich zurück, bis sie sich von ihm löste.

»Vollkornbrot«, sagte Nora.

Den ganzen Juni hindurch hatten sich große, schwarze Ameisen in Noras Küche getummelt. Sie konnte sie anscheinend nicht loswerden, nicht einmal, als sie die Arbeitsflächen mit einer Mischung aus Knoblauch und Majoran abrieb, wie ihr Großvater es immer getan hatte. Die Ameisen waren furchtlos; sie sprangen direkt in die Zuckerdose oder sogar in die Kaffeetasse. Marie McCarthy hatte Nora gesagt, jeder in der Siedlung habe sie im Juni, und man könne sie nur loswerden, indem man Ameisengift streue und so mit ihnen aufräume. Nora hatte also Gift in die kleinen Förmchen gefüllt, die sie von gefrorenen Geflügelpasteten aufgehoben hatte, und dafür gesorgt, daß sie außer Reichweite der Kinder standen. Tatsächlich waren die Ameisen daran eingegangen.

Es war erstaunlich, wie schnell sie sterben konnten und wie zahlreich sie waren; sie mußte sie mit einem Schwamm von den Arbeitsflächen wischen und in den Mülleimer bringen, damit James sie nicht in den Mund steckte. Der Mann im

Haushaltswarenladen hatte Nora versprochen, all ihre Ameisen würden binnen zwölf Stunden tot sein. Sie hatte erwartet, sie würden sich irgendwo verkriechen und still sterben. Sie hatte nicht damit gerechnet, daß sie auf den Rücken fallen und mit den Beinen zappeln und ihren Boden übersäen und dafür sorgen würden, daß sie sich vorkam wie eine Mörderin. Die Ameisen wußten offenbar, daß etwas Schreckliches im Gange war, denn diejenigen, die sich noch bewegten, waren hektisch; sie ignorierten die Zuckerdose und den klebrigen Keks, den James auf seinem Hochstuhl hatte liegen lassen. Sie bildeten eine Linie am Fensterbrett über der Spüle entlang und rasten hin und her. Nora holte eine Zeitung, rollte sie auf und wollte sie rasch umbringen. Dann erkannte sie, was sie da taten. Die Gesunden und die, die schon vom Gift angegriffen waren, rasten zu ihrem Bau im Fensterbrett und zurück und versuchten verzweifelt, ihre Eier zu retten. Überall auf der Arbeitsplatte neben der Spüle lagen winzige gelbe Eier, durchscheinend wie Reispapier und so zart, daß sie zerfielen, sobald Nora sie mit dem Finger berührte.

Nora stand an der Arbeitsfläche und weinte, während die Ameisen mehr und mehr unrettbare Eier aus ihrem Bau schleppten. Sie weinte, als sie die Eier auf einen Pappteller wischte, sie nach draußen in den Garten trug und da, wo sie ihre Sonnenblumen pflanzen wollte, unter die Erde mischte. Sie saß lange da draußen, hockte auf der kleinen Mauer aus Ziegelsteinen, die Mr. Olivera sorgfältig um den Patio gebaut hatte, und als sie mit Weinen fertig war, wußte sie, sie würde fähig sein, Ace beim Anziehen seiner Stiefel zuzusehen.

Ace zwang sich, das Schlafzimmer zu verlassen; er fand den Hund, der an der Vordertür auf ihn wartete, und nahm seine Leine. Sie gingen durch die Hintergärten und an den Zäunen entlang, und weil sie so gingen, wie die Krähen fliegen, erreichten sie schnell den Parkway. Da beugte Ace sich nieder und ließ Rudy von der Leine, und sie liefen zu dem geparkten Ford auf der anderen Seite von Dead Man's Hill und erreichten endlich die Gegend, wo keine Kettenzäune mehr waren und die Luft so süß duftete wie früher, als es noch Nelken und hohe, purpurne Lupinen gab und Dead Man's Hill bedeckt war von kleinen Wildrosen, die in jedem Jahr nur eine Woche lang blühten.

Am letzten Sonntag im Juni gingen Nora und James mit zwei Löffeln und einem Päckchen Samen in den Hintergarten, und sie pflanzten die Sonnenblumen in einem Kreis rund um den Patio. Es war ein schöner Tag, heiß und klar mit hohen, weißen Wolken, die aussahen wie Popcorn. Nach einem Lunch aus Thunfisch und Schokoladenmilch legte Nora James in seinen Sportwagen, damit er schlafen konnte, während sie spazierengingen. Als sie in der Einfahrt stehen blieb, um sich eine Zigarette anzuzünden, sah sie Donna Durgin in einem Mietwagen an den Straßenrand fahren. Donna drückte dreimal auf die Hupe und schaute zu ihrem früheren Haus, aber nichts geschah. Donna hupte wieder, und Nora ging zu dem Wagen und trat an das Fahrerfenster. Sie klopfte und erschreckte Donna zu Tode. Als Donna Nora erkannte, kurbelte sie das Fenster herunter.

»Sie tragen Schwarz«, sagte Nora. »Sie sehen fantastisch aus.«

Donna lächelte schüchtern und schob ihr schwarzes Stirnband zurecht. Sie trug einen schwarzen Baumwollpullover und enge schwarze Hosen, und ihr blondes Haar war kurz geschnitten und kräuselte sich um ihr Gesicht.

»Ich hole meine Kinder ab«, sagte Donna.

»Schön für Sie«, sagte Nora.

»Ich hole sie jeden Sonntag, und er weiß, daß ich um eins komme.«

»Wahrscheinlich will er Sie zappeln lassen, weil Sie so toll aussehen«, sagte Nora. Nora griff in den Wagen und drückte auf die Hupe und ließ nicht los. »Das sollte ihn aufscheuchen«, sagte sie.

Robert Durgin öffnete die Vordertür und stieß das Drahtgitter auf. Er trug ein Unterhemd und Jeans und schrie, Donna solle sich verdammt noch mal zusammenreißen.

»Sehen Sie, was ich meine?« sagte Nora.

Donna stieg aus dem Wagen, um auf die Kinder zu warten. Sie kniete nieder und kitzelte James am Kinn. »Ich habe mich verfahren, als ich heute herkam«, sagte sie. »Ich war ganz verwirrt und wußte nicht mehr, in welcher Straße ich gewohnt habe.«

Donna richtete sich auf, und sie und Nora lehnten sich gegen den Wagen und betrachteten das Haus.

»Ich wollte immer eine Laube direkt vor der Veranda«, sagte Donna. »Ich wollte rote Rosen daran hochziehen.«

»Rosen sind schrecklich lästig«, sagte Nora, während sie mit dem Schuh ihre Zigarette austrat. Sie war überrascht, als Donna Durgin lachte. »Wirklich, glauben Sie mir«, sagte sie. »Man muß sie spritzen wegen der Blattläuse und düngen wie verrückt und vor dem Winter zurückschneiden und beten, daß die Kinder sich nicht an den Dornen die Finger aufreißen. Sonnenblumen sind besser. Kommen Sie im August vorbei, und Sie werden sehen, ich habe einen ganzen Wald davon, alle fast zwei Meter hoch.«

Beide Frauen lächelten und dachten an mannshohe gelbe Blumen, die ihre Köpfe nach der Sonne drehten.

»Ich bekomme meine Kinder zurück, wissen Sie«, sagte Donna.

Donnas Kinder standen an der Gittertür, doch Robert hielt sie auf, indem er ihnen noch letzte Anweisungen gab.

»Auf einmal weiß er alles ganz genau«, sagte Donna. »Er schreibt mir Zettel, auf denen steht, was sie zum Abendessen bekommen sollen. Als ob ich ihnen nicht in all den Jahren immer das Abendessen gemacht hätte!«

»Zerreißen Sie die Zettel, wenn die Kinder es nicht sehen«, sagte Nora.

»Das werde ich«, sagte Donna grinsend und ging, um ihre Kinder zu begrüßen.

Nora sah ihnen ein Weilchen zu. Dann drehte sie sich um und ging in Richtung Harvey's Turnpike. Inzwischen kannte sie die Namen aller Straßen und die eigenartigen Kurven, die jede hatte, sie wußte, welche Sackgassen waren und welche sich zum Turnpike emporschlängelten. In jedem Block waren Männer im Garten und mähten Gras, und der Duft war so süß, daß man sich am liebsten an Ort und Stelle auf irgendeinem Rasen, der einem nicht gehörte, zusammengerollt hätte. James schlief in seinem Sportwagen ein, die Hände auf den Knien, den Kopf auf die Schulter gelegt. Nora steuerte den Wagen vorsichtig über die Bordsteinkanten, und als sie Police Field erreichte, stülpte sie dem Baby einen Sonnenhut über. Sie grüßte einige der Mütter, die sie kannte, und winkte Lynne Wineman zu, die hoch oben in den Zuschauerreihen saß.

Nora lenkte den Wagen zur Tribüne. Sie trug noch immer die alten Bermudashorts und Turnschuhe, die sie zur Gartenarbeit angezogen hatte, und ihr Haar war mit einem Gummiband zum Pferdeschwanz zurückgebunden. Sie setzte sich in die unterste Tribünenreihe. Dort hatte sie vielleicht nicht den besten Blick, aber so konnte sie James weiterschlafen lassen. Am Rand auf der anderen Seite des Sportplatzes sah sie die

Wolverines in ihren blauen Uniformen. Sie nahm eine Zigarette aus der Schachtel in ihrer Tasche, zündete sie an und lehnte sich auf der Zuschauerbank zurück.

»Hallo!« rief sie, als sie Joe Hennessy sah. Er führte Suzanne durch die Menge und trug eine große Tüte Popcorn. Als er Nora rufen hörte, drehte er sich verblüfft um. »Joe!« rief Nora und tappte mit der Hand auf den Platz neben sich.

Hennessy blieb einen Augenblick stehen, bemühte sich zu sehen, wer ihn gerufen hatte, und blinzelte, bis er sie erkannte. Er mußte Suzanne überreden, mit zu Nora zu gehen, nur für einen Augenblick.

»Sie will unbedingt ganz oben sitzen«, erklärte er Nora.

»Kann ich dir nicht verdenken«, sagte Nora zu Suzanne. »Wo ist Ellen?« fragte sie Hennessy.

»Sie mußte gestern lange arbeiten«, erklärte Hennessy. »Sie hat ihren freien Nachmittag. Samstags und sonntags muß ich mich jetzt um die Kinder kümmern.«

»Ich wette, das können Sie fabelhaft«, sagte Nora. Sie drückte ihre Zigarette im Sand aus und grinste zu Hennessy auf.

»Nein«, behauptete Hennessy, »kann ich nicht.«

»Daddy«, sagte Suzanne und zerrte an seiner Hand. »Du hast es versprochen.«

»Das stimmt«, gestand Hennessy Nora.

»Vorwärts, Wolverines, richtig?« sagte Nora.

»Richtig«, sagte Hennessy und rührte sich nicht. »Geht's Ihnen gut?« fragte er.

»Klar«, sagte Nora. Sie griff an ihre Bermudashorts und lächelte. »Ich sehe bloß so aus, weil ich im Garten gearbeitet habe.«

Das Licht war klar und gelb, Noras Haut wirkte golden.

»Das hab ich nicht gemeint«, sagte Hennessy.

In seinem Sportwagen drehte James den Kopf, schob sich den Daumen in den Mund und saugte heftig, wie er es immer unmittelbar vor dem Aufwachen tat.

»Ich weiß, was Sie meinen«, sagte Nora.

Nora und Hennessy sahen einander an und lachten. Hennessy drehte sich um, hob Suzanne auf und machte sich mit ihr auf den Weg in die oberste Reihe der Tribüne. Nora sah ihnen nach; dann merkte sie, daß James aufgewacht war und sie anstarrte.

»Mein süßer Schatz«, sagte sie, nahm ihn aus dem Wagen und hielt ihn auf dem Schoß.

Die Jungen der gegnerischen Mannschaft liefen jetzt auf das Spielfeld. Als Nora ihre Augen beschattete und genau hinsah, erkannte sie, wo Billy in seinem neuen blauen Dress auf der Bank saß. Das Baby auf ihrem Schoß war noch schwer vom Schlaf; es drehte sich um und richtete sich auf die Knie auf, um die Arme um Noras Hals legen zu können. Über dem Baseballfeld war der Himmel von klarem, leuchtendem Blau, und im Osten gab es einen rötlichen Streifen, der anhaltend gutes Wetter versprach. Nora blies auf James' verschwitzten Hals und küßte ihn dann. Sie lehnte sich zurück und zeigte nach oben, so daß das Baby den ersten Ball fliegen sehen konnte, hoch über ihnen, wo schon Stunden vor der Dunkelheit der Mond hing, voll und weiß.